Classici dell'Arte

L'opera completa di

Jean-Etienne Liotard

Classici dell'Arte

Biblioteca Universale delle Arti Figurative

Consulente critico centrale
GIAN ALBERTO DELL'ACQUA

Coordinamento redazionale
GIANFRANCO MALAFARINA

Redattore capo
TIZIANA FRATI

Redazione e Grafica
SUSI BARBAGLIA
SALVATORE SALMI
GIANFRANCO CHIMINELLO

Segreteria
MARISA CINGOLANI

Ricerche iconografiche
CARLA VIAZZOLI
MARILIA LONGON CATTANEO

Stampa e rilegatura a cura di
MARIO ARIOTTO
CARLO PRADA
LUCIO FOSSATI

Colori a cura di
FELICE PANZA
CORNELIO SISTI

Coedizioni estere
FRANCA SIRONI

Comitato editoriale
ANDREA RIZZOLI
MARIO SPAGNOL
HENRI FLAMMARION
FRANCIS BOUVET
J.Y.A. NOGUER
JOSÉ PARDO

L'opera completa di

Liotard

Introdotta e coordinata da
RENÉE LOCHE
e
MARCEL ROETHLISBERGER

Rizzoli Editore · Milano

Dimensioni
del ritratto realista

Il Settecento è l'apice di una lunga tradizione della pittura di ritratto, che comincia con l'arte di corte del tardo Medioevo, seguìta dalla scoperta della realtà con Van Eyck e Antonello. Nel Cinquecento nascono il ritratto indicatore del rango sociale e l'effigie umanistica, mentre dal secolo successivo vengono il ritratto aulico di Van Dyck e Velázquez così come il ritratto borghese di Hals e Rembrandt. Nel secolo dei "lumi", l'aspetto fisico dell'individuo doveva occupare più che mai un posto di primo piano. Gainsborough e Goya ne sono i grandi interpreti. Nell'Ottocento, il ritratto psicologico e sociale verrà lentamente eclissato dalla fotografia.

In ogni paese il panorama settecentesco del ritratto è vasto e ricco di vertici. Il contributo inglese, dominato da Reynolds, appare senza dubbio il più importante, coi suoi grandi quadri dipinti liberamente, dove la figura umana si trova in mezzo alla natura. In Francia gli specialisti principali sono Nattier e i contemporanei più stretti di Liotard, ossia La Tour, Drouais, Aved e altri. In Italia, Rosalba Carriera e Batoni, per nominarne due soltanto.

Nella sua lunga vita, Liotard attraversa il secolo da cima a fondo. Nasce nel 1702, quasi negli stessi anni di Chardin e Boucher, mentre Luigi XIV regna ancora sulla Francia. Muore nel 1789, data della Rivoluzione, quando la nascita del neoclassicismo si trova in pieno svolgimento. Allora, Goya si è ormai imposto, il *Giuramento degli Orazi* di David è celebre, Ingres ha nove anni. Contrariamente a Holbein, Van Dyck o Ingres, Liotard è uno specialista di ritratti nel senso più stretto del termine, come La Tour, Anton Graff o i maestri della·scuola ginevrina. In più, si limita soprattutto a un tipo: quello del busto su fondo unito, condotto a pastello.

Se è ginevrino di nascita, lo è pure dal lato artistico? Nelle collezioni anglo-americane risulta come di scuola svizzera: riferimento improprio, perché Ginevra, città libera, non ha nessun legame

d'arte con le correnti locali della Svizzera tedesca. Nato ultimo di sette figli di genitori francesi, ugonotti oriundi della Drôme, nel sud-est, trascorre tutta la giovinezza a Ginevra, riceve una formazione professionale parigina, poi viaggia; e fra i vari soggiorni all'estero, passa una trentina d'anni in patria, a Ginevra. Lo spirito di questa cittadina di ventimila anime lo segna a fondo, tranne che dal lato religioso, in cui la sua indifferenza è completa. Società evoluta, aperta alle idee moderne, rivolta verso Parigi; ma, anche, feudo calvinista, poco propenso alle arti, privo del mecenatismo d'una corte. Anzi, le leggi suntuarie proibiscono espressamente il lusso e l'accumulo di tesori artistici. Liotard non se ne intende di lettere, come sarà di Füssli a Zurigo, e non contribuisce alla storia delle idee in Ginevra: ciò che non gli impedisce di diventare di gran lunga il più importante e il più noto degli artisti ginevrini.

Dal Settecento, la cerchia artistica locale si limita sostanzialmente al ritratto, alla miniatura e allo smalto, prodotto in botteghe familiari al servizio dell'industria orologiera. Del resto, a quel tempo lo smalto era molto più stimato che ai nostri giorni. Liotard deve alla tradizione locale il gusto della precisione e del finito, così come il mestiere stesso dello smalto, che pratica per tutta la vita. In compenso, i ritrattisti ginevrini della generazione che lo precede – Arlaud e Robert Gardelle, legati alle formule impersonali del Seicento – non hanno niente da offrirgli. Così, non ha la fortuna di beneficiare della tradizione e del sostegno d'una scuola locale attiva.

In seguito, continua a restare indipendente, senza legarsi a nessuna scuola. A Parigi, il suo stile non si francesizza affatto, contrariamente ad alcuni dei suoi colleghi più accomodanti, come i ritrattisti svedesi G. Lundberg e A. Roslin. Non viene ammesso all'Accademia di Belle Arti, e così non avrà allievi (tranne la marchesa di Baden, che era una dilettante, e suo figlio maggiore, che si impegolerà negli affari).

Perfino l'Inghilterra, dove lungo i secoli tanti artisti si sono anglicizzati, non lo cambia per niente. Come ritrattista dell'aristocrazia, si muove al di là delle correnti locali. D'altra parte i numerosi viaggi gli impediscono di stringere legami. Il suo limite e la sua forza derivano da un tenace individualismo che lo governa per tutta la vita, al punto che il suo stile non registra svolgimenti, salvo all'inizio e nel periodo estremo.

Il giovane Liotard deve la propria formazione a due maestri insignificanti, studia per qualche mese a Ginevra presso il miniaturista Daniel Gardelle, poi per tre anni a Parigi col pittore e incisore Massé. Da generazioni gli artisti ginevrini gravitano su Parigi; Liotard ci vive tredici anni. A quel tempo, François Lemoyne domina la ribalta artistica, Rigaud e Largillière, che superano Liotard in longevità, sono i maestri del ritratto sontuoso, Nattier primeggia nel ritratto mitologico; l'eredità di Watteau, morto da poco, è onnipresente; ancora, i maestri dell'avvenire come Boucher e Chardin stanno ottenendo i primi successi. Poco o nulla di tutto questo traspare nell'opera di Liotard. Da subito si limita al ritratto. L'avvio è lento; e in pratica ignoriamo quasi tutto di lui prima dei trent'anni. Alla fine del soggiorno parigino dipinge il suo solo quadro storico, un tema del Vecchio Testamento concepito in maniera impersonale.

All'età di trentatré anni, il viaggio in Italia; che per lui non sarà più il soggiorno formativo secondo la tradizione. I due anni e mezzo che passa a Firenze, Roma e Napoli non lo segnano in modo evidente. Nessuna traccia del ritratto incisivo di fra' Galgario o del ritratto popolare e mordace di Ceruti, per non parlare di grandi contemporanei come Solimena o Sebastiano Ricci. Ad ogni buon conto copia qualche soggetto classico. Mentre non rimane nessuno dei ritratti di maggiorenti italiani fatti in quel periodo, ben più importante si rivela il contatto coi giovani aristocratici britannici in visita nella penisola; decenni dopo rinnoverà quei legami nel corso di due soggiorni a Londra.

Per Liotard, il viaggio in Grecia e i quattro anni a Costantinopoli resteranno il momento più affascinante della vita. Ha dipinto soprattutto il corpo diplomatico, ma a noi non è arrivato quasi niente. Per la prima volta l'artista si dedica a immagini di genere, descrivendo in quest'unica circostanza il proprio ambiente in deliziosi disegni di interni turchi, che farà pubblicare a Vienna e a Parigi in una trentina

d'incisioni. Bisogna ammettere comunque che non è un narratore della vita turca. Il francese J. B. Vanmour, che lo aveva preceduto a Costantinopoli dal 1688 alla sua morte nel 1737, ci offre una ben più vasta documentazione sui costumi, la corte e le feste turche, sia nei dipinti di gruppo, sia nel *Recueil de cent estampes de costume*, del 1712, che ancora nel 1741 servirà da modello alle scene turche di A. Guardi. E la tradizione sarà ripresa, a Costantinopoli, da Antoine de Favray, a partire dal 1762, per dieci anni. Liotard non mostra neppure di aver avuto alcun rapporto con la pittura turca, che è soltanto di illuminazione; ma si noterà in ogni caso che la totale assenza di modellato che caratterizza l'arte turca e persiana non poteva che confermarlo nel suo stile personale.

In pittura, l'orientalismo diventa un fattore importante solo nell'età romantica. Si era diffuso ben prima, ma, in genere, non prodotto da un contatto immediato con l'Oriente, bensì con una impronta aneddotica, teatrale o letteraria (Molière, Montesquieu, Voltaire), oppure interessando la ceramica e la tessitura. Nella pittura francese, le turcherie si incontrano in misura pari che i soggetti indiani e cinesi. Ne troviamo a partire dagli arazzi turchi di Antoine Coypel (1722) fino a Charles Vanloo (1773). Poco prima del viaggio di Liotard, Vanloo dipinge scene turche di gusto francese. Quanto ai ritratti, nel 1742 Aved e La Tour effigiano l'ambasciatore turco.

Al viaggio di Liotard in Moldavia, segue il primo soggiorno a Vienna, dove il successo è grande, a cominciare dall'imperatrice, che gli testimonia la propria amicizia. È vero che, in pratica, una concorrenza non esiste; però il successo non sarà da meno durante il secondo soggiorno parigino (1746-53), quando invece i rivali sono importanti. Anche qua dipinge la famiglia reale. La tappa successiva è Londra. Al momento del suo tirocinio londinese (1753-55), Reynolds e Gainsborough, più giovani di una generazione, sono ancora alle prime armi. Liotard ritrae la famiglia del principe di Galles e quell'aristocrazia che già in parte conosce. Poi soggiorna in Olanda, e qui sposa una giovane; dopo di che nel 1758 si stabilisce a Ginevra, dove avrà cinque figli. Per far fronte alle commissioni, più tardi ritorna a Vienna, Parigi, Londra, e un'altra volta a Vienna. Ma gli ultimi viaggi a Parigi e a Vienna non sono proficui, perché il suo stile immutabile era scaduto di moda.

Di sicuro gioca il gusto di viaggiare; però d'altra

parte gli spostamenti sono una necessità vitale per un ritrattista, che ha bisogno di rinnovare la clientela. I viaggi non lo conducono che nelle poche capitali ricordate; e, dopo qualche tempo, in ogni città le ordinazioni si esauriscono. Del resto Liotard non è il solo a spostarsi. Rosalba Carriera, Perronneau, Angelica Kauffmann fanno altrettanto, e Roslin è perfino più viaggiatore di lui; per il passato, basta citare gli esempi di Antonio Moro, Pourbus o Van Dyck. Come questi, Liotard è soprattutto un pittore itinerante di corte. Così si spiega anche che il cittadino di una repubblica calvinista sia ammesso a ritrarre il papa, la famiglia imperiale di Vienna e i principi francesi. Altri ritrattisti ginevrini come Arlaud, Gardelle e Du Pan lavorano pure in diverse corti europee; e già un secolo prima di Liotard, Jean Petitot, lo smaltista più noto, era attivo alle corti di Londra e Parigi. Del resto, tranne quella di Londra, nel Settecento tutte le corti sono impregnate di cultura francese. Qualche volta Liotard sfrutta l'abbigliamento alla turca e una certa eccentricità; ma a differenza di La Tour non fa mai capricci con i clienti. Uno sguardo sui retroscena ci viene offerto da tre dozzine di lettere sue indirizzate negli ultimi anni alla famiglia e a F. Tronchin. Queste carte, che riguardano l'ultimo viaggio a Vienna, rivelano le tribolazioni del ritrattista alla ricerca del cliente, che è obbligato a sollecitare con giri di visite quotidiane.

Artista cosmopolita, Liotard dipinge la nobiltà austriaca, francese, inglese, olandese. Presenta quei dignitari con una semplicità stupefacente, lasciando da parte tutto l'armamentario di tende, drappeggi, corone e altri orpelli che caratterizzano il ritratto aulico. Anche l'imperatrice d'Austria — il solo personaggio che dipinge oltre una dozzina di volte, senza contare le repliche — il più delle volte viene espressa come una signora della borghesia. A tre riprese si vede incaricato di ritrarre una famiglia al completo; nel 1749, le principesse francesi, vestite con abiti stupendi, quelle stesse che Nattier ritrae così spesso leggiadramente addobbate come figure mitologiche; cinque anni dopo, i principi di Galles e i figli, la cui semplicità ne fa la più bella serie dei ragazzi di Liotard. A questi si aggiungono nel 1762 i piccoli e rifiniti disegni degli undici figli dell'imperatore d'Austria. A Ginevra ritrae le famiglie borghesi, cominciando dai Tronchin e dalla propria famiglia. Qualche testa di scrittore, come Marivaux, Rousseau, Voltaire, faceva pure parte della sua opera (sono tutte perdute); Garrick è l'unico attore che posa per

lui; Ghezzi l'unico artista di cui esegue un'incisione, in cambio di una caricatura.

Così come è pervenuta, la sua produzione non risulta molto copiosa se la si confronta a quella di altri maestri del ritratto come Tischbein, la Kauffmann o Graff, il ritrattista svizzero stabilitosi a Dresda e il cui catalogo conta 1600 pezzi. Durante la vecchiaia, l'attività rallenta; però l'ultimo ritratto, dipinto a ottantotto anni, sorprende per la spontaneità dell'esecuzione.

Chi dice Liotard pensa immediatamente al pastello. Questa tecnica, la sua preferita, si incontra dal Cinquecento in Francia e in Italia; raggiunge poi la maggiore diffusione in ambiente francese, tra il 1720 e la fine del secolo. Nell'Ottocento sarà riesumata da Degas e dagli impressionisti. "Questo genere di Pittura è d'una facilità particolare. A tale vantaggio aggiunge quello di non diffondere alcun odore, né di causare alcuna lordura, di poter venire interrotto quando si voglia e del pari ripreso... Nessun altro genere di Pittura si avvicina altrettanto alla realtà. Nessuno produce tonalità così vere. È carne, è Flora, è l'Aurora" (P.R. de C..., *Traité de la peinture au pastel*, Parigi 1788). Agli altri vantaggi, si può aggiungere il fatto che, contrariamente all'olio, il colore non si altera, ed è quello che determina la freschezza dei pastelli di Liotard. L'unico aspetto problematico riguarda il fissativo. La carta o la pergamena servono da supporto (a causa delle dimensioni, i fogli sono spesso incollati, e i giunti sono diventati evidenti). La Carriera introduce questa tecnica a Parigi nel 1721, a Vienna nel 1730. Per sua natura, il pastello dipende dal disegno. La Tour e Perronneau, i maestri più grandi in questo campo, sfruttano le possibilità del tratto mediante una grafia nervosa e spontanea. Liotard invece vi si oppone, e realizza il pastello per superfici: nelle sue opere, il tratto si avverte solo qua e là. Nattier si serve del pastello a volte, Chardin lo impiega da vecchio per tre autoritratti a partire dal 1771. Gli studi del viso solo, quegli schizzi eseguiti dal vivo che sono propri di La Tour, in Liotard non esistono così come non fa abbozzi dei particolari. Eccettuati pochi schizzi a gesso su carta blu, non lo si vede mai studiare l'impaginazione. Rari pastelli incompiuti lasciano scorgere un disegno preparatorio. I dipinti a olio di Liotard, una ventina in tutto, dal lato esecutivo corrispondono ai pastelli.

Quanto ai disegni, in numero di circa duecento, assolvono funzioni differenti. Accanto ai disegni turchi dal tratto vivace e spigliato, ci sono ritrattini altamente finiti, e i migliori sono quelli degli undici principini d'Austria, già ricordati. Più spesso la tecnica impiegata è una combinazione di lapis nero e sanguigna, con o senza rialzi in bianco; tecnica caratteristica di tutta la scuola francese da Watteau in poi. Al contrario, poco rimane dei suoi lavori su smalto. Le opere iniziali (*Diana e Endimione, Tenda di Dario*) non si distinguono dalla produzione ginevrina tradizionale. In seguito Liotard sperimenta varianti tecniche e grandi formati, come pure la porcellana e i trasparenti su vetro, di cui è noto un solo esempio, tipo cammeo.

La questione dell'autenticità viene complicata dall'esistenza di copie autografe oppure eseguite da altri. Durante il secondo soggiorno a Parigi, Liotard sembra conservare qualcuna delle repliche che trae dalle proprie opere. Certi ritratti regi a volte sono ripetuti da lui stesso, più sovente da terzi. Secondo la richiesta, rifà un'opera che è piaciuta, allo scopo di vendere anche la replica. A Vienna, il suo assistente Peter Kobler esegue copie che vende come originali.

Liotard deve il proprio successo anzitutto alla somiglianza. Paragonato ad altri maestri che nel pastello sfruttano le graduazioni dei semitoni e i passaggi sfumati, le figure di Liotard si impongono grazie alla fermezza delle forme e alla nettezza del colore. Non sottostà alle formule galanti e dolciastre che conferiscono ai visi quell'aria impersonale di bambolotti o marionette, tanto diffusa nell'arte del Settecento. D'altra parte il suo penetrante realismo è sempre guidato da sensibilità artistica e da un garbo discreto: mai niente di equivoco o banale. A furia di attenersi unicamente alla realtà e di vietarsi qualunque concessione o qualunque accomodamento, ai gusti del modello questo realista può apparire spietato, persino graffiante. Basta guardare i ritratti della Pompadour eseguiti da Boucher per capire il giudizio della marchesa sul ritratto, ora disperso, che le aveva fatto Liotard: "Tutti i vostri meriti si riducono alla barba".

Il suo è uno stile sobrio e incisivo; il colore vivace, soprattutto nei blu, la tinta preferita; il fondo è unito, spesso grigio-bruno (quello che Mariette definisce, con disprezzo, il suo "colore pan pepato"). L'immagine è ferma, lo spazio inesistente o poco profondo, la luce diffusa, senza chiaroscuri, se non a volte sotto forma d'un riflesso profilato. Gesti e sorrisi sono rari. Limitato al busto, il più delle volte escludendo le mani, il ritratto di Liotard non pre-

tende di cogliere tutta quanta una persona nel suo ambiente. In ogni caso le sue opere migliori ci mettono davanti a uno sguardo accattivante, a un carattere, qualche volta a un'espressione particolare, come nel caso della marchesa di Nétumières, la contessa di Guilford, M. Luttrel e vari altri.

Gli accessori di cui si serve sono pochi: il libro, la lettera, il tavolo, il vaso di fiori, la pelliccia; per una volta, la chitarra. Il maresciallo di Sassonia è l'unico caso di ritratto aulico con le insegne del suo grado, formula che d'altronde è la più corrente nei ritratti ufficiali (curiosamente, il ritratto che farà La Tour dello stesso personaggio è più umano). A volte appaiono vesti turche o veneziane.

I ritratti a figura completa sono rari. Il *Richard Pococke*, presentato in posa monumentale, è la sola opera contenente un modesto fondo di paesaggio, che però rimane staccato dalla figura. L'unico altro ritratto a grandezza naturale è il *Lord Sandwich*. Più piccoli sono quelli della *Donna in costume maltese* e di *Lord Bute*, in un interno con caminetto e specchio, ambientazione ripresa da Boucher.

A volte Liotard va oltre la mezza figura convenzionale. Dipinge la marchesa di Baden in un *atelier* spoglio che ricorda Pietro Longhi. Il collezionista François Tronchin appare a un tavolo e indica con un gesto significativo il suo "pezzo" prediletto, un quadro di Rembrandt. La colazione del figlio dell'artista è ricalcata su Chardin; quella delle signorine Lavergne — un'opera squisita — anticipa Anker. In un altro ritratto doppio si vedono un giovane e un ragazzo allo scrittoio. La Futura signora Necker è pure seduta accanto a un tavolo. Quello di Mme Vermenoux è l'unico esempio di ritratto allegorico, che pure era così usuale a quei tempi.

A Costantinopoli Liotard ha creato i suoi migliori quadri di genere, immagini di donne orientali che affascinano sia per la fedele descrizione di costumi esotici, sia per l'armonia dei toni chiari. Più tardi rielabora questo tipo di composizione nella *Bella cioccolataia* e in altri ritratti di genere come la *Donna sdraiata sul divano* a Firenze. Allo stesso ordine di idee appartiene la *Contessa di Coventry*, la cui identificazione è in realtà dubbia e che sembra piuttosto evocare l'amica di Liotard a Costantinopoli: nota in tre versioni, deve il suo effetto alla posa pensosa, ai toni chiari e all'equilibrio degli accessori.

I famosi autoritratti, una dozzina in tutto, ci accostano in maniera speciale all'artista. Se di sicuro non è il solo a ritrarsi parecchie volte, Liotard si offre però con una schiettezza molto personale. La serie comincia con la testa a olio dipinta verso il 1733, d'una sensibilità ancora prossima a Watteau e alla Carriera. Gli autoritratti migliori sono quello di Dresda, col berretto di pelliccia, e quello a tre quarti di Ginevra, dove il pittore si rappresenta magistralmente al cavalletto. Ultimo si incontra il ritratto dell'artista ormai molto avanti con gli anni, spoglio di qualsiasi accessorio: commovente per la carica umana.

A seconda dei casi, i pastelli di Liotard sono stati giudicati più sinceri o meno vivaci che quelli di La Tour e di Perronneau. Certo, i suoi pastelli non mirano né all'esecuzione brillante, né al colore trattenuto, né alla varietà delle pose e delle ambientazioni, che sono tipici dei francesi. Né aspirano allo slancio teatrale o al cromatismo della Carriera. Non vanno misurati col metro di un Gainsborough, che si situa in un contesto artistico del tutto diverso. D'altro canto lo stile misurato, esatto e realistico di Liotard si avvicina, senza però che si possa parlare di contatti diretti, a quello di altri artisti come Duplessis e Lépicié in Francia, Knapton, Ramsay e Zoffany in Inghilterra. Qualcuna delle sue scene di genere prova l'attaccamento agli intimisti olandesi. Per varie opere, come la *Duchessa di Marlborough* o la "*Belle liseuse*", si impone il paragone con l'arte — però più pungente — di Pietro Rotari.

Anziano, colpito dalle tensioni politiche che tormentano l'Europa alla vigilia della Rivoluzione, e rimasto privo di commissioni, Liotard si rivolge alla teoria e alla natura morta. Füssli *senior* — studioso d'arte oltre che pittore — lo precede come teorico a Zurigo; ma a Ginevra non sarà seguito che mezzo secolo dopo dagli scritti di R. Toepffer. Il *Traité des principes et des règles de la peinture* che Liotard pubblica a ottant'anni si colloca nella linea dei manuali didattici, come poco dopo quello anonimo sulla pittura a pastello citato più sopra, o come l'*Anweisung zur Pastellmahlerey* — cioè la pratica della pittura a pastello — di Günther (Norimberga 1792). Tipico di Liotard, il testo scritto da lui è però molto più personale, e così può servire come nessun altro da guida alla comprensione della sua arte. Il lettore vi trova la spiegazione dei segreti del mestiere. Insiste sulla nettezza del disegno, la grazia, il levigato e il finito, insiste sull'importanza del rilievo, dell'essenziale, si scaglia con straordinaria violenza contro il tratteggio e quelli che chiama i tocchi: il tutto, facendo riferimento alle proprie opere e alla pittura olandese

del Seicento. Visto l'interesse di tale testo, se ne dà qui qualche brano (a pag. 86).

Negli anni estremi, dunque, Liotard si volge alla natura morta pura, tema che durante la maturità aveva adottato come elemento accessorio in ritratti e quadri di genere. Un altro illustre ritrattista, Largillière, si era già imposto per le nature morte. In Liotard il ricordo di Chardin e di H. Roland de la Porte è molto vivo. Come evita le formule barocche che gonfiano il ritratto, così le sue nature morte sono l'opposto della brillante messinscena della cerchia di Desportes e di Oudry. Se i rari *trompe-l'oeil* non costituiscono una novità (lo avevano preceduto alcuni pittori francesi e, a Zurigo, lo stesso Füssli), dozzine di sue nature morte con frutta attraggono per la sintetica semplicità e per la sobrietà dei modi. Sono lavori, e così le due composizioni di fiori, che in qualche maniera si situano fuori del tempo e dello spazio, collegandosi con opere molto più moderne. Lo stesso vale per quel capolavoro isolato che è l'unico paesaggio autentico di Liotard. La veduta è presa dalla sua casa di Ginevra, verso le Alpi; in secondo piano, la campagna oggi invasa dalla città. Prima di Corot, non ci sono che gli studi fatti nell'Île-de-France da Desportes, mezzo secolo dopo, a offrire una freschezza simile.

Nel corso dei viaggi e presso il mercante olandese Hoët, Liotard poté raccogliere quasi un centinaio di quadri antichi, che allora formavano una delle collezioni maggiori di Ginevra. Più convenzionale di quella del suo amico Tronchin, era caratterizzata soprattutto dal gusto per gli olandesi del Seicento, in particolare per i paesaggi, le scene di genere e le vedute architettoniche; non presenta un solo contemporaneo. Due aste organizzate durante l'ultimo soggiorno a Londra si risolvono in uno scacco, e Liotard venderà la maggior parte della collezione al mercante Lebrun e a Tronchin. Oggi si riesce a identificarne appena una mezza dozzina di 'numeri'.

La rinomanza di Liotard alterna alti e bassi. La sua opera viene diffusa da centotrenta copie incise, in gran parte pubblicate mentre è vivo, compresi i disegni di Costantinopoli e le due dozzine di incisioni desunte dalla *Bella cioccolataia*, che viene anche modellata in porcellana di Sassonia. Non avendo formato allievi, il suo fare si avverte solo indirettamente nei pastellisti che operano a Ginevra dopo di lui: Guillibaud, J. Huber figlio, Preudhomme e Joseph Petitot. Del resto l'era neoclassica è agli antipodi di quella di Liotard. Nell'Ottocento la sua rinomanza declina anche perché — tranne a Ginevra e a Dresda — Liotard non è rappresentato nei musei. Tre storici d'arte della famiglia dei suoi discendenti lo recuperano: Humbert e Tilanus nel 1897 (ma il loro catalogo non conta che centodieci pastelli), Trivas nel nostro secolo. Dopo, la sua opera gode di un'attenzione sempre maggiore: la *"Belle liseuse"* appare addirittura su un recente francobollo degli Stati Uniti. Dal secolo scorso, vari artisti vengono colpiti dal ritratto di Mme d'Épinay, di cui Ingres e Flaubert hanno tessuto gli elogi.

Questo volune riunisce per la prima volta l'opera di Liotard nel suo complesso. Una parte considerevole dei suoi dipinti non era mai stata riprodotta. Inoltre, per la prima volta viene presentata una larga scelta di tavole a colori; la loro soddisfacente grandezza e lo stato di conservazione degli originali, per lo più eccellente, permettono un esame ideale del nostro artista. Che ha da dire Liotard, oggi? Le tavole parlano da sé. I personaggi sono straordinariamente presenti grazie al vigore del disegno e del colore. Trattandosi di uomini e donne che il pittore si è sforzato di rendere come esseri viventi, li osserviamo anzitutto come tali; e nasce un dialogo con queste figure che si staccano dal fondo per uscire dal passato: parlano della loro epoca, e noi li facciamo vivere per un istante. Sguardi si rivolgono a noi, e hanno il potere di arrestarci. Nel tempo stesso leggiamo questi quadri come opere d'arte. Senza la minima insistenza emotiva o sentimentale, la personalità del pittore traspare in ogni elemento: un interprete oggettivo di ciò che il suo occhio scruta; un interprete che non perde mai di vista la grazia. "La prima fra le qualità del pittore è di mettere grazia in tutto quello che fa", dice nel suo trattato. Così, intrise di realtà e della sua sensibilità di artista, queste figure silenziose continuano a esercitare la loro attrazione su noi.

Liotard *Itinerario di un'avventura critica*

Sono stato per il mio ritratto da Liotard, un famoso pittore ginevrino che è stato a lungo in Turchia e che, per il fatto che porta il loro costume e ha una lunga barba, è molto di moda come artista. Ma benché colga molto bene la somiglianza, da parte mia non lo considero un pittore. Ciò non toglie che i suoi prezzi siano alti, e a volte riesce molto bene. Ho pagato sedici luigi per un ritrattino che mi ha fatto [ritratto perduto].

A. HERVEY, *Memoires*, 1750 (ed. 1933)

[1748] L'Opéra è stata molto brillante venerdì scorso, sapete che è la giornata buona; ma le donne erano così sfrenatamente imbellettate che si stentava a vederne gli occhi... Ah! come mi arrabbierei se i miei ritratti non fossero più naturali di quei volti! – diceva il famoso pittore ginevrino vestito alla turca, cui il mio occhialetto sfiorava la barba. È a Parigi da qualche tempo e molto alla moda, malgrado la sincerità del suo pennello e la 'stravaganza' dei suoi prezzi, come dicono gli italiani. Le fronti solcate, gli occhi pesti e le facce equivoche lo temono come i furfanti temono lo sguardo dell'uomo onesto; ma la bellezza, la giovinezza, le grazie innocenti e le persone assennate sono dalla sua. Ultimamente ha dipinto due delle più belle donne di Francia: la signora Caze, che avete conosciuto con il nome di signorina D'Escarmoutier, e la figlia della principessa di Montauban, uscita fresca dal convento, per far piacere al conte de Brione. Si è tenuto delle copie di quei ritratti e di tutti quelli che gli assomigliano, per cui nel giro di qualche anno avrà una sequenza di teste degne di comparire nei salottini privati dei più grandi principi.

[1755] Non mi dite niente di una delle inglesi più graziose che abbia mai visto, che è passata di qui due mesi fa, e che poteva avere quattordici o quindici anni, dipinta dal 'virtuosissimo' Liotard, e di cui tutta Parigi ha ammirato il ritratto. Sapete che Liotard è il pittore della verità: al punto che a Venezia e a Milano le donne di media bellezza avevano paura a lasciarsi ritrarre da lui.

P. CLEMENT, *Les Cinq années littéraires*, 1755

Giunto in Constantinopoli l'anno 1738, gli venne fatto d'introdursi in casa del Baron Facner, Inviato d'Inghilterra, e poscia da sua eccellenza il Conte degli Uhlenfeld, grand'Ambasciatore di S.M.C. Carlo VI. Questi aveva al suo servizio un Pittore di nome Schunco, con cui il Liotard si dimesticò tanto, che da lui apprese un poco meglio la maniera di dipinger con pastelli; in questo genere però a dire il vero, non fu egli sì felice, come nel ritrarre i Personaggi al naturale ed al vivo. E comeche lavorando egli all'uno, e all'altro modo acquistasse sempre mai più ricchezze, pure, sicome colui, che non era ancora giunto alla Cima, cercava ogni via ed ogni sentiero da poter guadagnar con astuzia ciocche non poteva coll'arte; il perche pensando egli non forse l'abito alla Tedesca gli fosse d'ostacolo all'introdursi dalla nazion Turca, fecesi crescer la barba, e vestissi alla lor moda. Un tal cangiamento lo trasfigurò talmente, che non v'era ch'il riconoscesse più; ebbe però effetto il suo pensiero, perciocche così travestito molti ritratti fece, e de' Turchi, e delle lor Donne. Dopo qualche tempo partisse per Vienna. Quivi arrivato l'anno 1741, tutta la nobiltà mossa, non già dal suo sapere, ma dalla novità di veder un Pittor Turco, faceva a gara a farsi ritrar da lui... Aumentandoglisi di giorno in giorno il lavoro, videsi costretto a prender in ajuto un giovane Pittore, chiamato Cobler; questi seppe tanto imitare il far del Turco, che molte delle sue copie furono prese per veri originali del suo Principale... Intorno al suo fare, a dire il vero, sono le sue Pitture in Ismalto vaghe, e d'un colorito vivace; tali pero non sono quelle in Pastelli, perciocche liberamente parlando, egli non possedè il vero modo da servirsene, tratteggiando i suoi ritratti sulla fine co' medesimi Pastelli. Fù un Uomo arrogante e che molto presumeva di se stesso, dello che ne posso far io chiarissima testimonianza, che essendo io un giorno alla Galleria del Principe Lichtenstein, ed osservando quivi alcune bellissime opere del Coreggio, del Reni, del Domenichino, del Rubens, del Van-Dyk, e d'altri gran Soggetti, egli passando molto disinvolto sulle medesime, trovava da dire sù tutte. In una parola egli solo credeva esser l'unico e l'infallibil Professore del universo, lagrimevole cosa, che avviene perloppiù a coloro che pescano poco a fondo.

V. FANTI, *Liotard detto il Turco*, in *Catalogo della Galleria Liechtenstein*, 1767

[Parigi, 1723-35] È qui che, se avesse saputo fare, Liotard avrebbe fatto una fortuna immensa, alzando i prezzi a poco a poco, ingrandendo la sua casa, facendo venire da lui le persone che volevano essere ritratte; lui invece andava a dipingere a casa loro, e a piedi; per lo più, non lo pagavano.

[Costantinopoli, 1738-42] Così fece un gran numero di disegni dal vero di uomini turchi e donne greche. Il principe di Moldavia, avendo sentito parlare di lui a Costantinopoli, dove si trovava, prima si fece dipingere da lui lì stesso, poi lo chiamò alla sua corte, a Iaşi, e gli fece fare il suo ritratto, quelli della figlia, della moglie e del patriarca di Gerusalemme. Era arrivato il 15 ottobre 1742; ci restò dieci mesi e mezzo, che impiegò a fare per il principe i disegni di tutti i Voda che avevano regnato in precedenza in Valacchia; questo si chiamava Costantino Maurocordato, principe dolce e buono; amava le scienze. Liotard, avendo notato che i grandi del paese portavano tutti la barba, e stanco di radersi, provò a lasciarsela crescere. Quando se ne accorsero, essendo invitato alle nozze di uno dei signori, lo felicitarono tutti del fatto che si lasciava crescere la barba e gli fecero tale accoglienza che Liotard prese allora la risoluzione di tenerla.

[Vienna, 1743-45] Il giorno dopo, trenta persone si fecero prenotare da lui per avere delle copie. Aveva preso come socio un certo signor Serre, pittore di miniature, con il quale spartiva il guadagno; ma, avendo poi preso uno di nome Cocler, passabile pittore, per abbozzare le pitture a pastello, che venivano loro commissionate in grande quantità, si mise a farsene una copia per se stesso e, dal momento che le vendeva più a buon mercato, portò via a Liotard tutta la clientela. È di questo pittore la maggior parte dei pastelli che a Vienna si fanno passare per opera sua, e che non possono esserlo, avendone egli fatti al massimo una dozzina.

J.-E. LIOTARD jr., *Biographie de Liotard*, ed. 1933

[Vienna, 13 novembre 1777] Ci recammo alla corte prima di mezzogiorno. Dopo essere rimasti un po' in anticamera, Mme di Guttenberg uscì e condusse mio padre in una parte dell'appartamento dell'imperatrice dov'erano i quadri fatti da lui, e gli mostrò il quadro di Mme Necker che egli desiderava copiare. Poi, quando ne ebbe preso la misura, ritornammo in anticamera. Aspettammo un momento, finché una porta vicina si aprì e comparve dietro una donna con gli abiti da vedova. Era l'imperatrice. Mio padre corse a gettarsi ai suoi piedi. Io non osai seguirlo. Un ciambellano mi disse di farlo. Volai. L'imperatrice fece alzare mio padre.

Come farò, dove troverò nella mia anima estasiata il modo di ricordarmi tutto quello che l'augusta imperatrice disse di gentile a mio padre. Lo chiamò sua vecchia conoscenza; lo obbligò a sedersi perché fosse, diceva, più vicino a lei; gli permise di esporre i suoi trasparenti;

gli domandò di fare il disegno dell'imperatore, il suo e uno dei figli, e dato che voleva mandargli il ritratto che mio padre chiedeva, egli le rispose che non era ancora sistemato abbastanza bene per poterci lavorare. Ella gli rispose: sì, deve essere una casa molto brutta e molto sporca: se vi si dessero due camere qui, per voi e vostro figlio, sareste contento? Mio padre ringraziò. Io, ero così compreso di tanta generosità che non sapevo cosa dire.

[Vienna, 12 aprile 1778] Mio padre e io andammo da Mr. Roslin, pittore, che ci ricevette con molta gentilezza. È un uomo molto abile. Ha fatto il ritratto dell'arciduchessa Cristina. Per quel che mi riguarda, non posso dire se è somigliante perché non la conosco; ma mio padre lo dice. Il raso è dipinto perfettamente bene, e anche tutti gli accessori. Quello di M. De Fries è somigliantissimo. È sembrato molto contento della nostra visita. Parte fra 15 giorni per Parigi.

[Vienna, 3 giugno 1778] Sono stato nel pomeriggio con mio padre a Choenbrunn [sic]. Dopo essere stati da Mon. Lenoble che dapprima ci presentò un anello con un bel topazio per me, un completo di orecchini e collana per mia sorella Thérèse, una scatola d'oro e un servizio da colazione di porcellana per mia madre, cento ducati per me e trecento per mio padre. Poi ella ci diede udienza, consegnò a mio padre ancora un presente di 200 ducati, una scatola d'oro e un anello con l'iniziale, mio padre ne fu così commosso che aveva le lacrime sul ciglio degli occhi. Da parte mia, non sapevo trovare parole che esprimessero tutta la mia riconoscenza. D'altronde, essendo timido, non dico gran che, ma il mio cuore sentiva, e io mi ritirai profondamente colpito.

[Amsterdam, novembre 1778] Ecco che cos'è questo secolo: i talenti non sono pagati, mentre Mr. Perronneau, piccolo imbrattatele parigino, che sa fare soltanto degli abbozzi, guadagna qui 30 ducati per ritratto.

J.-E. LIOTARD jr., *Journal* (inedito)

Passò a Costantinopoli, e, prendendo gusto per un paese dove primeggiava e dove accumulava soldi, ne assunse gli usi, si vestì da levantino, lasciò crescere la barba, e, così addobbato, venne a Vienna, dove la novità dello spettacolo attirò su di lui gli sguardi, gli facilitò l'accesso al palazzo e gli valse molto lavoro e parecchi ducati. Era nella capitale dell'impero nel 1744, e fu in quest'anno che, per essere messo nella galleria di Firenze, si fece il ritratto bellamente acconciato alla turca. Non tardò a tornare a Parigi nella speranza di esservi accolto non meno bene di quanto lo fosse stato in tutti i luoghi dove si era presentato; ma dovette proprio ripiegare. Si stimarono i suoi pastelli per quel che valevano; furono giudicati secchi e stentati; il colore tendeva quasi sempre a quello del panpepato; inoltre, le sue teste apparvero piatte e senza rotondità, e, se la somiglianza sembrava colta abbastanza bene, si credette di riconoscere che ciò dipendeva

dal fatto che egli aveva colto la caricatura piuttosto che la vera e propria forma dei tratti che imitava. L'Académie Royale, in cui avrebbe desiderato molto essere ammesso, gli fece sapere che non era disposta a farlo. Decise allora di farsi ricevere nell'Académie de Saint-Luc dei maestri pittori, e, dopo un soggiorno di quattro anni a Parigi, passò in Inghilterra, dove trova di che occuparsi, ma non quanto avrebbe voluto. Gli venne rimproverato di non poter dipingere niente, neppure gli oggetti più indifferenti, senza avere l'originale sotto gli occhi.

P.-J. MARIETTE, *Abcdario*, (XVIII sec.) ed. 1854

Liotard, di Ginevra, venne durante il regno scorso e si fermò due anni. Fu ammirevole nella miniatura e bravo negli smalti, anche se praticò raramente tale attività. Ma è più noto per i suoi lavori a pastello. Coglieva la somiglianza nel modo più esatto possibile, anche troppo per piacere a quelli che posavano davanti a lui; per cui ebbe molto lavoro il primo anno e molto poco il secondo. Privo di immaginazione, e, si potrebbe pensare, di memoria, non rappresentava niente che non vedesse davanti ai suoi occhi. Lentiggini, segni del vaiolo, ogni cosa al suo posto; non tanto per fedeltà, quanto per l'incapacità di concepire l'assenza di qualsiasi cosa gli apparisse davanti. La verità prevaleva in tutte le sue opere, la grazia in molto poche o in nessuna. Né c'era morbidezza di contorni; ma la rigidità del busto compariva in tutti i suoi ritratti. Quindi, benché più fedeli dal punto di vista della somiglianza, le sue teste mancano della vita e della morbidezza delle carni così notevoli nei dipinti di Rosalba [Carriera].

H. WALPOLE, *Anecdotes of painting*, 1762-71 (ed. 1876)

Non conosco pittore che riproduca la natura altrettanto fedelmente abbellendola meno di Liotard. Sembra vedere con acutezza, ma la sua emozione è più debole; e credo che il ritratto sia il solo ramo dell'arte in cui Liotard poté diventare uno dei più grandi maestri del suo tempo [...]. Il suo disegno è estremamente corretto, perché consacrò allo studio, come tutti i veri pittori, la maggior parte del tempo; per questo i suoi ritratti sono straordinariamente veri, e il colore, di cui possiede i segreti, è vivace. Ma poiché manca di un senso d'invenzione più elevato, possiede poco quel rarissimo talento del ritrattista grazie al quale egli saprebbe cancellare certe imperfezioni del modello senza nuocere alla verità intrinseca.

J. FÜESSLIN, *Geschichte der besten Künstler der Schweiz*, 1770

Non conosco a Ginevra nessuno smalto di Liotard. Aveva dipinto con questa tecnica quattro quadri di dimensioni molto notevoli, un piede e cinque pollici di lunghezza per un piede e un pollice d'altezza. Si ignora in quali collezioni sono stati collocati.
Ma quello che ha maggiormente contribuito alla sua fama e che gli è valsa una notorietà

europea sono i ritratti a pastello. In tale tecnica ha superato tutti i contemporanei; le sue opere univano al merito di una somiglianza perfetta quello di una grande correttezza di disegno; era un buon colorista; il realismo dei toni può essere valutato ancor oggi, dal momento che le sue opere, dopo più di un secolo, non hanno subìto nessun cambiamento. Non si conoscono i procedimenti da lui impiegati per fissare i pastelli senza alterarne i colori [...]. Le sue opere a olio (che sono tra l'altro ben poco numerose) erano rimaste molto indietro rispetto ai pastelli.

J. RIGAUD, *Recueil de renseignements relatifs à la culture des beaux-arts à Genève*, 1846

Ecco dunque l'artista più straordinario e più agitato del suo tempo, il tempo dei vetturini e delle diligenze. Sempre in viaggio da un capo all'altro d'Europa, con la sua barba da turco e il costume levantino, e il bagaglio da pastellista, smaltatore, miniaturista, ha un'aria da muftì della pittura. Jean-Jacques [Rousseau] non praticò certo meglio i segreti della popolarità che fa scalpore. Ambedue, è vero, erano di Ginevra, quella buona città piena di vanità di ogni specie. Assieme a Tronchin il ciarlatano e ai miniaturisti Arlaud e Rouquet, Rousseau e Liotard rappresentarono incomparabilmente e con soddisfazione generale il bisogno d'intrigo e di scandalo così ben radicato nel cuore di ogni ginevrino. Ma Liotard è anche quello dei cinque che vale di più in bonomia, poiché è per amore dell'arte che egli esibì, importò ed esportò con tanta energia i suoi talenti di maestro pittore. Del resto, aveva un po' diritto, lui, di darla ad intendere sul suo conto, poiché, lasciando da parte il merito di Latour, poté vantarsi di essere il primo ritrattista della sua graziosa epoca. Tutto suscitava stupore d'altronde nella sua esistenza, anche i successi di corte, soprattutto i successi di corte! Come poté, in mezzo alle menzogne imbellettate dei Nattier e dei Drouais, un pittore come lui, dal pastello e dal pennello implacabili, aver ragion delle smorfiose e dei damerini, e costringerli, nella spinta della moda, ad affrontare i suoi intrattabili pennelli e i pastelli incapaci della più tenue indulgenza, pastelli determinati a fare brutto per fare vero? Tale è stato dunque il gioco d'abilità di Liotard, quello che più ha contribuito alla sua bella fama, poiché né la sua barba da falso musulmano, né le sue scorribande per il mondo avrebbero valso molto a conservare il suo ricordo, se il Louvre non avesse avuto occasione, uno degli ultimi anni, di acquistare trenta deliziose sanguigne di un album di viaggio dell'arguto ginevrino. Allora, davanti a queste figurine degne quasi di Watteau, si è fatto un lavoro molto rapido di rivelazione nel mondo ristretto degli amatori, poi la sorpresa ha conquistato il pubblico, ed è tempo di rinfrescare, per un'ora, il nome di Liotard e di richiamare singoli fatti e date della sua storia vagabonda.

PH. DE CHENNEVIÈRES, *Liotard*, in "L'art", 1888

È questo realismo senza eccessi, senza violenza, e in più del tutto legittimo, e addirittura necessario, che contraddistingue generalmente le opere di Liotard. Non ha mai voluto spacciare il brutto per il bello, né dipingere il brutto per lo sterile piacere di farlo.

Con questo realismo ben inteso che non allontana dall'ideale ma riporta ad esso, Liotard poteva essere contemporaneamente attaccato alla tradizione e innovatore, classico e romantico, conservatore e progressista, figlio del suo tempo e già del nostro; ma sopra ogni altra cosa, era se stesso, amico dell'indipendenza, nemico della moda, della *routine*, dei pregiudizi. Se da un lato la sua attenzione si volgeva alla tecnica o alla parte concreta della pittura, alla scelta dei colori più chiari, dei più solidi, di quelli più intensi e meglio triturati, alla loro digradazione secondo la luce, al rapporto di luce e ombra e al loro rispettivo accostamento, all'opportuno impiego delle mezzetinte, alle diverse classi di toni e armonie per analogia o contrasto, dall'altro lato si sforzava di non trascurare nelle sue opere gli elementi spirituali dell'arte, come, per esempio, l'espressione o la raffigurazione dell'anima, delle passioni, del movimento della vita, molto difficile da trovare. Tanto che "i pittori" non hanno il tempo di disegnarla, e ancor meno di dipingerla, perché essendo essa troppo momentanea, devono sostituirla il sentimento e il giudizio.

E. HUMBERT, *La vie et les oeuvres de Jean Etienne Liotard*, 1897

Liotard non sarebbe stato che un pittore di second'ordine se, oltre a quei pastelli che mostrano abilità, sicurezza di mano, un mestiere sapiente, non ne trovassimo altri nella sua produzione che sono pezzi squisiti. Sfortunatamente, sono i meno conosciuti, i più difficilmente accessibili. Sono nascosti in collezioni private o appartengono a gallerie pubbliche lontane. [...]

La sua opera è ineguale e bisogna riconoscere che un numero troppo grande di ritratti risente della commissione; sono eseguiti con cura, ma senza una gran ricerca, e, forse, senza piacere, governati da formule strette e insufficienti a un tempo. Il razionalismo ginevrino ha condotto l'artista, come tanti altri suoi compatrioti, a reprimere la sua sensibilità. Tuttavia, abbiamo potuto fornire una lunga lista di opere affascinanti o vigorose, alcune delle quali sono veri capolavori. Risentono dell'influenza francese, alla quale peraltro sfuggono per molti punti.

L. GIELLY, *L'école genevoise de peinture*, 1935

Jean-Etienne Liotard, pittore famoso nel Settecento, ci ha lasciato un piccolo numero di nature morte, per lo più finora sconosciute, che meritano la nostra attenzione. Ritrattista per eccellenza, si servì dapprima della natura morta come accessorio. [...] Più tardi, eseguì una serie di *trompe-l'oeil*, privi ai suoi occhi di valore artistico, ma che raggiunsero in quel momento buone quotazioni. [...]

È solo verso la fine della vita che Liotard si dedicò con passione alla natura morta, e creò opere di ingenua bellezza e di un inatteso modernismo. [...] La sobrietà della disposizione e l'impaginazione sono molto notevoli per quest'anno 1782. D'altra parte, il motivo del cassetto semiaperto ci fa pensare al *Castello di carte* di Chardin.

N. TRIVAS, *Les natures mortes de Liotard*, in "Gazette des Beaux-Arts", 1936

Cinesi o no e, penso, più spesso persiani che cinesi, ha visto dipinti asiatici e ne ha tratto profitto. Il pittore turco stupisce per la maniera di dipingere non meno che per il suo costume; e della *Cioccolataia* il conte Algarotti poteva dire: "...benché pittura europea, risponderebbe al gusto dei cinesi, nemici giurati dell'ombra, come sapete". L'accostamento era forse suggerito dallo stesso Liotard? E certo possibile. Il fatto è che alla fine della sua vita, scrivendo il suo *Traité de la peinture*, non dimenticherà i cinesi: "Ciò che conferisce alle pitture cinesi il fascino che noi riscontriamo, è l'essere uniformi, pulite, nette, sebbene eseguite da popoli che dell'arte non hanno alcuna infarinatura"...

E tale ideale di verità è in realtà quello della Fabbrica, e lui stesso non ne dubita: "Nelle opere di meccanica, ci si picca dell'uniforme, pulito e netto: le stesse qualità sono ancora più necessarie nella pittura." La precisione, la buona fattura, ciò che fa un buon orologio fa anche un buon quadro; e sarebbe uno stravagante paradosso se i lavori degli artigiani ginevrini non colmassero lo spazio che separa la meccanica dall'arte imitativa. Dall'orologiaio al tecnico del montaggio, all'incisore, al pittore su smalto, fino a Liotard, smaltatore egli stesso, non c'è soluzione di continuità. Pastellista, differisce da un Latour e da un Perronneau in quanto rimane nella linea di Petitot e di Arlaud. I suoi ritratti sono in qualche modo miniature ingrandite e, come tutti i suoi concittadini, ricerca quel "bel finito" che Saint-Ours padre insegnava allora ai giovani. Per questo un panneggio di van der Werff gli sembra superiore a quelli di Raffaello, ed è Jan van Huysum che "nei suoi dipinti di fiori e frutta, ha portato la pittura a olio all'estremo grado di perfezione".

A. NEUWEILER, *La peinture à Genève de 1700 à 1900*, 1945

Tale modo di concepire la pittura, che presuppone un annullamento totale della personalità dell'artista, che ricorre alle astuzie del mestiere soltanto per non giocare d'astuzia con le cose, e in virtù del quale non si fa distinzione fra il vero di natura e la verità dell'arte, ha, di volta in volta, favorito e danneggiato Liotard. Ha i suoi giorni cattivi, in cui la purezza dell'espressione diventa secchezza, la semplicità povertà, e l'uomo che si vanta di trarre in inganno il prossimo con il realismo della sua frutta, non ha, ahimé, lo stesso successo nei ritratti. Ma accade anche che il suo

ingenuo rispetto della realtà, il perfetto nitore dell'esecuzione, assumono un valore così grande, da diventare addirittura uno stile — e la sua estetica non pretendeva di giungere a tanto, e ci dà non so qual sensazione d'assoluto. Le sue opere migliori rivelano un pittore che sfugge alle contingenze del suo secolo e occupa un posto unico fuori dal tempo.

A. BOVY, *La peinture suisse de 1600 à 1900*, 1948

Adotta un linguaggio pittorico estremamente spoglio, diretto, e dei mezzi della sua arte usa soltanto con la più stretta economia. Si spinge il più lontano possibile nella resa di ciò che gli si presenta allo sguardo; ma quando ha detto quel che aveva da dire, si ferma e non va oltre. Ha orrore del virtuosismo che si esibisce, del brio, non cerca mai di attirare l'attenzione sulla sua abilità manuale. Quando ha in mano la penna, mostra, come si vedrà, un orgoglio così incredibilmente franco e ingenuo, che riesce a evitare il ridicolo proprio grazie a questa stessa franchezza e ingenuità. Quando prende la sua matita a pastello o i suoi pennelli, diventa tutto umiltà. Non ha mai tracciato una linea per vanità, per attirare l'attenzione degli spettatori e suscitare la loro meraviglia, o anche per il piacere, così allettante e pericoloso per l'artista, di mettere alla prova le proprie capacità. Paziente, diligente, scrupoloso, teso soltanto a fornire una ripetizione della natura. [...]

Non voglio affatto esagerare l'importanza di Liotard; ma dopo aver confrontato, alla mostra che ebbe luogo nel Museo di Ginevra nel 1948, le opere di Liotard con quelle di La Tour e Perronneau esposte in una sala vicina, sono stato colpito, e non una volta sola, dal carattere convenzionale della luce nei loro pastelli. Sono più abili e vibranti, usano meglio il gioco dei contrasti di toni, azzurrando un mento rasato di fresco, mettendo un tocco di rosso per indicare il cavo di una narice. Ma si ha la sensazione che buona parte del loro talento sia in realtà pratica, mestiere, e che mettano questo o quel tocco perché hanno imparato per esperienza che l'effetto ottenuto è felice. Liotard mi sembra contare di più sulla natura, confidare maggiormente nei suggerimenti che essa gli fornirà. L'inconveniente di questo metodo è che, quando la natura resta muta o quando egli non afferra quel che essa gli dice, il risultato è un'opera che appare mediocre accanto a quelle dei grandi rivali. Ma quando riesce, allora non esito a dire che mi sembra superiore a quelli, appunto per l'accento di verità.

F. FOSCA, *La vie, les voyages et les oeuvres de Jean-Etienne Liotard*, 1956

All'insuperabile finezza della rappresentazione realistica si unisce in Liotard un nuovo modo di impostare la composizione. Il ritratto barocco adottava una posa di rappresentanza, anche quando voleva essere familiare e informale. Liotard parte invece dall'uomo in un atteggiamento naturale, o in un atto che lo caratterizzi. [...] E ciò è realizzato con tanta libertà, che fa pensare a un dipinto del tardo Ottocento. Il suo modo di rendere a pastello, verso il 1765-70, la veduta delle montagne dal suo *atelier* ginevrino (Amsterdam) prova la sua capacità di guardare la realtà senza condizionamenti. Non vede la natura attraverso l'ottica di uno stile; quel paesaggio potrebbe essere stato dipinto da un realista o da un pittore del *plein air* del XIX secolo, da un Menn o da un Anker.

J. GANTNER, Kunstgeschichte der Schweiz, 1956

Della formazione di Liotard al metodo di Watteau sono prova lampante i disegni eseguiti durante il viaggio nel Mediterraneo. Dalla tecnica a due colori; al taglio moderno, prefotografico; alla esecuzione libera, ma attenta; alla vibrazione delle luci; alla trasparenza delle ombre, tutto richiama alla mente il modo di procedere di Watteau nei suoi disegni dal vero. Solo la più attenta definizione dei tratti fisionomici indica la personale inclinazione ritrattistica del ginevrino. Verrebbe da dire che in quei disegni Liotard abbia saputo estrarre dalle "brume ondulanti" l'anima realistica di Watteau. Che il legame con Watteau costituisca la chiave del linguaggio artistico di Liotard, secondo me non è dubbio. Senza stare qui a ricordare ogni particolare di una ammirazione per il francese che Liotard espresse in tutti i modi (incidendo e comperando sue opere, tra l'altro) l'episodio più illuminante del particolare tipo di rapporto del nostro artista con il suo maestro ideale ci è fornito da quella lettera del 1775 che ci mostra l'anziano impegnato nel curioso esercizio di copiare a pastello "un bozzetto di Watteau" facendo "degli studi dal vero per farne un quadro finito". Sarebbe forse troppo sommaria una definizione che volesse vedere in Liotard solo un Watteau "refait sur nature", ma è probabile che questa definizione, ove fosse stata già inventata, non gli sarebbe dispiaciuta del tutto. È anche alla luce di queste considerazioni che ogni interpretazione dei disegni eseguiti da Liotard nel suo viaggio nel Mediterraneo in chiave di pittoresco orientalizzante non può che portare fuori strada.

G. PREVITALI, Liotard, 1963

Questo pittore vagabondo che si sposta da Parigi a Vienna, da Londra a Amsterdam, torna sempre alla città natale con emozione; ed è a Ginevra che Liotard esegue le sue opere principali, poiché proprio fra i suoi compatrioti scopre i modelli che meglio rispondono alla sua arte. Abbozza davanti a noi tutta la società di Ginevra quale appare alla metà del Settecento, scossa dalle dispute fra Jean-Jacques Rousseau e Voltaire, dilaniata da lotte intestine, ma in cui la vita intellettuale non è mai stata così intensa, grazie a personalità come il famoso dottor Tronchin che attira Madame d'Epinay, Grimm e tanti altri, in cui il cugino Consigliere apre generosamente il suo studio di pittura ai giovani artisti, agli amatori e ai curiosi di passaggio nella città... I suoi volti, che sono fra i capolavori del museo di Ginevra, vibranti di vita, sembrano volerci ancora parlare, proseguendo le focose discussioni passate. Certo, i costumi sono fuori moda, i magistrati e i sindaci portano ancora la parrucca secentesca, gli atteggiamenti ripetono, con ritardo, quelli di Parigi, ma l'espressione a volte leggermente scettica o ironica rivela sempre un'intelligenza viva, avida di sapere e di conoscenze. Contrariamente a Latour, che cerca di penetrare la psicologia dei suoi personaggi — "scendo nel profondo di loro stessi, a loro insaputa, e li afferro interamente" — Liotard si accontenta per lo più di rappresentarne l'aspetto esterno, attento alla resa scrupolosa dei contorni di un volto con una totale obiettività.

R. LOCHE, Jean-Etienne Liotard, 1976

Il colore nell'arte di Liotard

Elenco delle tavole

Il numero arabo posto qui fra parentesi quadre dopo il titolo di ciascuna opera si riferisce alla numerazione dei dipinti adottata nel Catalogo delle opere che inizia a p. 87.

TAV. I   AUTORITRATTO Ginevra, coll. G. Salmanowitz   [n. 8]
Assieme (cm. 46 × 37).

TAV. II   RICHARD POCOCKE   Ginevra, Musée d'Art et d'Histoire   [n. 33]
Assieme (cm. 202,5 × 134).

TAV. III   LADY TYRELL   Amsterdam, Rijksmuseum   [n. 37]
Assieme (cm. 61 × 47).

TAV. IV   EARL OF SANDWICH   Londra, coll. Earl of Sandwich (in deposito al Foreign Office)   [n. 45]
Assieme (cm. 228 × 142).

TAV. V   DONNA CON TAMBURELLO VESTITA ALLA TURCA   Ginevra, Musée d'Art et d'Histoire   [n. 41]
Assieme (cm. 63,5 × 48,5).

TAV. VI LADY PONSONBY IN COSTUME VENEZIANO Stansted Park, coll. Earl of Bessborough [n. 49]
Assieme (cm. 124,5 × 199,7).

TAV. VII   WILLIAM PONSONBY, POI 2° EARL OF BESSBOROUGH, IN COSTUME TURCO Stansted Park, coll. Earl of Bessborough   [n. 48]
Assieme (cm. 124,5 × 199,7).

TAV. VIII DAMA FRANCA VESTITA ALLA TURCA CON DOMESTICA Ginevra, Musée d'Art et d'Histoire [n. 50]
Assieme (cm. 71 × 53).

TAV. IX DAMA FRANCA DI PERA A COSTANTINOPOLI Ginevra, Musée d'Art et d'Histoire [n. 54]
Assieme (cm. 61,5 × 50).

TAV. X   LA BELLA CIOCCOLATAIA   Dresda, Staatliche Kunstsammlungen   [n. 76]
Assieme (cm. 82,5 x 52,5).

TAV. XI LA CIOCCOLATAIA Stansted Park, coll. Earl of Bessborough [n. 57]
Assieme (cm. 46 × 40).

TAV. XII   FRANCESCO I D'AUSTRIA   Braunschweig, Herzog Anton Ulrich-Museum   [n. 62]
Assieme (cm. 72 × 58).

TAV. XIII AUTORITRATTO Dresda, Staatliche Kunstsammlungen [n. 74]
Assieme (cm. 70,5 × 46,5).

TAV. XIV   ROBERT D'ARCY, EARL OF HOLDERNESS   Berlino, Kupferstichkabinett   [n. 79]
Assieme (cm. 40,6 × 30,5).

TAV. XV   LADY ROBERT D'ARCY, NATA MARIA DOUBLET VAN GROENSTEIN Berlino, Kupferstichkabinett   [n. 80]
Assieme (cm. 40,6 × 30,5).

TAV. XVI FRANCESCO ALGAROTTI Amsterdam, Rijksmuseum [n. 77]
Assieme (cm. 41 × 31,5).

TAV. XVII CAROLINA LUISA DI HESSE-DARMSTADT, MARGRAVIA DI BADEN, AL CAVALLETTO Ginevra, coll. privata [n. 82]
Assieme (cm. 61 × 47,5).

TAV. XVIII LA DUCHESSA ELISABETTA FEDERICA SOFIA DI WÜRTTEMBERG Bayreuth, Neues Schloss [n. 86]
Assieme (cm. 48,7 × 38,2).

TAV. XIX   LA SIGNORA BOERE, IN COSTUME DI CARNEVALE   Amsterdam, Rijksmuseum   [n. 89]
Assieme (cm. 61 × 48).

TAV. XX MARIE CHARLOTTE BOISSIER Vufflens, coll. de Saussure [n. 90]
Assieme (cm. 61 × 47,5).

TAV. XXI   LA SIGNORINA LAVERGNE   Amsterdam, Rijksmuseum   [n. 91]
Assieme (cm. 54 × 42).

TAV. XXII   IL MARESCIALLO MAURIZIO DI SASSONIA   Dresda, Staatliche Kunstsammlungen   [n. 96]
Assieme (cm. 64 × 53).

TAV. XXIII   AUTORITRATTO CON BARBA   Ginevra, Musée d'Art et d'Histoire   [n. 102]
Assieme (cm. 97 × 71).

TAV. XXIV LUISA DI FRANCIA Stupinigi (Torino), Palazzina di Caccia [n. 113]
Assieme (cm. 59,4 × 48,7).

TAV. XXV   ISABELLA, FIGLIA DI MADAMA INFANTA   Stupinigi (Torino), Palazzina di Caccia   [n. 114]
Assieme (cm. 59 × 49).

TAV. XXVI MARIE-ROSE DE LARLAN DE KERCADIO DE ROCHEFORT, MARCHESA DI NETUMIERES Detroit, Institute of Arts [n. 120]
Assieme (cm. 60 × 50).

TAV. XXVII RITRATTO DI DONNA Aarau, Kunsthaus (deposito della Fondazione Gottfried-Keller, Berna) [n. 121]
Assieme (cm. 58,5 × 47,5).

TAV. XXVIII   GIOVANE DONNA CHE LEGGE, IN COSTUME ORIENTALE   Firenze, Uffizi   [n. 123]
Assieme (cm. 50 × 56).

TAV. XXIX   PRESUNTO RITRATTO DELLA CONTESSA DI COVENTRY   Ginevra, Musée d'Art et d'Histoire   [n. 126]
Assieme (cm. 23,5 × 19).

TAV. XXX   DAVID GARRICK   Chatsworth, coll. duca di Devonshire   [n. 136]
Assieme (cm. 59,2 × 48,4).

TAV. XXXI   RITRATTO D'UOMO SEDUTO ALLA SCRIVANIA   Vienna, Schönbrunn   [n. 138]
Assieme (cm. 79 × 104,2).

TAV. XXXII SIMON LUTTREL OF LUTTRELSTOWN, IN COSTUME ORIENTALE Berna, Kunstmuseum [n. 167]
Assieme (cm. 83 x 63).

TAV. XXXIII   LA PRIMA COLAZIONE   Monaco, Alte Pinakothek (deposito della Bayerische Hypotheken und Wechsel-Bank)   [n. 166]
Assieme (cm. 64,5×52).

TAV. XXXIV PRESUNTO RITRATTO DI LADY CAROLINE RUSSEL, POI DUCHESSA DI MARLBOROUGH Amsterdam, Rijksmuseum [n. 168]
Assieme (cm. 58 × 44,5).

TAV. XXXV   SCONOSCIUTA CON PELLEGRINA   Chatsworth, coll. duca di Devonshire   [n. 173]
Assieme (cm. 57,6 × 48).

TAV. XXXVI   IL PRINCIPE FEDERICO GUGLIELMO Windsor Castle, collezioni reali   [n. 183]
Assieme (cm. 40,6 × 30,5).

TAV. XXXVII   LA PRINCIPESSA CAROLINA MATILDE   Windsor Castle, collezioni reali   [n. 184]
Assieme (cm. 40,6 × 31,1).

par Liotard
1756

GEERTRUIDA ANTONIA VAN BLEISWIJK   Ginevra, Musée d'Art et d'Histoire   [n. 196]
Assieme (cm. 59 × 47).

par J. E. Liotard
1757

TAV. XL MARIE JUSTINE BENOÎTE FAVART Winterthur, Stiftung Oskar Reinhart [n. 213]
Assieme (cm. 70 × 55).

TAV. XLI   AMI-JEAN DE LA RIVE   Ginevra, Musée d'Art et d'Histoire   [n. 223]
Assieme (cm. 80 × 60,5).

TAV. XLII   ANNE TRONCHIN, NATA MOLENES   Ginevra, coll. L. Givaudan   [n. 225]
Assieme (cm. 62 × 49,5).

TAV. XLIII   ANNE-MARIE TRONCHIN, NATA FROMAGET   Ginevra, Fondation Jean-Louis Prevost   [n. 226]
Assieme (cm. 68 × 55).

TAV. XLIV   MARTHE-MARIE TRONCHIN, NATA DE CAUSSADE   Ginevra, coll. L. Givaudan   [n. 228]
Assieme (cm. 61 × 47).

TAV. XLV MADAME D'EPINAY Ginevra, Musée d'Art et d'Histoire [n. 233]
Assieme (cm. 68 × 54).

TAV. XLVI   LA SIGNORA NECKER   Vienna, Schönbrunn   [n. 244]
Assieme (cm. 85,5 × 104,7).

TAV. XLVII   MARIA TERESA D'AUSTRIA   Ginevra, Musée d'Art et d'Histoire   [n. 246]
Assieme (cm. 86 × 68).

TAV. XLVIII IL SIGNOR LIOTARD DE PLAINPALAIS Ginevra, Musée d'Art et d'Histoire [n. 259]
Assieme (cm. 64 x 55).

TAV. IL   LORD JOHN MOUNT STUART, POI PRIMO MARCHESE DI BUTE   ... (Gran Bretagna), coll. privata   [n. 260]
Assieme (cm. 90 × 47).

TAV. L ANNE-GERMAINE LARRIVÉE DE VERMENOUX Ginevra, coll. X. Givaudan [n. 263]
Assieme (cm. 120 × 95).

TAV. LI VEDUTA DI GINEVRA DALLA CASA DELL'ARTISTA Amsterdam, Rijksmuseum [n. 274]
Assieme (cm. 45 × 58).

TAV. LII AUTORITRATTO CON LA MANO AL MENTO Ginevra, Musée d'Art et d'Histoire [n. 281]
Assieme (cm. 63 × 52).

TAV. LIII   JEAN-ETIENNE LIOTARD A COLAZIONE   Ginevra, coll. Th. Naville   [n. 277]
Assieme (cm. 63 × 70).

TAV. LIV NATURA MORTA CON TOMBOLA Caracas, coll. J.L. e B. Plaza [n. 284]
Assieme (cm. 36 × 46).

TAV. LV   MARC LIOTARD DE LA SERVETTE   Ginevra, Musée d'Art et d'Histoire   [n. 313]
Assieme (cm. 65 × 53).

TAV. LVI   SUZANNE NAVILLE-DES-ARTS   Ginevra, coll. M. Naville   [n. 317]
Assieme (cm. 58 × 45).

peint par J.E. Liotard agé de 80 ans

TAV. LVII PERE, FICHI, PRUGNE, UN PANINO E UN COLTELLO SU UN TAVOLO Ginevra, Musée d'Art et d'Histoire [n. 336]
Assieme (cm. 33 × 37).

par J.E. Liotard a 80½ 1783

TAV. LVIII   ALBICOCCHE, CILIEGIA E FOGLIA   Ginevra, coll. G. Salmanowitz   [n. 341]
Assieme (cm. 32,5 × 36).

TAV. LIX   PESCHE, OCCHIALI E LETTERA SIGILLATA   Ginevra, coll. G. Salmanowitz   [n. 342]
Assieme (cm. 32,5 × 36).

TAV. LX   SERVIZIO DA COLAZIONE   Parigi, coll. H. Stuart de Clèves   [n. 350]
Assieme (cm. 27 x 34).

TAV. LXI   SERVIZIO DA TE IN PORCELLANA CINESE   Ginevra, coll. Mme A. Dunand   [n. 351]
Assieme (cm. 38 × 51).

TAV. LXII PESCHE E PICCOLO MELONE Winterthur, Stiftung Oskar Reinhart [n. 344]
Assieme (cm. 31,5 × 35,5).

TAV. LXIII   ROSA, PAPAVERO E FIORDALISO   Ginevra, coll. G. Salmanowitz   [n. 364]
Assieme (cm. 36,3 x 32,5).

TAV. LXIV RODOLPHE COTEAU Ginevra, Musée d'Art et d'Histoire [n. 368]
Assieme (cm. 40,5 × 34).

Analisi
dell'opera pittorica di
Liotard

Convenzioni e abbreviazioni

Allo scopo di rendere immediatamente palesi gli elementi essenziali di ciascuna opera, l'intestazione di ogni 'scheda' del *Catalogo* (a partire da pag. 87) reca — dopo il numero del dipinto (che segue il più attendibile ordine cronologico e al quale si fa riferimento ogniqualvolta l'opera venga citata nel corso del volume), dopo il titolo e dopo l'eventuale ubicazione — una serie di abbreviazioni riferite alla tecnica; al supporto; alle dimensioni (fornite in centimetri: prima l'altezza, poi la base); all'eventuale presenza di firma e/o di data. Quando tali dati non possono essere indicati con certezza ma solo in via approssimativa sono fatti seguire da 'circa' (c.) o da un punto interrogativo (?). Per ogni opera viene inoltre precisato l'eventuale numero corrispondente nelle catalogazioni di Tilanus (Til.) e Trivas (Triv.) [si veda quanto detto in proposito a pag. 87]. Tutti gli elementi forniti registrano l'opinione prevalente nella moderna storiografia d'arte: ogni discordanza di rilievo e ogni ulteriore precisazione vengono dichiarate nel testo.

Tecnica

acq: acquerello
ol: olio
p: pastello

Supporto

cr: carta
pr: pergamena
pv: pergamena velina
tl: tela
tv: tavola

Bibliografia essenziale

FONTI

M.me de CAMPAN, *Mémoires*, Paris 1810; P. CLEMENT, *Les Cinq Années Littéraires* (1748-1752), La Haye 1754, Berlin 1757; G. DESNOIRESTERRES, *Voltaire et la société du XVIIIe siècle*, Paris 1871; M.de d'EPINAY, *Mémoires*, Paris 1855; D. GARRICK, *The Diary of G'being a record of his trip to Paris in 1751*, New York 1928; Pr. de LIGNE, *Mémoires*, Paris 1914; MARIETTE, *Abecedario*, ed. a cura di Ph. de Chennevières e A. de Montaglon, III, Paris 1853; M. WORTLEY MONTAGU, *Letters*, ed. Everyman, London 1925; A. SENSIER, *Journal de Rosalba Carriera*, Paris 1865; H. WALPOLE, *Anecdotes of painting*, Strawberry Hill 1762-71, nuova ed. III, 1862; W. E. WHITLEY, *Artists and their friends in England*, I, London 1928.

OPERE GENERALI

D. BAUD-BOVY, *Peintres genevois*, Genève 1903; BOPPE, *Les Peintres du Bosphore au 18e siècle*, Paris 1911; L. BRIEGER, *Das Pastell*, Berlin 1921; A. BRULHART, *Catalogue des tableaux hollandais du Musée d'art et d'histoire de Genève*, tesi in corso di stampa, università di Ginevra; W. DEONNA, *Les arts à Genève*, Genève 1942; W. DEONNA, *Le Genevois et son art*, Genève 1945; L. GIELLY, *L'Ecole Genevoise de Peinture*, Genève 1935; A. GRAVES, *The Royal Academy of Arts, a comp. Dictionary of Contributors...* (1769-1904, V), London 1906; A. GRAVES, *Art Sales from early in the 18th century to early in the 20th century. (1700-1900)*, I-II, London 1918-21; Dr. H. MIREUR, *Dictionnaire des Ventes d'Art en France et à l'étranger pendant le 18e et le 19e siècles*, Paris 1901-12; A. NEUWEILER, *La peinture à Genève de 1700 à 1900*, introdotto da A. Bovy, Genève 1945; P. RATOUIS DE LIMAY, *Le pastel en France au XVIIIe siècle*, Paris 1946; L. REAU, *Histoire de l'expansion de l'art français: Belgique et Hollande; le monde slave et l'orient*, Paris 1928; J. RIGAUD, *Renseignements sur les Beaux-Arts à Genève*, Genève 1876; L. VAILLAT, *La Société du XVIIIe siècle et ses peintres*, Paris 1912; J.-L. VAUDOYER, *L'orientalisme en Europe au XVIIIe siècle*, "GBA" 1911; J. WATELET, *L'Orient dans l'art français, 1650-1800*, «Etudes d'art», 14, Alger 1959.

MONOGRAFIE

F. FOSCA, *Liotard, 1702-1789*, Paris 1928; F. FOSCA, *La vie, les voyages et les oeuvres de Jean-Etienne Liotard*, Lausanne-Paris 1956; E. HUMBERT - A. REVILLIOD - J.W.R. TILANUS, *La vie et les oeuvres de Jean-Etienne Liotard*, Amsterdam 1897; R. LOCHE, *Jean-Etienne Liotard*, Genève 1976; G. PREVITALI, *Jean-Etienne Liotard*, Milano 1966.

CONTRIBUTI CRITICI

F. BEERLI, *J.-E. Liotard; die Kinder der Kaiserin. Zwölf farbige Bildnisse der Kinder Maria Theresias*, Wiesbaden 1955; M. N. BENISOVICH, *Liotard et sa collection de tableaux*, in "G" 1951; H. CLOUZOT, *Les pastels de Genève*, in "La Renaissance de l'art français" 1920; L. GIELLY, *A propos de quelques portraits de Liotard*, in "G" 1935; L. GIELLY, *La biographie de Jean-Etienne Liotard, écrite par son fils*, in "G" 1933; L. GIELLY, *Les pastels de J. E. Liotard à Genève*, in "RA" 1926; L. HAUTECOEUR, *Liotard portraitiste de la famille impériale*, in "Musées de Genève", 1947; G. KIRCHER, *Karoline Luise von Baden als Kunstsammlerin*, Karlsruhe 1933; Lady V. MANNERS, *New light on Liotard*, in "C" 1933; G. OPRESCU, *Bildnisse von Liotard in Stupinigi*, Leipzig, s.d. 40; M. RÖTHLISBERGER, *Les autoportraits suisses à Florence*, in "G" 1956; A. STARING, *Dutch works by Liotard and Perroneau*, in "OH" 1959; N.S. TRIVAS, *Liotard's portraits of Frederick Lewis, prince of Wales, and his family*, in "BM" 1936; N.S. TRIVAS, *London Society portrayed by Liotard*, in "C" 1937; N.S. TRIVAS, *Les natures mortes de Liotard*, in "GBA" 1936; N.S. TRIVAS, *Les portraits de J. E. Liotard par lui-même*, in "RAAM" 1936; N.S. TRIVAS, *Les répliques dans l'oeuvre de J. E. Liotard (1702-1789)*, in *Résumé du Congrès de Berne*, 1936; L. VAILLAT, *J.-E. Liotard*, in "A" 1911.

Elenco delle abbreviazioni

A: "Les Arts"
AEG: Archives d'Etat, Ginevra
AGO: "Archiv für Geschichte von Oberfranken"
AQ: "The Art Quarterly"
BM: "The Burlington Magazine"
BPU: Bibliothèque Publique et Universitaire, Ginevra
BSH: "Bulletin international des sciences historiques"
C: "The Connoisseur"
D: "Dedalo"

G: "Genava"
GBA: "Gazzette des Beaux-Arts"
JBW: "Jahrbuch der Staatlichen Kunstsammlungen in Baden-Württemberg"
JKP: "Jahrbuch der Kön. Preussischen Kunstsammlungen"
MAH: Musée d'Art et d'Histoire, Ginevra
MGW: "Mitteilungen des Vereins für Geschichte der Stadt Wien"
MKI: "Mitteilungen des Kunsthistorischen Institutes"
OH: "Oud Holland"
OMD: "Old Master Drawings"
PT: "Pantheon"
RA: "Revue de l'art"
RAAM: "Revue de l'art ancien et moderne"
RSAV: "Revue de la Société des amis de Versailles"
ZBK: "Zeitschrift für bildende Kunst"

Documentazione sull'uomo e l'artista

1702, 22 DICEMBRE. Nascono a Ginevra Jean-Etienne e Jean-Michel Liotard, gemelli, figli minori di Antoine Liotard (Montélimar en Dauphiné 1661 - Ginevra 1740), negoziante; la madre è Anne Sauvage (Montélimar 1659 - Ginevra 1731). In seguito alla revoca dell'editto di Nantes, nel 1685, i genitori, ugonotti, si stabiliscono a Ginevra e diventano "borghesi" nel 1701. Tra il 1692 e il 1702 hanno dieci figli; ne sopravvivono sette. Il padre è coinvolto nel dissesto della Compagnia del Mississippi ed è costretto a vendere la casa che ha in città, dove svolge un modesto commercio nella gioielleria. Jean-Michel, morto nel 1796, diviene incisore.
Liotard passa l'infanzia a Ginevra, dove va a scuola. Il suo primo disegno conosciuto è un ritratto del padre, del 1714; il primo pastello è del 1721. E attorno al 1721 fa un apprendistato di quattro mesi presso il pittore miniaturista Daniel Gardelle (1673-1753).

1723-35. Primo soggiorno di Liotard a Parigi. Inizia con un apprendistato poco fruttuoso di tre anni presso Jean-Baptiste Massé (1687-1767), ritrattista, miniaturista e incisore. Liotard è indipendente a partire dal 1726. Dipinge miniature e ritratti, incide il *Gatto malato* da Watteau. Fa due viaggi a Ginevra (1733). Ha una relazione con Mlle de l'Isle, figlia di uno storico pastore; nasce un bambino di cui si occupa la madre, e che morirà in giovane età.

1735. *David e Abimelech* (*Catalogo*, n. 15), l'unico dipinto religioso di Liotard, non viene accettato al concorso dell'Académie. L'artista accompagna il marchese di Puysieux, nominato ambasciatore francese a Napoli. Va a Roma.

1736. I primi quattro mesi dell'anno è a Napoli; poi a Roma. Esegue i ritratti di Clemente XII (*Catalogo*, n. 18), del cardinale Biancheri (n. 17), di Giacomo Stuart (n. 19) e della sua famiglia (n. 20). In un caffè conosce William Ponsonby (1704-93; nel 1758 Earl of Bessborough).

1737. Va a Roma, poi a Firenze.

1738-42. Viaggio a Costantinopoli. Si imbarca a Napoli il 3 aprile con Lord Ponsonby e l'Earl of Sandwich: va a Malta, Milos, Paros, Chios (in maggio), Smirne, Costantinopoli (dall'agosto 1738 al settembre 1742). In quest'ultima città Liotard adotta il costume turco, esegue un gran numero di disegni, di dipinti di genere e di ritratti, in particolare di inglesi come Richard Pococke (*Catalogo*, n. 33), l'Earl of Sandwick (n. 45), il marchese di Granby (n. 46); di ambasciatori, e di alcuni turchi. Legato con il pastellista boemo Anton Schuncko. Ha una relazione con una levantina di nome Mimica.

1742. Accetta l'invito del principe di Moldavia a recarsi nella capitale, Iaşi (Romania). Vi giunge il 15 ottobre e vi resta dieci mesi. Di questo soggiorno non resta alcun ritratto, a eccezione di qualche disegno. Sull'esempio della nobiltà locale, si fa crescere la barba e porta il berretto di pelliccia.

1743-45. Soggiorno a Vienna. Vi giunge il 2 settembre, in costume turco. È introdotto presso il granduca (imperatore dal 1745) Francesco e presso la moglie di lui, l'imperatrice Maria Teresa, che gli resterà amica per tutta la vita. Ottiene grande successo come pittore della nobiltà; i prezzi dei suoi lavori sono alti. L'artista si giova dei collaboratori: Jean-Adam Serre di Ginevra (1704-88) è l'assistente per le miniature; Joseph Cameratta (Venezia 1718 - Dresda 1803) incide i disegni turchi, mentre il maestro si limita all'incisione delle teste; Cobler (che sembra essere Peter Kobler) prepara i pastelli e i dipinti e vende poi dolosamente le copie da lui stesso eseguite. Il soprannome di "pittore turco" che Liotard si è attribuito nell'autoritratto (*Catalogo*, n. 72) eseguito per il granduca gli resterà per sempre. Dipinge la *Bella cioccolataia* (n. 76), dipinto al quale non dà alcuna particolare importanza, ma che diverrà in seguito la sua opera di gran lunga più famosa e più copiata.

1745-46. Dal febbraio del 1745 soggiorna a Venezia dove si propone di ottenere dei guadagni. Vi esegue il ritratto del conte Algarotti (*Catalogo*, n. 77), visita Rosalba Carriera, incontra il suo gemello e ha un'amante. Fa forse una visita a Milano. Accompagna la corte per la consacrazione dell'imperatore a Francoforte, dove diviene sua allieva la giovane principessa Carolina Luisa di Baden (si veda al n. 83); la segue a Darmstadt e visita poi Basilea e Ginevra. Tutti i membri del Consiglio dei Venticinque gli fanno visita. Dopo un breve soggiorno, va a Lione e poi a Parigi.

1746-53. Secondo soggiorno a Parigi, dove vive fastosamente in rue de la Corderie, nel quartiere del Marais. Dalla sua compagna, Mlle Raymond, ha una figlia. Marie Nicolle, che più tardi adotterà, allevandola assieme ai figli legittimi a Ginevra (muore nel 1780-82). Grande successo e grossi guadagni — più di 30.000 *livres* l'anno — nonostante l'opposizione accademica al suo stile di "verità"; il pittore non viene infatti ammesso all'Académie. Dipinge tutta la famiglia reale (1749; si veda *Catalogo*, n. 105), il maresciallo di Sassonia (n. 96-99), Mme di Pompadour (n. 129), e ancora poeti, inglesi come A.J. Hervey (n. 119), che in casa di Liotard frequenta Mme Caze, e l'attore Garrick (n. 136) che lo definirà "uomo di molto buon senso e senza alcuna affettazione, solo un po' vanitoso". Sperimenta l'incisione a colori.

1751. Espone sei quadri, tra i quali la "*Belle liseuse*" (n. 91), all'Académie de Saint-Luc, come "Peintre ordinaire du Roy"; il "Journal économique" pubblica la seguente critica: "Sono stati ammirati i pastelli, e in particolare sono parse deliziose una *Liseuse* e una *Sultana*, lavori perfetti per espressività e compiutezza".

1752. Espone 15 dipinti, 3 miniature e 10 disegni all'Académie de Saint-Luc come "Peintre du Roy et Conseiller de l'Académie de Saint-Luc". La gelosia dei membri dell'accademia lo costringe ad acquistare un titolo professionale (maîtrise).

1753-55. Londra. Horace Walpole scrive, a proposito dell'artista (lettera del 4 marzo 1753): "È arrivato Liotard, il pittore... Liotard è ginevrino ma poiché è stato a Costantinopoli porta un costume turco e una barba che gli arriva alla cintura. Tutto ciò, unito ai prezzi stravaganti, più alti di quelli che chiedeva a Parigi, gli procurano tutto il denaro che desidera, perché è avido al di là di ogni immaginazione. I suoi disegni a lapis e gli acquerelli [*sic*] sono molto belli, lo smalto è duro, lui stesso è troppo olandese e non apprezza niente più che un eccesso di compiutezza e di ritocco." A Londra l'artista ritrova Ponsonby, l'Earl of Sandwich, Fawkener e altri inglesi conosciuti in Italia, a Costantinopoli e a Parigi. È molto richiesto per miniature e pastelli e dipinge anche a olio. Esegue i ritratti della principessa vedova di Galles Augusta (*Catalogo*, n. 174) e dei suoi nove figli (n. 176-184). Questo soggiorno gli procura l'importante somma di 6.000-7.000 sterline Walpole riferisce però che "i suoi ritratti erano i più esatti possibile, anche troppo per piacere a quelli che posavano davanti a lui. Così, ebbe molto da fare il primo anno e molto poco il secondo.

1755-56. Olanda. Liotard va a Delft per visitare i nipoti, poi si stabilisce all'Aia dove ritrae l'aristocrazia olandese: i due figli della principessa d'Orange (n. 203-204), i van Tuyll van Serooskerken (n. 205-206), i Van Bleiswijk (n. 195-196) ecc. Ad Amsterdam ritrae i commercianti della città. Vi conosce Marie Fargues (1728-82), figlia di un negoziante francese emigrato ad Amsterdam, e la sposa il 13 a-

Ritratto caricaturale di Liotard eseguito da Pier Leone Ghezzi (Biblioteca Vaticana, Codex Ottoboniani, n. 3116, pag. 30, verso).

gosto 1756; la dote della sposa è di 3.729 fiorini. In quell'occasione si taglia la barba. Accresce la sua collezione d'arte con l'acquisto di quadri olandesi del Seicento.

1757-62. Breve soggiorno a Parigi, dopo il quale si stabilisce a Ginevra. Amicizia con François Tronchin, di cui ritrarrà a poco a poco l'intera famiglia (si veda *Catalogo*, n. 220).

1758. L'11 ottobre acquista una casa in rue St. Antoine des Chaudronniers. Il 18 novembre nasce Jean-Etienne (Liotard-Crommelin, morto ad Amsterdam nel 1822). Fra i ritratti ginevrini: Mme d'Epinay (*Catalogo*, n. 233), Sarasin (n. 234), Thélusson (n. 239).

1760. L'11 giugno nasce la figlia Marie Antoinette, morta poco dopo.

1761. Nell'estate, visita del barone di Reiffenstein: "È un gran maestro nell'arte di lodare se stesso e di lodare le proprie opere. Le espressioni di cui si serve per descrivere la perfezione dei propri quadri sono così forti che si inorgoglisce da solo. Il contrasto tra il bello e il brutto dei suoi lavori e tra la gioia giovanile e la sua età fa piacere perché è raro. Tuttavia, quando scorse nel mio portafoglio i disegni di Ercole e Onfale, dono di Tischbein, pittore di corte a Cassel, si mise a criticarli per dei particolari ineccepibili e arrivò a dire che francamente non avrebbe saputo cosa farsene. Al tempo stesso, mi faceva presente senza tregua la sua particolare maniera di imitare la natura come la sola vera e la più perfetta; a quel punto facevo molta fatica a starlo a sentire per il rispetto dovuto alla sua età... Si è tagliato la barba e ora non ha più quell'aria distinta come nell'autoritratto eseguito molti anni fa". Liotard vende al barone alcuni quadri antichi per la margravia di Baden. In questo periodo sperimenta degli smalti di grande formato. Il 30 novembre nasce la figlia Marie Jeanne (Bassompierre-Liotard, morta nel 1813).

L'artista nel suo studio, *disegnato e inciso all'acquaforte da Liotard, verso il 1745 (cm. 15 x 19).*

1762. In primavera, viaggio a Vienna; ritorno in dicembre. Ritratti della coppia imperiale (*Catalogo*, n. 245-252) e, "aux trois crayons", dei loro undici figli.

1763. Il 12 gennaio nasce Marie Thérèse (morta nel 1793), figlioccia dell'imperatrice. In agosto l'artista acquista per 18.000 *livres* una casa di campagna a Confignon, un villaggio a sud-ovest di Ginevra, e vi si stabilisce. Due dei suoi fratelli maggiori vengono ad aggiungersi alla famiglia. Ritratti di Lord Mount Stuart (*Catalogo*, n. 260) e di Mme de Vermenoux (n. 263-264).

1764. Il 10 giugno, nascita di Jean Daniel (morto nel XIX secolo).

1765. Il 2 settembre, lettera a Rousseau (si veda *Catalogo*, n. 275).

1766. Breve viaggio a Torino.

1767. Il 3 agosto, nascita di Marie Anne Françoise (morta nel XIX secolo).

1770. A Lione, Liotard fa il ritratto a Rousseau (*Catalogo*, n. 275) che lo rifiuta, insoddisfatto. Alla fine dell'anno, l'imperatrice Maria Teresa gli commissiona il ritratto della figlia Maria Antonietta, delfina di Francia (n. 282).

1771-72. All'inizio del 1771 l'artista è a Parigi e ritrae Maria Antonietta (*Catalogo*, n. 282). Alla fine dell'anno va in Olanda, "dove non ottiene il grande successo di un tempo, né la considerazione di allora. Dopo esservi rimasto press'a poco due anni e avere invano cercato di vendere la sua raccolta di quadri, parte infine per Londra "(Terwesten, 1776), qui ha un'avventura amorosa.

1773-75. Londra, Great Marlborough Street. Espone per due anni alla Royal Academy. Ha un notevole successo. Si veste alla turca e porta una lunga barba. Organizza due vendite della sua collezione: la prima, nel 1773, sotto la sua personale direzione, comprende circa 50 opere, di cui venti eseguite da lui (ivi comprese miniature e trasparenti su vetro); la metà viene venduta. La seconda, il 15 aprile 1774, da Christie's, con una dozzina delle sue opere. Acquista una carrozza. Comincia a scrivere il *Traité*. Mlle Thomasset, di Vaud, esegue sotto la sua direzione le grandi riproduzioni a ricamo dalle sue opere (oggi a Vevey). Parte dopo il 17 luglio 1774, arriva a Ginevra il 12 ottobre. Nel *Journal*, il figlio maggiore nota: "ha un'aria vecchia e accanto allo zio Michel, che aveva l'aspetto della salute, sembrava un vecchio, benché siano gemelli". Con le rendite dei viaggi a Parigi e a Londra, comprerà in novembre per 23.000 *livres* un giardino a Plainpalais (Ginevra), e vi farà costruire una casa.

1775. Visita del margravio di Baden.

1776. Accoglie un invito dell'Earl of Bristol (A. J. Hervey) e va a trovarlo a Nizza.

1777. Il 14 luglio l'imperatore Giuseppe II visita l'artista, che il 14 ottobre parte per Vienna al seguito del sovrano assieme al figlio maggiore. A Zurigo, visita Lavater e Gessner. Il 5 novembre arriva a Vienna. Grazie all'imperatrice, Liotard e il figlio trovano alloggio al castello.

1778. È a Vienna. All'infuori dei ritratti della famiglia reale (*Catalogo*, n. 321-322), riceve poche commissioni e non riesce a vendere i suoi vecchi quadri. In aprile, visita il rivale Roslin. In giugno ritorna a Ginevra. Visita di Claude-Joseph Vernet.

1779. Liotard non ha quasi più commissioni. Esegue alcune incisioni e scrive il *Traité*.

1781. Per motivi politici e di sicurezza, si trattiene a Lione da maggio a settembre. Nella città francese fa stampare e pubblicare il *Traité*.

1782. In aprile, temendo di essere arrestato, si trasferisce a Confignon. Morte della moglie. L'artista dipinge delle nature morte (*Catalogo*, n. 336-340). In una lettera del 10 settembre, la figlia maggiore scrive: "è sempre occupato, il mio caro papà; da un po' di tempo ha fatto quattro quadri di frutta che in verità sono un capolavoro. Quelli di Vanhuisum non sono davvero più belli. Tutti li ammirano. Siamo estremamente contenti perché questo gli ha fatto abbandonare l'incisione, che gli faceva molto male agli occhi, gli costava molto denaro e non rendeva niente". Matrimonio della figlia maggiore con François de Bassompierre.

1783. Visita del principe di Ligne. Dipinge nature morte (*Catalogo*, n. 341-352).

1784. In gennaio, Liotard è nominato membro del Gran Consiglio di Ginevra. In giugno vende la proprietà di Confignon per 16.000 *livres*. Visita del principe Enrico di Prussia.

1786. In primavera si stabilisce presso la figlia maggiore a Begnins sur Nyon, dove si cimenta in dipinti su smalto o su placche di porcellana di grandi dimensioni. Dipinge dei fiori (*Catalogo*, n. 361-364).

1787. Soggiorno a Nyon.

1788. Ritorno a Ginevra.

1789. 12 GIUGNO. Morte dell'artista. La sua collezione è suddivisa tra i cinque figli; in seguito, la maggior parte passerà ai discendenti del figlio maggiore.

Due tipiche raffigurazioni, opera di contemporanei, del 'personaggio' Liotard, in abito turco; la seconda (da sinistra), che ritrae il pittore addormentato, reca la firma "G. S." e la data "1755" (Parigi, Institut néerlandais; sanguigna e lapis nero. cm. 26.3 x 19,8).

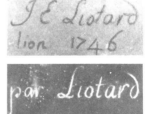

Firme autografe di Liotard nei dipinti qui catalogati ai n. 91, 196. 234.

84

Scritti di Liotard

LETTERE

A Jean-Jacques Rousseau
Ginevra, 2 settembre 1765

Signore, il mio più grande piacere è quello di cercare di pensare innocentemente, naturalmente, e senza alcun pregiudizio. Più delle bestie noi non abbiamo che la facoltà di comunicarci vicendevolmente i nostri pensieri tramite il linguaggio; è ciò la fonte di tutte le nostre conoscenze buone o cattive; per tutto il resto io tento di pensare come gli animali che non hanno cattive abitudini, né pregiudizi. Ho delle idee molto particolari; ecco le principali: Noi dovremmo, per vivere a lungo, essere nudi, e camminare normalmente a quattro gambe; forse apparteniamo alla classe di quegli animali che non dovrebbero bere, che non dovrebbero dormire, ma solo riposare; ci sono tanti animali che si riposano, ma che non dormono. Io non credo a nessun rimedio, a meno che non si tratti del nutrimento. Un medico è un cieco che dipinge, e il cieco può diventare un miglior pittore; la medicina è una delle scienze più incerte. Ogni nutrimento cotto è meno sano, e più cuoce, e meno nutre. Io non credo ad alcun si dice senza verifica. Credo che la legge naturale è la legge del più forte e del più abile. Ogni uomo che vuol vivere in società deve agire secondo la legge di non fare agli altri ciò che non vorremmo ci fosse fatto. [...]

A François Tronchin
Vienna, 9 settembre 1777

Signore e caro Compare, sapete del mio felice arrivo in buona salute, e la perfetta accoglienza che m'ha fatto l'Imperatrice al punto di farmi sedere quando lei s'è seduta, aggiungendo che era per parlarmi più da vicino quindi m'ha mostrato l'appartamento di 2 camere a me destinato [...]; nella mia camera ho il ritratto di Mme Necker che trovo ammirevole per la figura e soprattutto per gli accessori ma non sono tanto contento della testa non è abbastanza bella le ombre del viso sono un po' troppo forti, in una parola io farei tutto il possibile per abbellirlo senza alterare la rassomiglianza l'Imperatrice va a Presburgo domani mattina per 2 o 3 giorni, avrò il tempo di prepararmi per fare il ritratto dell'Imperatore che devo disegnare a due matite, tutti i figli dell'Imperatrice 7 li ho disegnati a due matite e l'Imperatrice ama particolarmente quei disegni e vuole l'Imperatore in questo modo, io gli sono stato presentato la scorsa Domenica con mio figlio; due volte la settimana presento i miei omaggi al Principe di Kaunits, che mi disse la prima volta che lo visitai di andare a trovarlo quando non avessi niente di meglio da fare con mio figlio ho pranzato due volte dall'Ambasciatore di Spagna il Conte di Mahoni, forse avrò dei ritratti da eseguire indipendentemente dal lavoro che farò per l'Imperatrice non è mai stata contenta dei ritratti della sua famiglia eseguiti da altri più dei miei mi ha fatto vedere il ritratto della Delfina che tiene davanti allo Scrittoio, io sto molto bene e meglio che a Ginevra ma non mi diverto troppo ho accompagnato spesso mio figlio agli Spettacoli le Serate sono lunghe Se non fossi stato alloggiato e nutrito la spesa sarebbe stata grande ma questi 2 articoli la diminuiscono molto [...].

A François Tronchin
Vienna, 31 dicembre 1777

Ho ricevuto la cara vostra a suo tempo e risponderò quando starò terminando la copia di Mme Neker ho iniziato gli Arciduchi Massimiliano Ferdinando e l'Imperatore ho avuto da ciascuno una seduta di un'ora e 3 quarti io li schizzo su carta blu in bianco e nero essi sono somiglianti e con un'altra seduta saranno finiti e con l'abbigliamento fanno già 15 giorni; l'Imperatrice è in devozioni il resto dell'anno io non so quando verranno le altre sedute. [...] Noi stiamo molto bene mi si concede una Vettura quando ne ho bisogno siamo molto ben nutriti e beviamo del Tokai 2 volte la settimana quando lo chiediamo il Conte Mahoni Ambasciatore di Spagna dal quale noi abbiamo pranzato 2 volte è morto e sepolto da 3 giorni abbiamo pranzato dall'Ambasciatore d'olanda i miei rispetti a Madame a tutta la famiglia mia moglie non sa che ho cominciato questi 3 ritratti né che mi si concede all'occasione una Vettura né che beviamo del Tokai l'Imperatrice quando mandò un biglietto per cominciare l'Imperatore l'indomani fece portare con questo biglietto un vaso con uno splendido rosaio con 8 o 10 rose e un ananas galanteria che mi fece enorme piacere il rosaio ha ancora 3 boccioli che diventeranno rose da più di 3 settimane da allora Roslin è qui di ritorno dalla russia l'ho visto dal Principe Kaunitz prima di vedere l'Imperatrice allora ho creduto il mio viaggio infruttuoso egli ha fatto molte sollecitazioni per dipingere le loro Maestà che credo finora infruttuose tuttavia mi hanno detto che egli dipingerebbe l'Arciduca Ferdinando l'Imperatore non ama essere dipinto soprattutto dagli stranieri [...].

Alla moglie
Vienna, 14 febbraio 1778

Ho finito il disegno dell'Imperatore e l'abbigliamento che mi è stato dato solamente questi giorni scorsi io ne faccio una copia a pastello che gli farò vedere fra qualche giorno Mr Roslin ha dipinto l'Arciduchessa Cristina se ne dice molto bene. L'Imperatrice e le sue figlie credo temano che io non le faccia abbastanza belle è per questo credo che non me la fanno dipingere tutta la nobiltà è portata per lui soprattutto il Principe Gallizin e M^r fries al quale ho voluto fare il ritratto di sua moglie o delle sue figlie che Madame sua moglie desiderava egli non l'ha voluto essendo eccessivamente infatuato di Mr Roslin. Il ritratto di Mr Maty è in terra nel ripostiglio dei quadri di fiori ci sono 2 ritratti di Mr Maty & sua moglie, sono in terra la pittura girata una contro l'altra e senza telaio in modo che si potrà arrotolarli attorno a un bastone molto arrotondato e un po' più grosso di un manico di scopa con carta molle fra i due [...].

A François Tronchin
Vienna, 14 febbraio 1778

Credo che non vi comprerò nessun quadro; hanno troppo giocato dopotutto con me, mi hanno chiesto quali dipinti avevo voglia di comprare e di dire il prezzo che ne volevo dare ho dato loro i Numeri e che mi dicessero il prezzo che ne volevano ottenere, dopo ciò hanno detto che non volevano vendere nulla se non alla Vendita pubblica è molto chiaro che Se io faccio un prezzo essi ne faranno uno superiore oltre a questo colui al quale m'ero rivolto mi disse che si sarebbero potuti avere tutti i dipinti per 8 o 9 mila fiorini, e ho saputo poco dopo da un bravo e onesto uomo chiamato brand buon paesaggista che si sarebbero lasciati tutti i quadri per mille ducati che non fa che 4 mila 2 cento fiorini; è certo che sarebbe stato un ottimo affare quello di averli acquistati a tal prezzo. [...]

Non avevate torto a sconsigliarmi di andare a Vienna Senza quella splendida accoglienza dell'Imperatrice, avrei fatto un viaggio molto dispendioso e per nulla lucrativo nessuno si presenta per essere dipinto c'è Mr Roslin ha dipinto un'Arciduchessa la cui testa è finita c'è stato 3 sedute si dice che sia molto somigliante, non mi si è fatto dipingere nessuna Arciduchessa credo che si sia persuasi che non le farei abbastanza belle tutta la grande Nobiltà è per Mr Rosselin, ho terminato l'Imperatore in 2 sedute finitissimo e molto somigliante schizzato a matita nera e bianca anche l'abbigliamento è finito. gli volevo dare un atteggiamento come se impartisse degli ordini e dicendo che non voleva egli ne fece il movimento ma volle assolutamente così come rimase una mezz'ora in piedi la mano nella giacca il cappello sotto il braccio in abito verde paramenti & colletto rosso 2 cordoni quello di Me Teresa e quello di Santo Stefano quello del toson non si vede ne ho fatto una copia a pastello che mostrerò presto all'Imperatrice ho fatto il possibile per fare qualche ritratto al Barone de Fries non ha voluto benché Mme la baronessa lo desiderasse molto e mi avesse dato appuntamento per uno dei suoi bambini, è interamente portato per Mr Roslin che deve dipingere sua moglie avendone fatto un ritratto a Parigi che non le somigliava, non parlerò all'Imperatrice per mio figlio che quando l'avrò soddisfatta ella è contenta dei 3 ritratti che ho fatto desiderava per l'Imperatore un'aria più viva ma lui sarebbe stato contrariato se io gliela avessi data, non voglio disse aver l'aria di un attore la Sua aria non è Seria nel ritratto ha l'aria come l'aveva a Ginevra contenta e gentile [...].

Alla moglie
Vienna, 3 marzo 1778

[...] L'imperatrice ha fatto domandare il prezzo dei trasparenti glieli ho messi 3 a 70 luigi già da qualche giorno, ella è eccessivamente occupata malgrado ciò presta attenzione a tutto poiché ha stabilito che non facessi magra la Quaresima mi ha fatto dare 2 fiorini *diuy* [*sic*] al giorno per far venire da fuori da un rosticcere di che mangiare di grasso cosa che faccio ma mi si dà dalla corte pane e vino e caffè e cioccolato per le nostre colazioni e del dessert noi beviamo 2 bottiglie di Tokai alla settimana così stiamo molto bene mio figlio è ingrassato mangia spesso carne la sera ho ancora un quarto del dipinto di Me Neker da finire attualmente sono occupato a fare a due matite il ritratto dell'Arciduca ferdinando che devo aver terminato prima che egli parta alcuni dicono il 22 e altri il 28 di questo mese di marzo.

[...] ho fatto la conquista di una bella Contessa e di una graziosa Baronessa è proprio perché sono nella situazione di non fare più nulla che mi si fanno tali dichiarazioni.

A François Tronchin
Vienna, 9 maggio 1778

Ho finalmente terminato il ritratto di Me Neker, e conto di inviarlo immediatamente essendo pronta la Cassa io gli scriverò che lo prego di ricevere questa copia del ritratto della sua Sposa pensando che gli possa essere gradita. L'imperatrice è stata molto soddisfatta quando le ho detto che quel ritratto c'era, ho visto lo scorso mercoledì l'Imperatrice e le ho parlato per circa tre quarti d'ora dicendole e proponendole di far venire i miei quadri di fiori e qualcuna delle mie opere per metterle al Belvedere dov'è la considerevolissima collezione dei quadri dell'Imperatore; ci crederete ella mi disse che ho offerto di mettervi Me Neker e mio nipote Lavergne che scrive una lettera di cui voi forse vi ricorderete e che il Pittore Rosa che ha la direzione e che decide l'accomodamento dei dipinti li ha rifiutati con il pretesto ella mi disse di non so che cosa e che essi mancano nel disegno, ora questi 2 quadri sarebbero piaciuti a tutti più di qualunque altro dipinto mentre presso L'Imperatrice non li vede quasi nessuno, i pittori in generale qui e altrove giudicano attraverso l'arte e la falsità della loro arte fanno loro sfuggire il vero; tutti coloro che sono venuti da me ammirarono Me Neker i pittori mi dissero nulla anche M Roslin, che ha dipinto un'Arciduchessa non ha detto nulla vedendolo. egli non ha per nulla apprezzato 2 teste di Denner le più belle e le più finite e una delle ragioni era che c'è una quantità di forme uguali che la natura non ha; io non ho proprio visto queste pretese ugualità di forme in una parola io comincio a credere ancora più profondamente che i pittori sono dei cattivissimi giudici del vero nella pittura [...].

A François Tronchin
Lione, 8 luglio 1781

Avrei dovuto scrivervi prima, sono stato a trovare Me Fuselier cui appartengono i due Vercolli ella ha spartito con Me D'Arcle i quadri del defunto M. Borde non avendo trovato degli acquirenti Me Fuselier ha collocato i quadri nella sua sala e quando i due Vercolli vi sono stati sistemati m'ha detto che non li voleva vendere, ma ci sono 2 breugels della più grande bellezza e fra i meglio conservati dei quali ella chiede 400 uno ha molte figure ammirevoli e l'altro non è meno bello, oltre a ciò ci sono 2 *pendants* di battaglie di Wovermans sono incerto se sono di Philippe Wovermans ma sono ammirevoli e molto degni di Philippe è il suo stile e se ne domanda 400 e certamente valgono di più. Se dunque voi acquisterete o i 2 breugle o i 2 Wovermans, esigerei ch'ella venda con i 2 Vercolli, vi consiglio assolutamente di acquistarli tutti farete il miglior acquisto che abbiate mai fatto io copio un abbozzo di Wateau che raffigura l'amore che circonda con una Ghirlanda di fiori una Ninfa vista di faccia l'amore visto da dietro con le braccia tese e lei che riceve questi fiori con piacere lo copio a pastello e faccio degli studi dal vero per farne un dipinto finito molto presto si stamperà il mio libro sulla pittura vi ho apportato dei cambiamenti per lo Stile, ho letto il Poema Watelet sulla pittura è ben poca cosa, è molto lontano d'aver preso il passo di Boileau nella sua arte Poetica.

A François Tronchin
Confignon, 19 giugno 1782

[...] Ho un progetto a quel che penso fra i più importanti per la Marina francese, e che penso metterebbe una flotta o Armata Navale, in stato di battere una flotta o armata Navale nemica, senza rischio a quel che credo Soprattutto se i Vascelli sono buoni velieri. Questo inizio al primo colpo d'occhio sembrerà fra i più folli e fra i più stravaganti; ma se io procuro a una flotta un'Artiglieria che arriva il doppio più lontano, allora la mia artiglieria batterà la flotta nemica senza che il suo cannone possa raggiungere la flotta né la mia artiglieria; vengo ai fatti con un Paragone; prendete una palla di metallo rotonda, e una piastra piatta dello stesso metallo, e dello stesso peso della palla, gettate con tutta la forza una dopo l'altra, dovete capire mio caro Compare che la piatta andrà il doppio più lontano della tonda, poiché essa trova molto più della metà in meno di resistenza nell'aria, che spezza con poca resistenza; penso che già comprendete il mio progetto con questo paragone, e per risparmiare la fabbrica di un'Artiglieria che non caricasse e scaricasse che delle piastre, indico il mezzo di caricare i Cannoni con piastre che avranno una portata circa il doppio più lontana delle palle di cannone; forma delle mie piastre profilo come vedete presente una punta in a a che va in avanti che taglia e affonda tutto ciò che incontra e poiché bisogna che per il suo peso vada in avanti e che il dietro a sia più leggero metto questa scavatura C, perché se il dietro fosse più pesante la piastra ruoterebbe il pesante va sempre davanti al leggero

b piano della piastra

Ora per servirsi dei cannoni senza fare un'artiglieria espressamente per le piastre, si potrebbe mettere in un Cannone 5 di queste piastre, come vedete che sarebbero disposte nel fondo del Cannone quelle dei bordi sarebbero diverse di forma ciò che sarebbe forse di buon effetto, si metterebbe un foglio di ferro bianco della grandezza della bocca del Cannone che toccherebbe la polvere da un lato e le 5 piastre dall'altro.

Da 3 o 4 mesi che diedi questo progetto meno dettagliato a Me de Castelnau per inviarlo alla Corte, con un mezzo per preservare dai vermi del mare i vascelli che restano a lungo in certi porti io non ho avuto alcuna risposta, penso che se voi approvate il mio progetto aggiungendovi il vostro giudizio gli darà un peso considerevole che lo farà apprezzare, quando l'ho letto a M de Castelnau vi fece delle debolissime obiezioni che forse gli avranno impedito di inviarlo [...].

Al figlio Jean-Etienne
Confignon, 24 settembre 1782

[...] È vero che ho delle grosse spese da fare quest'anno ma penso che ci potrei arrivare senza toccare i miei fondi in vista dei quadri, li farò portare in città perché i Mediatori vengano a vederli, e possono desiderarne qualcuno, ho dipinto da 1 mese e mezzo 4 quadri di frutta il primo sono delle albicocche, il 2° pere fichi e prugne, il 3° delle pesche delle pere *bon cretien* una pera ruggine una torcia e una chiave il 4°, 3 peschenoci sopra un piattino, un Melone e un coltello, conto di farne uno di uva, un altro di mele e in qualche altra maniera questi quattro quadri hanno più freschezza vivacità e gli oggetti sono più staccati, di più risalto e più in rilievo e più veri che quelli di Vanhuysume ma non sono ancora finiti quando non avevo che 30 anni non li avrei fatti altrettanto bene avendo più arte di quanta ne avevo allora, li hanno trovati tanto belli che sono stato obbligato a mettervi il mio nome e la mia età di 80 anni e sono deciso a mandarne due all'Imperatrice di Russia, e gli farò sapere che ho i 2 più bei Quadri di Vanhuysum, che ho il ritratto originale dello Zar Pietro il Grande dipinto durante il suo soggiorno in Olanda dove la sua fisionomia è resa perfettamente dal miglior pittore, il ritratto dell'Imperatore disegnato dal vivo e quello di Rousseau un dipinto originale di Tiziano e dei più belli uno dei più belli di Wateau ecc. [...]

Al figlio Jean-Etienne
Ginevra, 27 maggio 1783

[...] Non ho per nulla bisogno di te per condurre la mia casa, ho dei consiglieri troppo buoni per cambiarli e metterti alla testa dei miei affari, e tu non hai ancora nessuna esperienza, d'altronde le mie figlie si occupano del menage e così io non ho grosse preoccupazioni, gli fornisco dei soldi quando ne hanno bisogno, non potresti credere quanto mio Nipote Nadal e M Tronchin mi sono stati utili con i loro buoni consigli in molte occasioni essendo tutti e 2 d'una esperienza consumata. Mi parli che puoi trovare una ragazza di ottimo carattere che ha un piccolo possedimento abbastanza bello in una città come Ginevra dove vivendo con economia sforzandoti per accrescerlo non avendo paura di non trovare da provvedere alla tua sussistenza con il tuo lavoro, dimmi che lavoro e come potresti fare per guadagnare qualcosa qui in mezzo a un popolo così industrioso come lo sono i Ginevrini tu non hai ancora alcuna esperienza del posto fin qui i piccoli commerci che hai voluto fare non t'hanno prodotto null'altro che perdite.

Informami ti prego chi è questa amabile Signorina sulla quale hai messo gli occhi e soprattutto ciò che ti porterebbe di bene in matrimonio, che diversa maniera di pensare quando hai procurato quel posto a tuo fratello era col proposito di fare in seguito dei buoni affari fra voi due ciò è in contraddizione con la tua voglia di venire a Ginevra che la tua stessa salute ne è minata. Quanti esempi si vedono qui a Ginevra e altrove che dei Commessi essendo estremamente utili ai loro Padroni li hanno associati al loro Commercio per non perderli, temendo che la loro abilità gli facesse concorrenza associandosi ad altri, ci sono moltissimi esempi qui, non dubito che ce ne siano molti altrove [...].

A Hennin
Ginevra, 13 giugno 1783

Signore, senza dubbio sapete che ho mandato a Sua Eccellenza M. il conte di Vergennes due quadri di frutta, essendo penetrato di riconoscenza per aver tratto dall'abisso la nostra cara patria. Ho ricevuto da parte sua un piccolo servizio da tè di porcellana di Sève della più grande bellezza, con una risposta alla mia lettera, molto garbata e cortese. Vi prego, signore, di testimoniare a Sua Eccellenza la mia viva riconoscenza.

Sono nonostante la mia età in grado di dipingere bene dei ritratti. Ho appena terminato di dipingere in miniatura un ritratto della più grande rassomiglianza, e ho dipinto l'anno passato 3 ritratti che sono stati trovati tanto buoni quanto nel mio miglior tempo. Se Sua Eccellenza mi avesse accordato di fare il suo ritratto, gli avrei proposto di dipingerlo in grande sopra una placca di porcellana, avendo trovato il mezzo di fare delle grandi placche di porcellana da passare la riga su [*sic*] ciò che nessuna fabbrica ha ancora potuto fare, e possiedo i colori più belli e più vari [...].

Al figlio Jean-Etienne
Ginevra, 7 novembre 1783

È venuto a trovarmi ieri il Principe di Ligne & seguito che sono stati entusiasmati dalle mie opere. Egli m'ha preso per mano come amico entrando e uscendo. Gli vendo il mio ritratto in piedi che ho disegnato tre mesi fa, 8 a 10 luigi (un piede e ½ di altezza 14 pollici largo). Hanno un gusto naturale e vero. T'ho detto che la tua scrittura è troppo piccola e le tue lettere non sono abbastanza chiare, in modo che ci sono parole che stentano a capire. Mi servo degli occhiali per leggere e per scrivere. Faresti meglio a scrivere con lettere più grandi [...].

Al figlio Jean-Etienne
Ginevra, 30 luglio 1784

[...] Dormi con le finestre aperte e lavora, se puoi, con le finestre aperte. Posso lavorare a lungo con la finestra aperta e pochissimo a finestre chiuse. L'aria di fuori è sempre più sana, notte e giorno, che al chiuso. Tutta l'aria chiusa è mefitica. La mia defunta moglie è morta per troppo amore per le medicine e amare d'essere rinchiusa. Era di sana costituzione. I medici uccidono più persone che le guerre più crudeli [...] Mi costa molto scrivere. Non sono più capace di lunga attenzione.

DAL 'TRATTATO'

Il disegno è la giusta somiglianza di tutte le forme che si vedono in natura; nessun dipinto può essere buono senza il disegno. Può raggruppare tutte le parti della pittura, eccetto il colore; le stampe non sono che disegni.

Il disegno deve avere un tracciato netto, senza essere secco; fermo, senza essere duro né rigido; fluido, senza essere molle; delicato e vero, senza essere manierato.

Il colore è la parte più gradevole della pittura; ma è molto più difficile essere un buon colorista che un buon disegnatore; la ragione è semplice e tangibile. I contorni dei corpi si vedono molto chiaramente; i colori della natura al contrario variano all'infinito, a seconda della maggiore o minore distanza o del grado di luce in cui sono viste. Ci sono inoltre un'infinità di oggetti il cui colore non è affatto determinato, come per esempio la carnagione.

Consiglio ai giovani che disegnano, studiando dal vero, di cercare di inventare soggetti del genere cui vogliono dedicarsi e cui si credono destinati. Quel detto così noto "fit fabricando faber" può adattarsi al caso: è inventando spesso che si può acquisire, perfezionare il talento dell'invenzione, e arrivare infine ad avere un genio creatore.

La prima qualità del pittore è di mettere grazia in tutto ciò che fa. L'essenziale è comporre con grazia, soprattutto nella posizione delle figure, nel loro movimento, nella quiete, nel sonno, nelle passioni. Si può mettere molto discernimento e molta grazia anche nell'espressione delle passioni più violente. C'è, cosa che sembrerà a tutta prima un paradosso, c'è grazia anche nella bruttezza. Tutto ciò che può essere dipinto è suscettibile di grazia.

Una grandissima imperfezione dell'arte è quella di non riuscire a imitare le forti ombre della natura. La pittura è quasi altrettanto impotente nei colori chiari; il bianco più bello, che si può paragonare alla lucentezza del vetro, al raso bianco, e a tutti i corpi lucidi, appare scuro. Per arrivare a un buon effetto pittorico, cioè alla grande e giusta distanza che c'è in natura fra il chiaro e l'ombra, bisogna dunque mettere meno digradazione nei chiari e nelle ombre.

Che il colore di un oggetto sia più bello nella parte illuminata e che diminuisca in bellezza man mano che lo è meno, fino all'ombra più intensa che non ha colore.

Dipingete e sostenete con forza e vigore gli oggetti che sono dietro altri, sia in chiaro sia in scuro.

Bisogna, per quanto è possibile, mettere fondi uniti dietro le figure e gli oggetti che sono in primo piano...

Per tutti gli oggetti chiari su fondo scuro, il chiaro dell'oggetto deve essere molto chiaro accanto al fondo scuro; se lo smorzate molto, ciò fa sì che l'oggetto si avvicina al fondo e impedisce alla figura o all'oggetto di saltar fuori, e di staccarsi dal fondo. Il fondo scuro di un oggetto chiaro e la parte del fondo vicino all'oggetto devono essere un po' più scuri, per dar maggior risalto all'oggetto.

Il tocco è una pennellata di colore chiaro o scuro, applicata sull'uno o sull'altro dei due colori; sul primo, si mette più chiara; sull'altro, si mette più scura; ma più i tocchi sono evidenti, più risultano duri, e più portano a una bruttezza che colpisce l'occhio acuto di chi, penetrato dalle vere bellezze della natura, vuole ritrovarle nelle copie che gli presenta l'artista; questa bruttezza dispiace anche a coloro che non hanno nessuna infarinatura d'arte. I tocchi dunque sono il procedimento più brutto e più lontano dalla natura; devono, non dirò il loro credito (poiché i grandi artisti non li hanno mai adottati), ma quella sorta di tolleranza che si è loro concessa, all'idea che hanno quasi tutti i pittori europei, che conferiscano alla pittura forza, vigore, risalto e vita. Cerchiamo di distruggere questi falsi e pericolosi pregiudizi.

Come vorreste rendere la compattezza di una bella pelle, la levigatezza, la trasparenza dei corpi, il colore dei fiori, la lanugine, il vellutato dei frutti, tutte quelle parti delicate, fini e leggere della natura, quegli innumerevoli e affascinanti particolari infine che, se ben resi, imitano la natura e fanno della pittura la sua felice rivale? Con i tocchi forse? Convenite in buona fede sulla loro impotenza, e dite con me che sono un modo di dipingere brutto e grossolano [...].

Oso vantarmi di essere uno dei pittori che è riuscito meglio nella somiglianza dei ritratti. Prego i miei lettori di scusare questo tono franco, e una delle cose che più ha contribuito a procurarmi questo successo è che mi sono sforzato di dare più rotondità e rilievo possibile ai miei dipinti, mettendo circa tante ombre quanti chiari. Il ritratto a pastello che ho lasciato a Londra, da milord il conte di Besborougt [*sic*], ha più ombre che chiari, ha tutto il rilievo, il chiaroscuro e l'effetto possibile.

Lo stesso milord possiede un altro quadro che ho dipinto a pastello, raffigurante la colazione di una dama davanti a una tavola, mentre con una mano porge una tazza di caffelatte alla figlia e con l'altra regge la lattiera; le due figure e tutti gli accessori hanno tutto il rilievo possibile; ne ho fatto una copia a olio, e l'ho a casa mia.

Quel che è dipinto uniforme, pulito e netto, fa sempre molto più piacere a vedersi di quello che è scabro e ineguale.

I pittori, che hanno preferito fare i loro quadri su tele preparate grossolanamente, si sono allontanati dal cammino della bellezza, una delle cui qualità è di essere uniforme. Una bella donna è colpita dal vaiolo e ne resta segnata, non è più nel numero delle bellezze, perché la sua pelle è diventata scabra e ineguale. In tutte le opere di meccanica ci si picca dell'uniforme, netto e pulito; le stesse qualità sono ancora più necessarie in pittura che in meccanica, aumentano considerevolmente, come ho detto, lo splendore della pittura. I pittori invece che hanno dipinto con molti tocchi hanno sempre della bruttezza, della rudezza e della grossolanità, nonostante il merito delle loro opere. Rembrandt, nei pochi ritratti finiti e senza tocchi, è infinitamente più gradevole che nei ritratti dove sono più numerosi.

Finite quanto più potete. Il finito è una delle parti più gradevoli della pittura; è molto difficile finire con gusto; quindi le opere più finite, e che lo sono con gusto, sono le più rare e le più stimate. I pittori che, a mio giudizio, hanno finito meglio le loro opere sono i [*sic*] Mieris, Gérad-Dow, Jean Wan-Huysum, Vander-verf, Vander-Heyde, Adrien e Villem-Vandevelde, Philippe Wovermans, Terburg, Ostade, e vari altri fiamminghi e olandesi.

Il vero che si trova nelle mie opere, lo confesso ingenuamente, miei cari confratelli, ne sono debitore agli ignorarti [*sic*], mi hanno riportato al vero, di cui spesso avrei perduto la traccia, e molto spesso ho avuto bisogno di molta riflessione per comprendere il loro modo di giudicare e di esprimersi.

Traité des principes et des règles de la peinture. 1781

Catalogo delle opere

*Elenco cronologico e iconografico
di tutti i dipinti di Liotard
o a lui attribuiti*

L'opera di Liotard è conosciuta poco o male e la stessa reputazione dell'artista presso i suoi contemporanei risulta estremamente variabile: l'Algarotti e Pierre Clément gli tributano i più vivi elogi, Horace Walpole l'ammira, ma con qualche riserva, Reynolds e Mariette lo criticano severamente.

Le fonti manoscritte che potrebbero permettere un più preciso approccio con la sua opera non abbondano: non ci sono né diari né *liber veritatis*; lacune rese più gravi dal fatto che l'evoluzione estetica di Liotard è scarsamente caratterizzata, fatta eccezione per alcune opere giovanili, per il suo ultimo ritratto (si veda il n. 368) e per la serie delle nature morte. Tutto ciò rende assai arduo stabilire una precisa successione cronologica in una produzione che ha un carattere di continuità, e nella quale il meglio e il peggio si trovano sovente accostati. Indubbiamente, l'esistenza di un *Traité des principes et des règles de la peinture* pubblicato a Lione nel 1781, di cui si conserva il manoscritto autografo nell'archivio di Stato di Ginevra, permette una conoscenza approfondita della concezione artistica di Liotard. Il trattato è il risultato delle osservazioni fatte dall'artista nel corso della sua attività, ed è lui stesso, del resto, a precisare le ambizioni nutrite a proposito, quando scrive a François Tronchin: "non so come, lo ritengo [il trattato] molto utile alle arti e vi confesso che se trovasse seguito nel tempo, la pittura non cambierebbe mai di moda; questo è quello che sento, e mi arrischio a dirlo".

Si conoscono inoltre alcune lettere dell'artista, tutte dell'estremo periodo della sua vita; furono scritte infatti durante l'ultimo soggiorno a Vienna, nel 1777, o da Ginevra nel 1783, o da Begnins nel 1786. Conserva le sezione manoscritti della Bibliothèque Publique et Universitaire di Ginevra (BPU), sono così distribuite: due scritte da Vienna, il 9 novembre e il 14 febbraio 1778, alla moglie che si trovava a Ginevra; diciotto da Ginevra, Confignon, Begnins, Nyon, dal 1780 al 1787, al figlio maggiore dell'artista, che si trovava allora ad Amsterdam. Presso la stessa biblio-

teca si trovano inoltre (archivi Tronchin, 191) sette lettere di Liotard scritte da Vienna tra il settembre 1777 e il maggio 1778 e cinque lettere da Lione, tra l'aprile 1781 e il luglio dello stesso anno, e ancora una lettera scritta da Confignon il 19 giugno 1782, tutte indirizzate all'amico collezionista François Tronchin. Queste ultime, assai più interessanti di quelle citate sopra, ci forniscono preziosi dettagli sui lavori di Liotard a Vienna, sulle collezioni di dipinti da lui visitate per eventuali acquisti per conto di Tronchin, nonché sulla composizione e la concezione del *Traité*. A tutto ciò è da aggiungere un dossier (BPU, Ms. fr. 355) che contiene delle lettere scritte da Madame Liotard al figlio maggiore negli anni 1778-79, e anche della figlia dell'artista Marie-Thérèse, nelle quali si trovano talvolta, frammisti a discorsi familiari, dati che riguardano l'arte. E non è da trascurare la lettera che Liotard scrisse da Ginevra, il 2 settembre 1765, a Jean-Jacques Rousseau (Biblioteca di Neuchâtel), nella quale l'artista dà prova di un'originalità di pensiero poco comune e un po' sconcertante; il documento è riprodotto nell'opera di Tilanus (si veda più avanti).

Un testo estremamente prezioso, del quale conosciamo purtroppo solo alcuni frammenti attraverso le citazioni fatte dal Trivas nel manoscritto inedito conservato al museo di Ginevra (si veda qui di seguito), è il diario del figlio maggiore dell'artista, manoscritto in sei volumi, di cui sono andati perduti i tomi II e III. Il volume I (1774) contiene l'"*Histoire de ma vie, des notes et récits*" nonché il diario iniziato il 10 aprile 1774. Il volume IV (1777) è intitolato: "*Journal de ma vie pendant l'année 1777 commencée par la grace de Dieu avec l'espérance de la finir de même. Etant dans la 17e année de mon age. Dans la ville et Republique de Genève ma patrie*". Il volume V (1778) fu iniziato a Vienna, il VI (1779) ad Amsterdam.

Allo stesso Jean-Etienne Liotard figlio dobbiamo la biografia dell'artista, un manoscritto conservato un tempo presso un discendente del pittore, C. Liotard, a Ede. Si tratta di un lavoro incompiuto, costituito di frammenti cui si alter-

nano fogli quasi bianchi. Il documento, pubblicato da Louis Gielly nel 1933, cita un gran numero di ritratti commissionati da personaggi illustri; le informazioni fornite — almeno quelle che è stato possibile controllare — sono quasi sempre esatte, ma il testo termina purtroppo prima del primo soggiorno di Liotard a Londra, nel 1753.

Per la comprensione dell'artista non va trascurata la sua attività di collezionista; l'articolo che M. Benisovich ha dedicato a questo tema, citando i cataloghi delle due vendite organizzate dal pittore a Londra nel 1773 e nel 1774, fornisce precisazioni utili in merito ("G" 1951). A Brulhart, nella sua tesi di prossima pubblicazione (si veda in *Bibliografia*) è il primo a darci la situazione completa riguardo a questo settore. Inoltre, un documento molto raro, di prossima importanza, è appena stato pubblicato dal professor J. Lauts di Karlsruhe: il catalogo della collezione di dipinti di Liotard stampato a Parigi, in cui sono registrati, in 120 numeri, non soltanto le opere che l'artista aveva collezionate, ma sessanta pastelli, disegni, trasparenti e miniature eseguiti da lui stesso. Tutti gli esemplari di questo opuscolo di otto pagine erano scomparsi, e il solo biografo di Liotard che lo citi è Tilanus: "C'è un catalogo di questa collezione, stampato durante la sua vita; noi non l'abbiamo trovato". L'esemplare conservato al Grossherzogliches Familien Archiv di Karlsruhe sembra proprio essere un *unicum* (si veda Lauts, *Jean-Etienne Liotard und seine Schülerin Margräfin Karoline Luise von Baden*, "JBW", 14, 1977, pag. 62-65). Sembra che sia esistito un altro catalogo della collezione di Liotard. François Tronchin (in *Catalogue de mes livres et manuscrits de famille et autres*, ottobre 1796) menziona infatti un "catalogo ragionato di una collezione di dipinti di J.-E. Liotard; 8°, Ginevra, 1786". L'opera è purtroppo scomparsa.

Tra le fonti stampate giova citare ancora due libretti scritti dal genero di Liotard, François de Bassompierre, sulla successione del maestro, sulla liquidazione dei beni e sul fallimento che ne seguì (*Au Sieurs

Liotard-Crommelin, à Amsterdam, Liotard cadet à Martigny, en Valais; et Defernex-Liotard, à Genève; Heritiers de feu J. E. Liotard, leur père, en son vivant Peintre de Genève*, Bruxelles 1816; e *Mémoire adressé à M. J. E. Liotard, commissionaire, à Amsterdam contenant ses abus... ou Prétentions légitimes... réclamées par M. de Bassompière*, Bruxelles 1818). I due scritti sono stati argomento di un articolo di M. Benisovich (*La famille de J.-E. Liotard pendant les dernières années de sa vie (1782-1789)* "G", n.s., IX, pagg. 91-101).

Liotard fu dimenticato molto presto e bisogna arrivare sino all'ultimo Ottocento, esattamente al 1897, per trovare uno studio su di lui. Iniziato da E. Humbert, il lavoro fu ripreso dopo la sua morte da A. Revilliod e J.W. R. Tilanus, un discendente del pittore. Il primo capitolo apparì già sulla "Gazette des Beaux-Arts" nel 1889. Si tratta di un primo catalogo descrittivo steso da Tilanus, che comprendeva i dipinti, i pastelli, gli smalti, i disegni e le incisioni, preceduto da un'introduzione e dalla riedizione del *Traité* del 1781. Le lacune erano numerose e, stranamente, mancava la cronologia, ma l'opera costituiva, sino a quel momento, l'unico "saggio" di catalogo ragionato. A eccezione del sensibilissimo studio di D. Baud-Bovy — un'efficacissimo approccio estetico all'opera del pastellista ginevrino, apparso nel 1903 —, occorre arrivare sino al 1928, con la pubblicazione di F. Fosca, per registrare una nuova biografia dell'artista, nella quale l'autore, a quanto afferma egli stesso, tenta "di insistere su ciò che Liotard ha di veramente ginevrino e di comune con Jean-Jacques Rousseau". Nel 1956 Fosca, in un'opera più importante al timbro più letterario, riprende lo stesso tema e al tempo stesso nega di aver "scritto su Liotard un libro definitivo", aggiungendo: "continuo a credere che lunghe e minuziose ricerche permetteranno di scoprire opere ancora sconosciute che si trovano nei musei e nelle collezioni private". Benché non intenda proporsi come un catalogo esauriente, il lavoro è pur sempre di estrema utilità per la comprensione del pittore perché comprende numerosi

dati inediti e un'analisi finissima dell'arte di Liotard confrontata con quella dei contemporanei. Resterà un testo di cui non si può non tener conto.

Il presente catalogo si giova ampiamente del lavoro di Numa Trivas, che dedicò molti anni della sua vita allo studio dell'opera di Liotard. Il risultato delle sue ricerche è un manoscritto inedito — purtroppo incompiuto — del 1936, che fu consegnato al Musée d'Art et d'Histoire di Ginevra nella speranza che servisse un giorno da punto di partenza per una pubblicazione. Le note di Trivas, estremamente precise, sono quindi state riprese per questo lavoro, completate da una documentazione recente, verificate, modificate quando ce n'era bisogno e notevolmente accresciute. Ciascuna delle opere qui registrate comprende quindi, dopo il numero del catalogo di Tilanus (abbreviato Til.), quello di Trivas (Triv.). L'intestazione delle schede riguarda esclusivamente i pastelli e i dipinti a olio; i disegni sono citati solo quando si tratta di studi preparatori o comunque in rapporto con un pastello o un olio, e all'interno della scheda relativa. La successione è quella cronologica; la datazione di ciascun dipinto è stata avanzata con la massima prudenza. Questo primo catalogo ragionato di Liotard non vuole essere definitivo, ma ci auguriamo che permetta una conoscenza più approfondita di un artista troppo volutamente dimenticato.

1. PRESUNTO RITRATTO DI JEAN-MICHEL LIOTARD. Ginevra, Musée d'Art et d'Histoire (inv. 1934-30)

acq, preparazione a sanguigna / cr incollata su tv 22,7 × 16,5 poco prima del 1720

Già nella collezione J. W. R. Tilanus a Amsterdam; venne donato nel 1934 dalla Società degli Amici del Museo. Si tratta della prima opera nota di Liotard, eseguita a Ginevra quando l'artista impiegava il suo tempo libero "a dipingere ritratti dal vero, sia della famiglia sia di altre persone che vollero prestarsi, e quando gli venivano pagati [...] una bagatella qualsiasi era ben conten-

1

2

3

4

5

6¹

7

8 [Tav. I]

9

to; e ne fece molti per niente. Parecchi di questi ritratti esistono ancora, e vi si ammira il più squisito naturale, fra l'altro il ritratto del suo gemello, allora molto giovane e che gli assomiglia ancora" (*Biographie de Jean-Etienne Liotard écrite par son fils*, "G", XI, 1933, pag. 192). Jean-Michel Liotard (1702-1796), eccellente incisore, fece l'apprendistato a Parigi nello studio di B. Audran. Partì per Venezia nel 1735 e vi incise gli affreschi di C. Cignani. Rientrato a Parigi, eseguì incisioni e disegni da dipinti, soprattutto di Watteau e di Le Sueur. La datazione del ritratto verso il 1720 è indicata da Baud-Bovy (1903) e da Gielly (1905). Per l'iconografia del personaggio si vedano anche i n. 2, 30.

2. PRESUNTO RITRATTO DI JEAN-MICHEL LIOTARD

acq/cr 23 × 16,8 f d 1720

A sinistra all'altezza degli occhi, la scritta a inchiostro: "J.M.L.", e all'altezza della spalla: "peint en octobre 1720". Già nella collezione di Madame Henri Naef-Revilliod, a Bulle. Da confrontare con il n. 1, la cui stesura più maldestra induce a considerarlo leggermente anteriore. Per l'iconografia del personaggio, si vedano anche i n. 1, 30.

3. IL SIGNOR DU MAINE, PASTORE A LOSANNA. Ginevra, coll. Claire Maillart

p/cr 22,5 × 15 d 1721
Til. 53 Triv. 110

Sulla tavoletta di protezione è una scritta, che sembra auto-grafa: "peint en juillet 1721 par J. Etienne Liotard", e un'altra: "Le [...] et docte Monsieur DU MAINE, Min [...] un des vénérables pasteurs de Lausanne"; segue, con una grafia decisamente più tarda, l'aggiunta: "Peint par le fameux Liotard soussigné". Già nella collezione Maillart-Gosse a Ginevra. Si tratta del primo pastello documentato, con firma e data; fu eseguito a Ginevra quando Liotard era ancora allievo di Gardelle.

4. ANTOINE LIOTARD, PADRE DELL'ARTISTA. Zurigo, coll. privata

ol/tl 83 × 62,5 1727-30
Til. 117 Triv. 12

Passò per eredità a J.E. Liotard-Crommelin, a Mlle A.M. Liotard ad Amsterdam, a E.C. Liotard a Haarlem e a C.B. Tilanus ad Amsterdam; apparve alla vendita Tilanus ad Amsterdam, 23 ottobre 1934 (n. 1036); presso D.A. Hoogendyk, Amsterdam, nél 1936. Per il *pendant* del dipinto, si veda il n. 5. Opera giovanile eseguita a Ginevra tra il 1727 e il '30 durante una visita dell'artista in quella città al tempo in cui lavorava a Parigi.

5. ANNE LIOTARD, NATA SAUVAGE, MADRE DELL'ARTISTA. Chicago, Art Institute (Simeon B. William Fund; inv. 35.299)

ol/tl 81 × 64,5 1727-30
Til. 118 Triv. 13

Sul verso è la nota manoscritta: "Marie Le Sauvage Liotard". Si tratta del *pendant* del n. 4, eseguito nello stesso periodo e comunque prima del 17 giugno 1731, data di morte dell'effigiata. La provenienza è la stessa; fu acquistato nel 1935 da D.A. Hoogendjk di Amsterdam per il museo di Chicago. L'attribuzione a Liotard, che sembra peraltro sicura, è stata messa in dubbio da H. Voss (Catalogo dell'Art Institute di Chicago, 1961, pag. 261), secondo il quale potrebbe trattarsi di un dipinto di Subleyras. Come rileva giustamente F. Fosca (1956), il ritratto presenta una forte analogia con quello di Madame de Graffigny dipinto da Louis Tocqué (Louvre, inv. 8176); lo studioso aggiunge: "è evidentemente quello che vedeva fare a Parigi attorno a lui".

6. RENÉ HÉRAULT, "LIEUTENANT GENERAL" DELLA POLIZIA

p (?) 1730 c.

Noto solo attraverso l'incisione: "A mezza figura, visto di tre quarti, voltato verso destra (nell'incisione), con lo sguardo rivolto verso lo spettatore. Il vestito è completamente abbottonato, con bavero bianco; i capelli, lunghi e ricci. Le spalle sono coperte da un mantello." Fu inciso da Liotard (foto 6¹) intorno al 1730, con la scritta: "René Hérault, conseiller d'Etat, lieutenant général de police / peint et gravé par Jean Etienne Liotard / avec privilège du Roy / Se vend à Paris chez la Veuve Chereau, rue St. Jacques aux deux pilliers d'Or.", e da P. Dupin (Til., inc. 2).

7. AUTORITRATTO. Losanna, coll. Mme F. Constançon

ol/cr reincollata su cr
28,3 × 21 1730 c.

Già nella collezione Ch. Vignier a Le Havre (1897). Di forma ovale, il dipinto è probabilmente uno studio preparatorio per un autoritratto eseguito verso il 1730, prossimo al n. 8; ma il cattivo stato di conservazione rende ardua l'attribuzione. Si tratta forse dello schizzo citato nei fogli lasciati da Tilanus al museo di Ginevra con l'indicazione: "solo il viso è terminato, senza la barba". Per l'iconografia del personaggio si vedano anche i n. 8, 27, 72-74, 102-104, 269-274, 280, 281, 334.

8. AUTORITRATTO. Ginevra, coll. G. Salmanowitz

ol/tl applicata su cr   46 × 37
1733

Già nella collezione dell'artista, è passato per la vendita C.B. Tilanus ad Amsterdam ed è stata acquistata da Laurent Rehfous a Ginevra nel 1933. È il primo autoritratto conosciuto, ed è stato variamente datato verso il 1722 da Gielly (1935), verso il 1727 da Trivas (1897) (si veda *Les portraits de J.E. Liotard par lui même*, "RAAM" 1936, II, pag. 154), e al 1727 da Fosca (1956). In realtà deve essere stato dipinto a Parigi poco prima del 1733, data in cui Liotard eseguì un autoritratto all'acquaforte (Til., inc.l) che presenta numerose analogie con la tela in esame e che reca la scritta "dal vero". Per l'iconografia del personaggio si veda al n. 7.

9. PIERRE-PHILIPPE CANNAC. Saint-Légier sur Vevey, coll. Grand d'Hauteville

ol/tl 50 × 41 1733
Triv. 95

Nel verso è la scritta (riportata sulla tela nuova, dopo la rintelatura): "Stefanus Liotard pinxit anno 1733". Lavoro giovanile, eseguito durante una visita fatta dall'artista alla famiglia Lavergne a Lione, dove abitava il barone Cannac (1705-1785), borghese di Ginevra e Vevey, direttore delle diligenze della città francese. L'effigiato acquisì nel 1760 la signoria di Saint-Légier, La Chiesat, Hauteville, dove fece costruire un castello; nel 1768 fu nominato barone del Sacro Romano Impero. H. Perrochon (*La vie au château d'Hauteville*, "RSAV", 28, 1966, pag. 36) data arbitrariamente l'opera ed il suo *pendant* (n. 10) al 1727. Per l'iconografia del personaggio si veda anche il n. 158.

10. ADRIENNE CANNAC. Saint-Légier sur Vevey, coll. Grand d'Hauteville

ol/tl 50 × 41 1733
Triv. 97

Pendant del n. 9; identica provenienza. Adrienne Cannac (1704-1777) era figlia di Jean-Jacques Huber e sorella dell'abate Huber, amico di Maurice Quentin de La Tour.

11. LA SIGNORINA LAVERGNE. Ginevra, coll. G. Salmanowitz

ol/tl 50 × 41 1733 c.

Già nella collezione dell'artista, poi presso C.B. Tilanus ad Amsterdam; acquistato da Laurent Rehfous nel 1937. Opera giovanile eseguita probabilmente a Lione verso il 1733. L'effigiata era cugina di Liotard.

12. VOLTAIRE

p 1725-35   Triv. 237

Perduto. Citato nella biografia del pittore: "Soggiorno a Parigi dal 1723 al 1735 [...]. Vi eseguì il ritratto di [...] e quello di Voltaire" ("G", XI, 1933, pag. 193). Si tratta probabilmente del ritratto inciso (foto 12¹) da P. Dupin (Tilanus, inc. 67), con la scritta: "Jean Etienne Liotard pinx. P. Dupin sculp. François Marie Arrouet de Voltaire, né à Paris. Paris chez Odieuvre".

13. FONTENELLE

p (?) 1734   Triv. 124

Nella biografia del pittore, Liotard figlio indica: "Soggiorno a Parigi dal 1723 al 1735... Fece il ritratto di Fontenelle molto somigliante" ("G", XI, 1933, pag. 193). Fosca (1928) menziona un secondo ritratto di Fontenelle eseguito a Parigi tra il 1748 e il '52. Nel catalogo della collezione di dipinti di Liotard (Parigi 1771) figura come n. 100: "Sei Fontenelles [*sic*] ... incisioni, dipinte da Liotard, dai suoi originali nel 1734. Mancano notizie successive.

14. IL SIGNOR LENORMAND

p (?)   prima del 1735

Perduto. Nella biografia di Liotard scritta dal figlio ("G", XI, 1933, pag. 193) si trova la seguente citazione: "Il signor Le Normand, marito della futura Mme Pompadour, del quale aveva fatto il ritratto". Secondo questo testo, il ritratto è databile prima del 1735. Quello di Mme Pompadour fu eseguito molto più tardi (n. 129).

15. DAVID E ABIMELEC

ol/tl 92 × 104 1735
Til. 110 Triv. 294

Già ad Amsterdam, coll. NN. Eseguito a Parigi nel 1735, tenendo conto dei consigli e del parere di Voltaire, il dipinto fu presentato al concorso dell'Académie ma venne respinto: "Eseguì un dipinto di storia per concorrere al premio dell'Accademia, ma venne ritenuto in difetto il fatto che non vi fossero troppe figure, e quando si parlò della loro bellezza si disse che si trattava di un pittore di ritratti e che non c'era da stupirsi che facesse delle belle teste" (*Biographie de Jean-Etienne Liotard écrite par son fils*, "G", XI, 1933, pag. 194). Di fronte a quest'opera Lemoyne dirà all'artista: "Non dipingete se non dal vero, perché non conosco nessuno che sappia imitare la realtà meglio di voi". Liotard conservò presso di sé la tela sino alla morte; l'opera figura infatti nell'inventario postumo del 1789, al n. 177: "l'unico soggetto di storia di Liotard, 561 fiorini" (AEG, Jur. civ. F. n. 812). Passò quindi nella vendita Tilanus ad Amsterdam, il 23 ottobre 1934 (n. 1034), dove fu aggiudicato per 100 fiorini a Zwaal Jr. Il soggetto, che non sembra esser stato mai rappresentato in pittura, riguarda il gran sacerdote Abimelec che dà a

Davide la spada di Golia (Samuele, I, 21-9); il costume del sacerdote si collega al testo dell'Esodo, 28.

16. LA CANTANTE
p 60,5 × 48 f d 1736
Già nella collezione A. Martinet a Ginevra, passò per la vendita Stuker a Berna il 18 novembre 1966 (cat. n. 3825) col titolo: "la cantante Madame Favart-Duronceray" e con la data 1739. Entrambe le indicazioni risultano errate: l'effigiata non è infatti Marie Justine Benoîte Favart, che essendo nata nel 1727 aveva solo nove anni quando fu eseguito il pastello; anche la data "1739" è stata letta male, trattandosi in realtà del 1736 (si veda il Catalogo dell'esposizione "Liotard-Füssli", Ginevra, Musée d'Art et d'Histoire, 1948, n. 2). In effetti, nel 1739 Liotard si trovava in Oriente dove è poco probabile che abbia eseguito il ritratto di una cantante lirica francese.

17. IL CARDINALE BIANCHERI
p 1736 Triv. 80
Citato nella biografia del pittore scritta dal figlio maggiore ("G", XI, 1933, pag. 194): "il vescovo Biancheri del quale aveva fatto il ritratto". Il dipinto deve essere stato eseguito a Roma verso il 1736. Si tratta forse del pastello (cm. 39,3 × 29,7) messo in vendita a due riprese presso la Sotheby-Parke Bernet a New York, il 12-22 gennaio 1969, lotto 6, e il 30 aprile 1970, lotto 36: "Testa e spalla con abito blu, con cappello nero in testa".

18. IL PAPA CLEMENTE XII CORSINI
p/pr 1736 c. Triv. 99
Menzionato nella biografia di Liotard scritta dal figlio ("G", XI, pag. 194): "[Liotard] se ne andò lassù dal vescovo Biancheri al quale aveva fatto il ritratto e lo pregò di adoperarsi per ottenere che il papa posasse una volta per lui. Tornato fra otto giorni, rispose il vescovo, e vedrò quello che posso fare... portata una pergamena velinata pronta, fece il ritratto a pastello di Sua Santità. Era Clemente XII, della famiglia Corsini, di età molto avanzata e cieco. Il vegliardo gli disse: S'io fossi pittore, non vorrei pinger Papa — Ma perché, Vostra Santità? Perché, quando son morti, andranno ai Cacatori!"; e il figlio precisa pure, nello stesso testo: "fece prima di tutto un semplice disegno a due colori". Il pastello deve essere stato eseguito a Roma verso il 1736. Citato nell'inventario steso alla morte del pittore, nel 1789, al n. 199 (AEG, Jur. civ. F. n. 812); passò nella collezione di Marie-Thérèse Liotard, figlia dell'artista; da allora se ne sono perse le tracce.

19. GIACOMO EDOARDO STUART, PRETENDENTE AL TRONO D'INGHILTERRA
p 1736 Triv. 213
Citato nella biografia del pittore scritta dal figlio maggiore: "Tornò a Roma e vi giunse otto giorni prima della Pasqua del 1736. Vi eseguì il ritratto [...]"

del Pretendente d'Inghilterra (che si qualifica Re) e di tutta la sua famiglia". ("G", XI, 1933, pag. 194). Menzionato nel "Museo Fiorentino" (III, pag. 274); considerato scomparso da Tilanus (1897), Baud-Bovy (1903) e Fosca (1956).

20. MARIA CLEMENTINA STUART
p 1736 Triv. 214
L'effigiata era la moglie del personaggio di cui al n. 19. Ritratto postumo, di cui si ha notizia soltanto dalla biografia del pittore scritta dal figlio maggiore: "Un giorno, il Pretendente gli disse: Liotard, ho due ritratti di mia moglie che non sono troppo buoni; potreste farmene uno migliore? Liotard promise di fare tutto quello che avrebbe potuto; si informò per quanto poté presso i domestici e presso quanti avevano conosciuto la donna su come era fatta, mise insieme i loro pareri e fece il ritratto. Quando lo mostrò al pretendente, questi rimase stupito ed era assolutamente convinto che Liotard avesse conosciuto sua moglie poiché il ritratto era estremamente somigliante e non poteva credere che fosse la copia degli altri due, che d'altronde non si somigliavano neppure fra loro ("G", XI, 1933, pag. 194). Nel medesimo testo risulta che "vi fece [a Roma] il ritratto [...] di tutta la famiglia"; Liotard dovette eseguire anche i ritratti di Carlo Edoardo Stuart e di Enrico Benedetto Stuart. Il pittore dipinse anche una miniatura su avorio col principe Enrico Benedetto Stuart, futuro cardinale di York, recante al verso la scritta: "Prin. Henrico Benedetto Stuart a Roma, da ortola Urbani. Sotto Pompeo Battoni an° 1738" (Schidlof, *La miniature en Europe aux XVIe, XVIIe et XVIIIe siècle*, Graz 1964).

21. ERMAFRODITA
p 1736 c. Triv. 300
Già nella collezione di Lord Bessborough; venduto alla Christie's di Londra il 6 febbraio 1801 (cat. n. 1). Si tratta probabilmente di una copia da un marmo antico eseguita a Roma verso il 1736. Citato da Fosca (1956, pag. 13) tra le opere eseguite a Roma, senza però precisare la collezione cui il pastello apparteneva. Secondo Tilanus (1897, pag. 209) si tratterebbe di un disegno a matita venduto al colonnello Iconides.

22. APOLLO E DAFNE. Amsterdam, Rijksmuseum (inv. 2947)
p/cr 64 × 50 1736
Til. 88 Triv. 299
Offerto al museo da J.W.R. Tilanus nel 1897 (*All the paintings of the Rijksmuseum in Amsterdam*, Amsterdam 1976, n. A1195). Reca sul retro la scritta: "Apollon et Daphné d'après le groupe antique du Palais Borghese à Rome". In realtà si tratta di una copia dal gruppo del Bernini conservato nella Galleria Borghese; fu eseguito con tutta probabilità durante il soggiorno di Liotard a Roma, nel 1736. Sul lato destro della composizione l'artista ha aggiunto la figura di un

 **10**

 **11**
 FRANÇOIS MARIE ARROUET de Voltaire, né à Paris **12**
 **15**
 **16**
22
 **23** **24**

vecchio come personificazione di un fiume, mentre la presenza in primo piano di motivi vegetali e di una brocca da cui esce dell'acqua attesta il suo interesse per il dato naturalistico. L'opera fece parte della collezione dell'artista, ed è citata come n. 62 nel catalogo della collezione di dipinti di Liotard (Parigi 1771): "Apollo rincorre Dafne, in parte tramutata in alloro, dipinto a pastello a Roma dal gruppo in marmo del cavalier Bernini, nel 1736. Di Liotard. Altezza 24½, larghezza 19"; appare anche nel catalogo della vendita del 1774 a Londra, come n. 87, ed è forse identificabile col n. 189 dell'inventario steso alla morte di Liotard nel 1789: "Zefiro e Flora" (AEG, Jur. civ. F.n. 812).

Secondo Trivas (ms. MAH) una replica figurava nella vendita Liotard a Londra nel 1773, al n. 27 di catalogo e fu aggiudicata per £ 73.10.

23. VENERE ADDORMENTATA. Amsterdam, Rijksmuseum (inv. 2945)
p/pr 30 × 40 f 1736-37
Til. 86 Triv. 297
Sul verso reca la nota, di mano di Liotard: "d'après Le Titien par Liotard". In realtà l'originale copiato a pastello da Liotard non è un'opera di Tiziano, ma molto probabilmente di Lambert Sustris (attivo attorno al 1540, morto in Italia nel 1559), artista menzionato dal Ridolfi tra gli allievi di Tiziano (comunicazione di Mauro Natale). L'originale ripreso da Liotard è sicuramente la *Venere addormentata* che faceva

parte della sua collezione di dipinti e di cui egli stesso dirà nel *Traité* ("de la grâce", pag. 27): "La Venere addormentata del Tiziano che ho inciso alla tavola VII, e della quale non ho potuto rendere la bellezza e l'effetto, ha molta grazia nel sonno, nell'atteggiamento, nella forma e nella bella proporzione delle membra: questa figura sembra interamente fatta di mano delle Grazie; è il più bell'ornamento della mia raccolta a Ginevra". Il pastello fu eseguito durante il soggiorno romano di Liotard, verso il 1736-37, e appartenne alla collezione dell'artista. Citato come n. 30 nel catalogo della collezione di dipinti di Liotard (Parigi 1771): "Una Venere addormentata. Copia da Tiziano. Altezza 34, larghezza 43½", come pure in quello della vendita del 1774 a Londra, n. 86. È citato nella lettera che questi scrisse il 4 giugno 1782 al figlio maggiore ad Amsterdam: "a Confignon abbiamo il più prezioso dei nostri quadri [...] la Venere addormentata, copia a pastello" (BPU, Ms. fr. 354), e menzionato nell'inventario postumo, al n. 194: "Una Venere del Tiziano a pastello" (AEG, Jur. civ. F. n. 812); passò successivamente, per eredità, a Marie-Anne Françoise Liotard a Ginevra, a J. E. Liotard-Crommelin ad Amsterdam, a Mlle M. A. Liotard, e infine a J. R. W. Tilanus che nel 1885 lo lasciò per legato alla sede attuale (*All the paintings of the Rijksmuseum in Amsterdam*, Amsterdam 1976, n. A 1194). Inciso alla maniera nera da Liotard, con tutta probabilità

verso il 1781, all'incirca nello stesso momento della *Venere callipigia* (n. 311) con didascalia: "n. VII. Venere addormentata, di Tiziano, bel contrasto, bell'effetto e mirabile disegno, incisa da J.E. Liotard" (Til., inc. 15). Dell'incisione, lo stesso artista dirà nel *Traité* (pag. 6): "Cito quest'incisione per il bel contrasto e per la grazia".

24. VENERE ADDORMENTATA. Ginevra, coll. G. Salmanowitz
p/cr incollata su tv 30,5 × 41 1736-37 Til. 86 Triv. 297 a
Sul verso reca l'annotazione, di mano di Liotard: "d'après les Titien". È una replica dell'esemplare del museo di Amsterdam (n. 23), e come quello proviene dalla collezione del pittore. Probabilmente identificabile col n. 200 dell'inventario postumo (1789): "copia della Venere addormentata" (AEG, Jur. civ. F. n. 812) pervenuta per successivi passaggi ereditari a J.D. Liotard, J.E. Liotard-Crommelin, a Mlle M.A. Liotard e a J.W.R. Tilanus ad Amsterdam, passò per la vendita di quest'ultimo nel 1934; acquistato da Laurent Rehfous a Ginevra nel 1939.

Liotard deve aver eseguito un'ulteriore replica dello stesso soggetto, a pastello: alla vendita Liotard di Londra, nel 1773, figurava infatti una copia a pastello da Tiziano, venduta per 42 lire ("livres").

25. LE TRE GRAZIE. Amsterdam, Rijksmuseum (inv. 2946)

25 26 27 28 29

30 31 31¹ 32

33 [Tav. II] 33¹ 34 34¹

p/pv 48 x 43 1737
Til. 87 Triv. 298

Già nella collezione dell'artista; è citato come n. 63 nel catalogo della collezione di dipinti di Liotard (Parigi 1771): "Le grazie, copia dall'antico, dipinta a Roma nel 1737 a pastello. Dello stesso [Liotard]. Altezza 21 ½, larghezza 16 ½"; figurò alla vendita organizzata da Liotard a Londra nel 1773 col n. 29, senza trovare acquirenti, come pure in quella del 1774 a Londra, n. 53. Citato nell'inventario steso alla morte del pittore nel 1789, al n. 134 (AEG, Jur. civ. F. n. 812) e in una lettera del figlio maggiore dell'artista datata 4 giugno 1782, recante la lista dei suoi desiderata (BPU, Ms. fr. 355); pervenne in eredità a J. E. Liotard-Crommelin e poi a Mlle. M. A. Liotard di Amsterdam, che nel 1873 lo lasciò per legato al museo cittadino (All the paintings of the Rijksmuseum in Amsterdam, Amsterdam 1976, n. A 242). Eseguito a Roma nel 1737, il pastello si ispira a un gruppo antico conservato nella Galleria Borghese a Roma.

26. MONELLO ROMANO. Amsterdam, Rijksmuseum (inv. 2948)

p/cr 44 x 33,5 1736-38
Til. 89 Triv. 289

Già nella collezione dell'artista; è menzionato nell'inventario postumo del 1789, al n. 148: "Un piccolo monello romano, 12.9 fiorini" (AEG, Jur. civ. F. n. 812). Appartenne, per successivi passaggi ereditari, a M. T. Bassompierre, J. E. Liotard-Crommelin e a Mlle M. A. Liotard di Amsterdam, che lo legò alla sede attuale nel 1873 (All the paintings of the Rijksmuseum in Amsterdam, Amsterdam 1976, n. A 243). Non datato da Tilanus (1897) né da Trivas (ms. MAH), fu eseguito probabilmente a Roma attorno al 1736-38, prima della partenza di Liotard per l'Oriente.

27. AUTORITRATTO. Ginevra, Musée d'Art et d'Histoire (inv. 1934-12)

p/cr incollato su tv 27,5 x 25
f d 1737 Triv. 2

Eseguito a Firenze nel 1737, come attesta la scritta in basso, riportata su un'etichetta incollata nel verso: "Gio-Stefanus Liotard Ginevra fatto da se/medesimo l'anno 1737 in Firenze". Fu acquistato da Gabburri che nello stesso 1737 lo esponeva nella città toscana (F. Borroni Salvadori, Le esposizioni d'arte a Firenze dal 1674 al 1767, "MKI", XVIII, 1974, pag. 97 e Catalogo dell'esposizione "Pittura francese nelle collezioni pubbliche fiorentine", Firenze, Palazzo Pitti, 1977, pag. 49, n. 16). Già nella collezione F.W. Cock a Well House, Appledone (Kent), per acquisto da un rigattiere nel 1907; è forse identificabile con l'autoritratto apparso a una vendita Christie's a Londra nel 1848 e aggiudicato a Graves per 7 scellini; entrato nella sede attuale nel 1934. Per l'iconografia del personaggio si vedano anche i n. 7, 8, 72-74, 102-104, 269-274, 280, 281, 334.

28. IL MARCHESE FRANCESCO COLLICOLA-MONTIONI. Roma, coll. conte A. Cardelli

p montato su tl 65 x 48
1737

Dal 1925, a seguito di un'eredità fa parte, con il pendant n. 29, della collezione dell'attuale proprietario. I due ritratti in esame figuravano nell'inventario della famiglia dell'effigiato, i cui archivi sono purtroppo andati dispersi durante la guerra; risulta che entrambi i dipinti furono sempre conservati nel terzo salone del palazzo Collicola-Montioni a Spoleto. Vennero eseguiti a Roma prima della partenza di Liotard per l'Oriente. L'effigiato, nato a Roma verso il 1692 e morto a Spoleto nel 1751, occupava tra le altre cariche quella di capo delle Poste pontificie e di conservatore della città ed era proprietario del palazzo detto di Scavolina, dietro la fontana di Trevi. Il marchese e la moglie, che per relazioni e posizione sociale erano tra i protagonisti della società brillante e mondana, dividevano il loro tempo tra la capitale e la splendida residenza di Spoleto.

29. DIANA DE CAVALIERI-ORSINI-SANNESI. Roma, coll. conte A. Cardelli

p montato su tl 65 x 48
f d 1737

Reca sul verso la scritta: "DIANA CAVALIERI COLLICOLA/di anni 26 1737 LIOTARD fecit". Pendant del n. 28, cui si rimanda per ogni ragguaglio.

30. PRESUNTO RITRATTO DI JEAN-MICHEL LIOTARD. Ginevra, Musée d'Art et d'Histoire (inv. 1865-1)

p ritoccato a guazzo/pr
56 x 39 prima del 1738
Til. 98 Triv. 24

Già nella collezione di David Claparède, che nel 1865 lo legò al museo. Erroneamente considerato da tutti i biografi come un ritratto del più noto Jean-Etienne Liotard, fa eccezione Trivas che per la prima volta nel 1936 lo citava come "il ritratto di Michel Liotard" ("RAAM" 1936, pag. 153). In effetti, il confronto con altri ritratti dell'artista (n. 7, 8, 27, 72-74) dimostra chiaramente che l'effigiato non è lo stesso, mentre è probabile che i lineamenti siano quelli del gemello, Jean-Michel (si veda ai n. 1 e 2). I critici lo datano variamente: prima del 1738, Baud-Bovy (1903) e Gielly (1935); al 1746, Trivas; al 1756, Tilanus (1897) e Fosca (1928). La datazione a prima del 1738 sembra più esatto con riferimento all'abbigliamento, sommariamente indicato e reso con alcuni colpi di pennello; d'altra parte, l'età del modello, se si tratta veramente di Jean-Michel — che non dimostra più di quarant'anni — conferma l'ipotesi.

31. MARGARET FREMEAUX, NATA COOKE. Brockhall Flore (Northampton), coll. colonnello T. A. Thornton

p 1738

Margaret Cooke era la figlia del console inglese a Smirne, sposata nel 1720 a un mercante della città turca, James Fremeaux rientrò in Inghilterra e si stabilì a Kingsthorpe, una proprietà della famiglia Cooke. Il pastello fu eseguito a Smirne verso il 1738.

Per l'identità dell'effigiata e per la cronologia si veda il disegno (sanguigna e matita nera su carta bianca vergata, 20,5 x 14, foto 31¹) conservato al Louvre (inv. RF 1383), recante in alto a destra l'annotazione: "Madame Freme / may 1738 Smir" (il disegno è stato tagliato e l'ultima parola risulta incompleta), nonché l'incisione di Delacour con la scritta: "Mme Fremeaux Smirnienne".

32. IL SIGNOR LEVETT E LA SIGNORINA GLARANY

ol/cartone 27 x 37 1738
Triv. 161

Già nella collezione R. Jourdan-Barri a Marsiglia. Eseguito a Costantinopoli attorno al 1738. È forse identificabile con il dipinto che figurava nella collezione del marchese di Villeneuve e poi in quella di Guys a Marsiglia (1783), dove era citato come un pastello da Trivas (ms. MAH): "Il defunto signor Levette, negoziante inglese con la signorina Hélène Glarany. Il primo vestito da turco, la seconda come venuta dalla Crimea nel costume dei tartari. Questo dipinto, preziosamente rifinito e sotto vetro, è stato fatto a Costantinopoli da Liotard di Ginevra per il defunto marchese de Villeneuve".

Per l'identità del personaggio maschile si rimanda al disegno del Louvre (RF 1377; cm. 15 x 21) che raffigura appunto il Levett, un negoziante inglese di Costantinopoli, seduto su un'ottomana. La stessa composizione, ma con i volti dei personaggi diversi, si ritrova in un disegno: "un uomo che fuma e una donna che fa della musica, in costumi orientali, seduti su un'ottomana" (controprova), conservato al Louvre.

33. RICHARD POCOCKE. Ginevra, Musée d'Art et d'Histoire (inv. 1948-22; deposito della fondazione Gottfried Keller, Berna)

ol/tl 202,5 x 134 1738-39

Dalla collezione di Pococke passò a quella del cugino, Jeremias Milles (morto nel 1784), decano di Exter (J. Nichols, Literary Anecdotes of the Eighteenth Century, 1812). Pervenne per eredità alla famiglia Alston, quindi a un negoziante di Dublino. Esposto a Burlington House nel 1876 (cat. n. 51). Apparso alla vendita Christie's, a Londra, il 28 marzo 1947 (lotto 78); venne acquistato dalla fondazione Keller, che lo depositò al museo di Ginevra nel 1948. Il dott. Richard Pococke (1704-1765), viaggiatore, scrittore, uno dei pionieri dell'archeologia del Levante, nacque a Southampton; dal 1733 al '36 visitò il continente; dal 1737 al '40 si recò in Egitto, in Palestina, in Siria, in Asia Minore e in Grecia, sbarcando infine in Italia. Nel giugno 1741 arrivò a Ginevra e partì poi per Chamonix per vedere "les Glacières", i ghiacciai. Rientrato in Inghilterra nel 1742, divenne nel 1756 vescovo d'Ossory e nel 1765 di Meath. La sua fama è legata soprattutto alla sontuosa pubblicazione A Description of the East (1743-45), che tratta dell'Egitto e del Vicino Oriente ma non di Costantinopoli. Liotard lo conobbe a Costantinopoli fra il 1738 e il '39 e ne schizzò l'immagine in un disegno conservato al museo del Louvre (lapis nero e sanguigna, 21,2 x 13,2, foto 33¹) con l'indicazione: "Personaggio alla corte del Gran Signore" (Til. 31); l'identità dell'effigiato venne riconosciuta fin dal 1949 da Louis Hautecoeur

("Journal des Musées", I, Genève 1949). Il disegno in realtà compare con il nome di Pococke già nel catalogo della collezione di dipinti di Liotard (Parigi 1771, n. 10): "il vescovo Pococ [sic] Inglese, con l'abito armeno che portava quando viaggiava in Oriente". Il disegno fu utilizzato dall'artista per il dipinto, con tutta probabilità eseguito a Costantinopoli nello stesso momento, verso il 1738, nel quale appaiono alcune varianti: sulla destra è stato aggiunto il paesaggio col Corno d'Oro, che precisa come Pococke si trovasse a Pera; in basso si distingue il minareto della moschea Tophane e la sua fontana, e sul lato opposto del Corno d'Oro le fortificazioni e il chiosco del vecchio serraglio: all'orizzonte, le isole dei Principi. Pococke indossa l'abito di funzionario di corte; si appoggia a un altare di un tipo noto a Roma nel I secolo; il lato visibile appare decorato con una patera, un coltello per sacrifici e un calice (il lato principale, schizzato sul disegno preliminare, presentava alcune figure). È uno dei rari ritratti in piedi eseguito in grandezza naturale.

34. DONNA IN COSTUME MALTESE. Montagnola (Lugano), coll. A. Ch. Nussbaumer

p 82,5 × 53,5 1738 Triv. 254

Già nella collezione East Woodhay; passò per la vendita Foster a Londra, il 27 aprile 1870 (cat. n. 501); acquistata dall'Earl of Southesk, Kinnaird Castle, Brechin, e venduto dalla galleria Matthiesen a Londra nel 1949. Il ritratto, nel quale Liotard ha abbigliato la modella con un costume delle donne di Malta, è verosimilmente ispirato a un disegno di cui la Bibliothèque Nationale di Parigi conserva una controprova (lapis nero e sanguigna, cm. 22,1 × 14,6; foto 34¹), recante nella parte superiore del foglio l'annotazione (la prima riga è illeggibile): "Maltaise Avril 1738". Il pastello deve essere stato eseguito nello stesso periodo. Il costume maltese lo si ritrova nei dipinti maltesi di Antoine de Favray, che visse a Malta a partire dal 1744 fino alla morte, verso il 1792.

35. CORNELIS CALKOEN. L'Aia, coll. barone A. Calkoen

p 63 × 51 1738-42 Triv. 94

Già nella collezione A. Calkoen van Cortenhoef; apparve alla mostra "Herdenkingstentoonstelling 350 jaar Nederland-Turkje, 1612-1962", tenutasi nel Rijksmuseum di Amsterdam nel 1962. Eseguito a Costantinopoli tra il 1738 e il '42, quando Cornelis Calkoen (1695-1764) era ambasciatore dei Paesi Bassi in quella città.

36. LADY TYRELL. Ginevra, coll. privata

p/pr 63,5 × 46,5 1738-42

Liotard conobbe (Lady Tyrell, moglie del console di Gran Bretagna a Costantinopoli, durante il suo soggiorno nella città turca, tra il 1738 e il '42. Lady Tyrell (1705-?), nata Jeanne-Elisabeth de Sellon, era d'origine ginevrina. Liotard le fece un primo ritratto a

Costantinopoli, probabilmente su commissione dell'effigiata. L'esemplare in esame è sempre rimasto presso i discendenti di lei; figura nel catalogo a stampa della collezione del conte Jean-Jacques de Sellon: "Lady Tyrell, nata de Sellon, dipinto a pastello da Liotard, famoso pittore ginevrino" (Notice sur les objets d'art de toute nature qui se voient dans la campagne du comte de Sellon... appelée La Fenêtre, près Genève..., Genève 1837).

37. LADY TYRELL. Amsterdam, Rijksmuseum (inv. 2944)

p/pr 61 × 47 1738-42
Til. 82 Triv. 233

Sul verso è la notazione, di mano del figlio maggiore dell'artista: "Mad. Tyrell Epouse du Consul Anglais née a Costantinople peinte par Liotard". È la replica, meno rifinita, del pastello della collezione ginevrina (n. 36), probabilmente eseguita dall'artista nello stesso momento di quello, per la propria raccolta personale. Citata nell'inventario postumo, del 1789, al n. 192: "Made Tirol valutato 8 luigi" (AEG, Jur. civ. F. n. 812), è successivamente appartenuta al figlio minore del pittore, J.E. Liotard-Crommelin e poi a M.lle M.A. Liotard di Amsterdam che nel 1873 lo legò al museo (All the paintings of the Rijksmuseum in Amsterdam..., Amsterdam 1976, n. A 236). Assieme al ritratto precedente, n. 36, fu esposto alla mostra "Liotard-Füssli" nel Musée d'Art et d'Histoire di Ginevra, nel 1948 (cat. n. 8 e 72); in quell'occasione l'esemplare ginevrino venne indicato come un ritratto di Lady Montague. L'inesattezza di tale indicazione è stata dimostrata ampiamente da C.E. Engel ("Journal de Genève", 14-15 agosto 1948).

38. GRAN VISIR IN ABITO DA CERIMONIA. Londra, National Gallery (inv. 4460)

p 63 × 49 1738-42 Triv. 245

Già nella collezione J.P. Heseltine a Londra, nel 1929, fu donato in quell'anno al museo in cui si trova. Nel catalogo della mostra "La Turquerie et la Chinoiserie au XVIIIe siècle" (1912) veniva presentato come il ritratto di Lord Montagu, per qualche tempo ambasciatore di Gran Bretagna a Costantinopoli. L'identificazione fu contestata da Manners (1933); in effetti, come ha notato Fosca (1956), Lord Montagu soggiornò a Costantinopoli dal 1716 al '18, e cioè vent'anni prima dell'arrivo di Liotard. Il costume è senza alcun dubbio quello di gran visir. Verosimilmente, Liotard dovette ricevere la commissione di tale ritratto, o probabilmente, tramite Bonneval, di ritorno a Costantinopoli nel maggio 1739 e la cui casa era frequentata dal bel mondo. L'identificazione del personaggio offre due possibilità: il gran visir Ivazzadè Ahmet Pascià (marzo 1739 - aprile '40) oppure il gran visir Haci Ahmet Pascià (aprile 1740 - aprile '42). La mancanza di un termine di confronto non consente una identificazione sicura.

Da confrontare con la controprova (lapis nero e sanguigna, cm. 22,8 × 12,4; foto 38¹) conservata nella Bibliothèque Nationale di Parigi.

39. GIOVANE IN COSTUME MOLDAVO (erroneamente considerato RITRATTO DEL PRINCIPE ALESSANDRO MAUROCORDATO). Ginevra, coll. Roger de Candolle

ol/tl 61 × 54 1742-43

L'antica identificazione con il principe Maurocordato risulta errata dal momento che tale personaggio, nato nel 1742, fu principe di Moldavia dal maggio 1782 alla fine dell'85, e morì nel 1812 (E.-R. Rangabes, Livre d'or de la noblesse phanariote et des familles princières de Valachie et de Moldavie, Athènes 1904, pag. 126-127). Ma Liotard soggiornò a Iaşi a partire dall'ottobre 1742, dove fu invitato alla corte del principe regnante Costantino Maurocordato. Visse circa dieci mesi in Moldavia, dal momento che nel settembre 1743 lo si ritrova operante a Vienna per l'imperatrice Maria Teresa. Durante tale soggiorno dipinse vari ritratti ed eseguì numerosi disegni, tutti scomparsi. Solo un'incisione di G.F. Schmidt (Til., inc. 32) attesta l'esecuzione di un ritratto del principe Costantino (A. Tzigara-Samurcas, Relations artistiques entre la Suisse et la Roumanie: Liotard et autres artistes suisses en Roumanie, "XIVe Congrès International d'histoire de l'art", 1936, Actes du congrès, II, pag. 193). Il ritratto in esame, deve raffigurare in realtà un europeo in costume moldavo

prossimo alla famiglia regnante. Tale asserzione è confermata da Oprescu (Tarile romane vàzute de artisti francezi. Jacoby Shmidt's Werke, 1815, pag. 11, fig. II), il quale opportunamente rileva che non può trattarsi di un principe della famiglia Maurocordato, i cui membri portavano, come tutti i notabili del paese, la barba (si veda la citata incisione di Schmidt). Tale dipinto deve essere stato eseguito nel 1742-43, datazione confermata dal fatto che esso risulta già nel Settecento in proprietà della famiglia Callimachi, imparentata con quella dei Maurocordato; nella collezione di Teodoro Callimachi fino al 1892, di Giovanni Callimachi fino al 1940, e della moglie di questo fino al 1959, data in cui venne acquistata dall'attuale proprietario. Da accostare per la composizione alla Donna con tamburello vestita alla turca (n. 40-42).

40. DONNA CON TAMBURELLO VESTITA ALLA TURCA. Zurigo, coll. privata

p/pr 60 × 46 1738-43
Triv. 257

Già nella collezione di Mrs. Heywood Johnstone a Bignor Park, Pulborough, è stato acquistato alla vendita Christie's di Londra (20 febbraio 1925, lotto 45). Come per le opere registrate ai n. 44 e 126 Liotard ripeterà il tema in tre riprese (n. 40-42). La prima versione dev'essere quella in esame, probabilmente eseguita tra il 1738 e il '43, durante il soggiorno dell'arti-

sta in Oriente, o immediatamente dopo, a Vienna.

41. DONNA CON TAMBURELLO VESTITA ALLA TURCA. Ginevra, Musée d'Art et d'Histoire (inv. 1939-8)

ol/tl 63,5 × 48,5 1738-43

Replica del pastello n. 40. Già nella collezione J.P. Heseltine a Londra, è pervenuta alla sede attuale per dono della Società degli Amici del Museo nel 1939.

42. DONNA CON TAMBURELLO VESTITA ALLA TURCA. Londra, coll. Sir William Rothenstein (in deposito all'Ashmolean Museum, Oxford)

ol/tl 63,5 × 43 1738-43

Replica con varianti, specie nel viso della modella, della versione di Ginevra (n. 41). Provenienza sconosciuta.

43. SIGNORA SCONOSCIUTA, VESTITA ALLA TURCA. L'Aia, Dienst voor's Rijks Verspreide Kunstvoorwerpen (inv. C 1830)

p/pr 54 × 41,5 1738-43

In una comunicazione fatta al museo di Ginevra (archivi MAH), A. Staring ha segnalato il ritratto come proveniente dalla collezione C. Calkoen a Costantinopoli. Databile tra il 1738 e il '43, raffigura probabilmente un membro della famiglia Calkoen (informazioni fornite dallo Stichting Iconographisch Bureau dell'Aia).

44. GIOVANE DONNA CHE LEGGE, IN COSTUME ORIEN-

35

36

37 [Tav. III]

38

38¹

39

40

41 [Tav. V]

42

91

43

44

45 [Tav. IV]

47

47[1]

47[2]

46

48 [Tav. VII]

49 [Tav. VI]

TALE. Algeri, Musée des Beaux-Arts (inv. 1422)

ol/tl 48×60 1738-43 Triv. 134 a

Acquistato dal museo nel 1932 presso la galleria d'arte Cailleux a Parigi. Liotard raffigurò il tema della giovane in costume orientale, nell'atto di leggere un libro, in quattro versioni che pongono svariati problemi su quella che fu la fonte d'ispirazione dell'immagine. Le tele derivano da un prototipo disegnato in due riprese dallo stesso Liotard: un esemplare si trovava in passato nella collezione Parker a Oxford, l'altro al museo di Carcassonne. I due disegni sono molto vicini tra loro, tranne che per la posizione del braccio sinistro del modello, appoggiato su un cuscino: nella versione di Carcassonne il braccio è lievemente piegato, ma un 'pentimento' mostra chiaramente come in origine la posizione fosse la stessa in tutti e due i fogli. È opportuno rilevare come composizioni di questo genere si ritrovino spesso in altri artisti del Settecento, e in particolare in Boucher, Leprince e Duflos (per citazioni più specifiche in merito si veda il catalogo della mostra "Pittura francese nelle collezioni pubbliche fiorentine", Firenze, Palazzo Pitti, 1977, n. 138). Secondo K.T. Parker (A Lady in Oriental Dress, reading, Carcassonne, musée de La Ville, "OMD", V, 1930, pag. 65), all'origine della composizione sarebbe un disegno di Boucher che figurava nel 1773 alla vendita Lempereur (André-Michel, pag. 144, n. 2598); il di-

segno fu inciso da Duflos per un'opera di Guer (Moeurs et usages des Turcs), apparsa nel 1746. Parker ritiene che Liotard abbia conosciuto tale pubblicazione e che abbia ripreso la composizione di Boucher tra il 1747 e il '52. Lo studioso vede come conferma della sua tesi la correzione evidentissima della posizione della mano sinistra nel disegno di Carcassonne e aggiunge: Mentre originariamente era in posizione obliqua — seguendo il disegno di Boucher — l'artista poi la disegnò rimanendo lungo il margine dei cuscini e continuando la linea orizzontale del braccio disteso". L'argomentazione che egli sviluppa — per la verità, con qualche reticenza — tende a provare che la presenza di una grande finestra nei disegni di Liotard è ripresa dall'incisione di Duflos: fatto, in realtà, non determinante, dal momento che Liotard includeva questa stessa finestra fin dal 1738 nel disegno della sua Camera a Costantinopoli (qui riprodotto al n. D2). La stessa tesi viene sostenuta da E. Scheyer (La Sultane lisant: Original and copies in French Drawings of the Eighteenth Century", "AQ", XI, 1, 1948, pag. 37-41), basandosi sul fatto che Liotard, dopo il ritorno dall'Oriente nel 1743, non era andato a Parigi: "Basta questo per rendere improbabile il fatto che taluni suoi schizzi potessero essere noti a Boucher fornendogli l'idea per il soggetto inciso poi dal Duflos". Tale asserzione è però errata perché Liotard si era già stabilito a Parigi all'inizio del 1746.

In realtà i due disegni di Liotard devono essere stati eseguiti in Oriente, probabilmente a Costantinopoli, fra il 1738 e il '43 e sono quindi di molto anteriori a quelli di Boucher. Giova inoltre tener presente che Liotard dopo aver inciso i suoi disegni turchi a Vienna nel 1743, con l'aiuto di Joseph Cameratta, li mandò a Parigi dove gli valsero una sicura fama prima ancora del suo arrivo nella capitale francese. Non è impossibile che a questo materiale egli avesse aggiunto anche determinati altri disegni del periodo turco. Quanto a vedere in essi un ritratto di Mimica, la giovane levantina che Liotard voleva sposare, come sostiene Gielly (À propos de quelques portraits de Liotard, "G", XIII, 1935, pag. 349-350), la supposizione manca di qualsiasi supporto documentario. Per J. Watelet (L'Orient dans l'art français, 1650-1800, "Etudes d'Art", 14, Alger 1959), invece, il disegno è la replica esatta del dipinto di Algeri, da cui si differenzia solo per la fisionomia del volto. Lo studioso aggiunge: "Dal momento che quest'ultimo ritratto può essere datato al 1770, bisognerebbe concludere che Liotard si è accontentato di cambiare la fisionomia, ma ha mantenuto identici gli atteggiamenti e anche i costumi". La stessa datazione figura nel catalogo della mostra "L'art français et l'Europe au XVII et XVIII siècles", 1958 (n. 103), dove si specifica, senza peraltro citare alcun documento, che potrebbe trattarsi del ritratto di Mme Chenier, madre del poeta. Dall'esame delle quattro

versioni dipinte con la donna sdraiata su un sofà sembra in effetti che quella del museo di Algeri derivi direttamente dal disegno di Carcassonne eseguito in Turchia verso il 1738-43 e che il dipinto sia stato eseguito nello stesso momento. Più tardi risultano invece le altre tre versioni dello stesso tema (n. 123-125).

45. EARL OF SANDWICH. Londra, coll. Earl of Sandwich (in deposito al Foreign Office)

ol/tl 228×142 1739 C.

In questo ritratto, ignoto a Tilanus (1897) e Trivas (ms. MAH), Liotard ha raffigurato il suo vecchio compagno del viaggio in Oriente vestito alla turca. John Montagu (1718-1792), dal 1729 quarto Earl of Sandwich, partì per il continente nel 1737 e fin dal 1738 accompagnò in Oriente il cavaliere Ponsonby. Fu uomo politico e primo Lord dell'Ammiragliato. Con tutta probabilità il ritratto venne eseguito a Costantinopoli verso il 1739, nello stesso momento del ritratto di Pococke (n. 24) e non in Inghilterra, nel 1753, come suppone Fosca (1956).

Una miniatura su smalto raffigurante lo stesso personaggio, pure vestito alla turca, è conservata nella stessa collezione (Fosca, 1956).

46. JOHN MANNERS, MARCHESE DI GRANBY. Belvoir Castle (Grantham), coll. duca di Rutland

p/cr incollata su tl 58×44,7 f d 1740 Triv. 45

Reca una scritta a sinistra, all'altezza del mento: "Marquis de Granby / peint à Costantinople par / Liotard 1740". Il marchese di Granby (1721-1770), figlio maggiore di John, terzo duca di Rutland, entrò nell'esercito e divenne colonnello delle Royal Horse Guards. Secondo l'uso della giovane nobiltà inglese del tempo, intraprese il Grand Tour spingendosi sino al Bosforo.

Un disegno (matita nera, sanguigna e pastello su carta, cm. 18,5×14,5) firmato e datato 1740, raffigurante lo stesso personaggio, si trova nella medesima collezione.

47. IL CONTE DI BONNEVAL, DETTO ACHMET PASCIÀ. Belvoir Castle (Grantham), coll. duca di Rutland

p/cr incollata su tl 60,3×46,6 f d 1741 Triv. 88

All'altezza del turbante è la scritta: "Acmet Pacha / Conte de Bonneval / peint à Costantinople / par J.E. Liotard 1741". Proviene dalla vendita della collezione di Everard Falkner: "[La Galleria] Bacha [sic] Bonneval: di Liotard: acquistato alla vendita di Everard Falkner, cav. ambasciatore alla Porta" (H. Walpole, A description of the Villa of Mr. Horace Walpole... at Strawberry-Hill..., Strawberry-Hill, 1784, pag. 50, ristampa 1964). Apparve alla vendita della collezione di Horace Walpole, a Strawberry-Hill, il 25 aprile 1842 (cat. n. 74). Claude Alexandre, conte di Bonneval (1675-1747), militò nella marina passando poi nell'armata di terra dove si distinse per il suo

coraggio; nel 1706 lasciò l'esercito francese per entrare al servizio dell'Austria. Invitato a Bruxelles, insultò il marchese de Prié, sotto-governatore dei Paesi Bassi; venne quindi arrestato e privato dei titoli. Entrò al servizio della Spagna, poi di Venezia; nel 1729 andò in Bosnia e l'anno successivo si fece maomettano. Col nome di Achmet passò al servizio della porta ed ebbe ben presto il titolo di pascià di Caramanie. Il dipinto è citato nella biografia di Liotard ("G", XI, 1933, pag. 196): "Là (a Costantinopoli) eseguì anche il ritratto del conte di Bonneval, chiamato in Turchia Achmet Pascià".

Un disegno a matita nera e sanguigna con lo stesso personaggio si trovava nella collezione di Lord Bessborough a Londra. Una controprova è conservata al Louvre (inv. RF 1387; sanguigna e matita nera su carta bianca, cm. 19,6×14,4; foto 47[1]); in basso reca l'annotazione e la firma di mano di Liotard: "Mr. le Comte de Bonneval appelé en Turquie Acmet / Pacha peint d'après nature par Liotard". Secondo Fosca (1956), il disegno servì a Liotard per una miniatura conservata nella collezione Salmanowitz (foto 47[2]), che però, con tutta probabilità, è stata eseguita più tardi (P.-F. Schneeberger, Les peintres sur émail genevois au XVIIe et au XVIIIe siècle, estratto da "G", n.s., VI, 1958, pag. 147).

48. WILLIAM PONSONBY, POI SECONDO EARL OF BESSBOROUGH, IN ABITO TURCO. Stansted Park (Hants), coll. Earl of Bessborough

ol/tl 124,5×99,7 1742-43

Probabilmente eseguito al ritorno dal viaggio in Oriente, verso il 1742-43, il ritratto presenta numerose analogie con quello di Richard Pococke (n. 33). La datazione delle opere "turche" resta comunque difficile, perché Liotard, che aveva portato dall'Oriente dei bauli di abiti, fece posare a più riprese in abito turco personaggi occidentali. Il ritratto in esame, commissionato da William Ponsonby, dal 1758 secondo Earl of Bessborough (1704-1793), compagno di viaggio in Turchia e protettore inglese di Liotard, è sempre rimasto presso la famiglia dell'effigiato (J. Ponsonby, The Ponsonby Family, London 1929, pag. 41). Non è mai stato né pubblicato né esposto prima del 1954, così come il pendant, n. 49 (Catalogo della mostra "European Masters of the eighteenth Century", Londra, Royal Academy of Arts, 1954-55), n. 407 e 408. Per l'iconografia del personaggio si vedano anche i n. 169 e 170.

49. LADY PONSONBY IN COSTUME VENEZIANO. Stansted Park (Hants), coll. Earl of Bessborough

ol/tl 124,5×99,7 1742-43

È il pendant del n. 48, con il quale ha in comune la provenienza e la cronologia. Lady Caroline Cavendish, morta nel 1760, figlia maggiore del terzo duca di Devonshire, sposò Lord Ponsonby, che sarebbe diventato secondo Earl of Bessborough nel 1739. Si potrebbe pensare di datare i due ritratti, come fa Fosca (1956), al primo soggiorno di Liotard a Londra e cioè verso il 1754, ma l'ipotesi sembra difficilmente accettabile vista l'età dei modelli. L'autenticità delle due opere è stata messa in dubbio da Trivas che ritiene di riconoscervi la mano di G. Knapton.

50. DAMA FRANCA VESTITA ALLA TURCA CON DOMESTICA. Ginevra, Musée d'Art et d'Histoire (inv. 1936-17)

p/pr 71 × 53 1742-43
Triv. 256

Proviene dalla collezione Heseltine, e fu venduta presso la casa Sotheby di Londra il 27 maggio 1935 (cat. n. 63); già nella collezione Aimé Martinet di Ginevra, è nella sede attuale dal 1936. È probabilmente ispirato agli schizzi dal vero che Liotard eseguì tra il 1738 e il '43, quando soggiornò a Costantinopoli in compagnia di Sir William Ponsonby, il futuro Lord Bessborough. Si tratta di uno studio rifinito a pastello che l'artista utilizzerà come modello per i n. 51-53. Ancora una volta, Liotard ripete lo stesso tema apportando leggere varianti nel trattamento dei costumi. Giova notare che nel pastello in esame le due figure appaiono più accostate e le lastre del pavimento sono indicate più nettamente; quest'ultimo elemento ritornerà nel dipinto a olio di Kansas City (n. 51), mentre le versioni della fondazione Reinhart (n. 52) e della collezione Naef (n. 53) risultano molto vicine tra loro, e l'una (quella di Winterthur) dev'essere lo schizzo preparatorio per l'altra. Come è stato giustamente rilevato da Fosca (1956) le donne turche erano velate; è quindi ragionevole supporre che nella composizione in esame l'artista abbia raffigurato una dama 'franca', europea del Levante, al bagno, vestita alla turca. La datazione delle quattro versioni è assai ardua perché, se è vero che molto sovente Liotard "ripeteva" un'opera subito dopo la prima esecuzione, è anche vero che gli accadde di farlo con un intervallo di 15 o 25 anni (si vedano i n. 301, 302, 318) (Trivas, Les répliques dans l'oeuvre de Liotard, in "Actes du XIVe, Congrès international d'histoire de l'art", I, Berne 1936, pagg. 127 e segg.). Le versioni sono state probabilmente realizzate nello stesso momento, immediatamente dopo il ritorno di Liotard in Europa; e quella di Ginevra, che è la migliore, deve essere il prototipo.

51. DAMA FRANCA VESTITA ALLA TURCA CON DOMESTICA. Kansas City, Nelson Gallery-Atkins Museum

ol/tl 72,4 × 57,2 1742-43

Passato per una vendita alla casa d'aste Colnaghi di Londra nel 1953, è nella sede attuale dal 1956 (Kansas City, William Rockhill Nelson Gallery..., 1956, pagg. 29, 86, 87). Fu esposto alla mostra "The age of Louis XV", Toledo – Chicago, Ottawa, 1975-76 (cat. n. 67). Il dipinto era ignoto a Trivas. Si tratta di una replica a olio dell'esemplare di Ginevra (n. 50).

50 [Tav. VIII]

52

54 [Tav. IX]

52. DAMA FRANCA VESTITA ALLA TURCA CON DOMESTICA. Winterthur, Stiftung Oskar Reinhart

p/pr 69,5 × 54,5 1742-43
Triv. 256a

Si tratta probabilmente del pastello già nella collezione Heywood Johnstone a Bignor Park, Pulborough, venduto presso Christie's a Londra il 20 febbraio 1925 (cat. n. 44). Passato alla collezione del Dr. Walter Hugelshofer di Zurigo, venne acquistato da Oskar Reinhart nel 1935 (F. Zelger, Stiftung Oskar Reinhart Winterthur, I, Schweizer Maler des 18. und 19. Jahrhunderts, Zürich 1977, pag. 226, n. 105). Si veda anche al n. 50.

53. DAMA FRANCA VESTITA ALLA TURCA CON DOMESTICA. Ginevra, coll. Bernard Naef

p/pr 70,5 × 56,5 1742-43
Triv. 256b (?)

Già nella collezione inglese Hawkins; acquistato da Rodolphe Dunki a Ginevra nel 1937. Si veda anche al n. 50.

54. DAMA FRANCA DI PERA A COSTANTINOPOLI. Ginevra, Musée d'Art et d'Histoire (inv. 1931-5)

p/pr 61,5 × 50 1742-43
Triv. 255

Già nella collezione Beaumont a Parigi, è nella sede attuale dal 1931. Lo stesso personaggio, rappresentato nello stesso atteggiamento, ma accompagnato da una giovinetta, si ritrova in un disegno (matita nera e sanguigna su carta bian-

51

53

54[1]

ca, cm. 23 × 16,8) conservato al museo di Ginevra (al Louvre ne esiste una controprova; foto 54[1]). Il disegno è stato inciso da J. Cameratta (Til., inc. 100) con la scritta: "Une dame franque de Pera à Costantinople recevant des visites. Dessiné d'après nature à Costantinople par J. Etienne Liotard. Les visages gravés à Vienne par lui-même et les figures par Joseph Cameratta". È impossibile stabilire se il pastello sia stato eseguito a Costantinopoli nello stesso momento del disegno; al più tardi dev'essere stato dipinto nel 1743 a Vienna.

55. SCONOSCIUTO IN COSTUME ORIENTALE. Ginevra, coll. G. Salmanowitz

p/pr 49,5 × 39 1742-43 (?)
Triv. 246

Di provenienza sconosciuta, è stato acquistato attraverso la galleria Goldschmidt di New York nel 1934. È il ritratto di uno dei numerosi europei che Liotard amava vestire "alla turca"; di qui la difficoltà di datare l'opera, che potrebbe essere stata eseguita anche dopo il 1743, data del rientro di Liotard in Europa.

56. LADY FRANCES ROBINSON, MOGLIE DELL'AMBASCIATORE DI GRAN BRETAGNA A VIENNA

p/pv 45 × 35 1743-45
Triv. 198

Già a Schwarzenburg (Berna), nella collezione G. Hauser-Portner. Sul verso del pastello è la scritta: "Original Portrait of Lady Robinson, the wife of

Sir Thomas Robinson (Lord Grantham), painted by Liotard at Vienna during her recidence there. Given by Sir. T. Robinson to sir James Porter, by whom this picture was much valued, who left it to his daughter, Anna M. Larpent" (Porter era un collaboratore di Robinson; sua figlia visse dal 1758 al 1832). Sulla base dell'iscrizione, l'opera è databile tra la fine del 1743 e il '45, al tempo del soggiorno di Liotard a Vienna; Sir Thomas Robinson fu infatti ambasciatore nella città austriaca dal 1730 al '48. Lady Frances era la terza figlia di Thomas Worsley, di Hovingham; sposò nel 1737 Sir Thomas Robinson e morì nel 1750.

57. LA CIOCCOLATAIA. Stansted Park (Hants), coll. Earl of Bessborough

ol/tl 46 × 40 1743-45
Til. 112 Triv. 253

Esposto all'Académie de Saint-Luc a Parigi nel 1752 (cat. n. 263), passò per la vendita Liotard a Londra nel 1773 (cat. n. 55; invenduto), e per una vendita della Christie's a Londra, il 16 aprile 1774 (cat. n. 33; invenduto). Fu poi acquistato dal secondo Lord Bessborough, amico e protettore di Liotard. E una scena d'interno trattata "all'olandese", come testimonia l'inserimento nella composizione di un quadro con un "interno di chiesa", molto probabilmente di De Witte (che non sembra aver fatto parte della collezione dell'artista). Il lavoro è da accostare alla Bella cioccolataia di Dresda (n. 76), col quale presenta profonde analogie nel trattamento degli abiti (specie nelle pieghe della veste) e nell'atteggiamento delle figure. Fu probabilmente eseguito a Vienna tra il 1743 e il '45. Secondo Staring (Hollandse werken van Liotard en Perronneau, Een nalezing, "OH", 54, 1959, pag. 225 e segg.), che si basa sulla decorazione olandese del quadro, sarebbe stato dipinto in Olanda al tempo del primo soggiorno di Liotard, verso il 1755-56; l'indicazione del catalogo dell'Académie de Saint-Luc si riferirebbe a un altro lavoro. Il dipinto risulta però stilisticamente molto diverso dai ritratti del periodo olandese (si vedano i n. 187-211).

58. MARIA TERESA D'AUSTRIA

p/pr 62 × 49,5 1743
Triv. 41

Già nella collezione Max duca di Hohenberg a Vienna. Eseguito al tempo del primo soggiorno di Liotard nella capitale austriaca. Si tratta probabilmente di uno dei primi ritratti dell'imperatrice dipinti dall'artista, che riprese più volte l'immagine della sovrana in miniature su smalto e avorio. Maria Teresa di Asburgo Lorena (1717-1780), arciduchessa d'Austria, regina d'Ungheria (1741) e Boemia (1743), imperatrice (1745), era figlia dell'imperatore Carlo VI. Nel 1736 sposò Francesco duca di Lorena, granduca di Toscana, che diventò imperatore nel 1745. Maria Teresa era una fervida ammiratrice di Liotard, che nominò "pittore di corte"; molti dei suoi ritratti sembra-

55

no eseguiti dal vero. È noto che Liotard dipinse più volte i membri della famiglia imperiale: "Liotard li dipinse entrambi, Maria Teresa e Francesco di Lorena; dipinse anche l'imperatrice madre, il principe Carlo di Lorena, fratello del granduca, la sorella dell'imperatrice, la duchessa Carlotta, e Marianna, la primogenita delle arciduchesse. Uno dei suoi amici ginevrini gli consigliò di farsi pagare bene tutto quello che avrebbe fatto a Vienna, e così, da 12 [...] che prendeva a Co-

57 [Tav. XI]

stantinopoli, ne chiese trenta", scrive il figlio di Liotard nella biografia dell'artista ("G", XI, 1933, pag. 197). Oberato di commissioni, il pittore ricorrerà a degli aiuti: Jean-Adam Serre per le miniature, e un certo "Cocler" — che sembra essere il ritrattista viennese Peter Kobler (opere datate 1746-48) — per tratteggiare i pastelli e i dipinti. Quest'ultimo fini col copiare i ritratti eseguiti dall'artista, vendendo tali copie più a buon mercato: "a questo pittore appartengono la maggior parte dei pastelli che a Vienna passano per opera di Liotard ma che non possono esserlo poiché egli ne ha fatto al massimo una decina" ("G", pag. 197), afferma Liotard figlio. Una lunga amicizia, benevola da parte della sovrana, devota da parte di Liotard, che durerà sino alla morte di Maria Teresa. Questa scriverà alla moglie del pittore, il 29 ottobre 1762: "Vi rimando vostro marito in buona salute, segnalandovi a un tempo la soddisfazione che ho tratto dalle sue opere, dal suo zelo e dall'attaccamento per la mia persona" ("BPU", Ms. fr. 354). Per l'iconografia del personaggio si vedano i n. 59, 61, 63-66, 245-250, 267.

59. MARIA TERESA D'AUSTRIA. Weimar, Staatliche Kunstsammlungen, Schlossmuseum (inv. G 65)

p pr 65 × 53 1744
Til. 3 Triv. 43

Esemplare vicinissimo al pastello di Vienna (n. 58, si veda), deve esser stato eseguito verso il 1744. Proviene dalla

58

59

60

62 [Tav. XII]

61

61¹

61²

63

64

65

68

69

biblioteca granducale di Weimar dove era già conservato prima del 1819: dal 1876 fu trasferito al museo granducale di Weimar, e quindi nel 1921, al castello del Belvedere. Inciso da J.C. Reinsperger (Til., inc. 16). Assieme al *pendant* (n. 60) che raffigura Francesco di Lorena, fu copiato a Vienna per la corte verso il 1880 (la copia del ritratto dell'imperatrice è a pastello su pergamena, cm. 64,5×51,5). Depositati dapprima all'Albertina, i due lavori furono trasferiti alla Hofburg dove si trovano tuttora (inv. 4076). Baud-Bovy (1903) li cita da una nota della "Neue Freie Presse" del 1902 senza però indicare che si tratta di copie. Per l'iconografia del personaggio si veda al n. 58.

Un'altra copia a pastello su pergamena (cm. 45×35), raffigurante il busto dell'imperatrice, era conservata nella collezione di Sir Thomas Robinson (poi Lord Grantham), ambasciatore della Gran Bretagna a Vienna tra il 1730 e il '48. Il pastello passò nella collezione di Sir James Porter, poi in quella della figlia di lui, Mrs. Anna M. Larpent. Nel 1918(?) si trovava presso l'antiquario Berthel a Londra. Una vecchia copia a pastello, anch'essa col busto dell'imperatrice, era nella collezione Kaunitz nel castello di Slavkov (Austerlitz); apparteneva a una serie di sei ritratti regalati dall'imperatore Giuseppe II al principe Wenzel Anton von Kaunitz-Rietberg.

60. FRANCESCO I D'AUSTRIA. Weimar, Staatliche Kunstsammlungen, Schlossmuseum (inv. G 66)

p/pr 66×53 1744
Til. 5 Triv. 53

Francesco Stefano (1708-1765), duca di Lorena e di Bar, granduca di Toscana, re di Gerusalemme, sposò Maria Teresa nel 1736; dovette cedere la Lorena e ricevette in scambio la Toscana. Coreggente degli Stati ereditari della casa d'Austria, fu eletto Imperatore Romano nel 1745. L'opera in esame fu eseguita a Vienna attorno al 1744 come *pendant* del ritratto di Maria Teresa (n. 59), col quale ha in comune la provenienza. Ne esiste un'incisione anonima (Til., inc. 19 e 20). Nel 1880 il pastello venne copiato assieme al *pendant*, per la corte di Vienna (si veda al n. 59). Per l'iconografia del personaggio si vedano anche i n. 62, 67, 251 e 252.

Una replica o più probabilmente una vecchia copia con lievi varianti, passò in vendita presso Stuker a Berna il 14 novembre 1955 (cat. n. 1100). Un'altra versione, anch'essa a pastello, era nella collezione di Sir Thomas Robinson (poi Lord Grantham).

61. MARIA TERESA D'AUSTRIA. Braunschweig, Herzog Anton Ulrich-Museum (inv. 677)

p/pr 72×58 1744
Til. 3 Triv. 44

Nella spilla di diamanti che trattiene un lembo del mantello è montata una miniatura raffigurante Francesco di Lorena. Il ritratto proviene dalla galleria ducale del castello Salzdahl presso Volfenbüttel, dove è menzionato dal 1776 (Eberlein, *Katalog d. herzogl. Bilder Galerie Schloss Salzdahl*, 1776). Il ritratto venne inciso da I. E. Reinsperger nel 1747 (Til., inc. 16). Per l'iconografia del personaggio si veda al n. 58.

Liotard ne eseguì due repliche su smalto, conservate nel Musée d'Art et d'Histoire di Ginevra (cm. 16,7×12,7; foto 61¹) e nel Rijksmuseum di Amsterdam (cm. 62×51, firmata e datata Lione 1747; foto 61²) [Til. 119 e 120; Baud-Bovy, *Peintres genevois*, I, pag. 23].

Un pastello su pergamena (cm. 55×,44) probabilmente una copia antica molto vicina al dipinto di Braunschweig, apparteneva alla collezione del conte Augusto Preysing, nel castello Bürgstein presso Haida. Una copia a olio su tela era nella collezione Tilanus ad Amsterdam (sino al 1934), ed è stata catalogata come autografo da Gielly (1935); probabilmente è da identificare con il dipinto che figurava nella collezione J. Vas Diaz. Un'altra copia a pastello (cm. 66×56) con alcune varianti nei lineamenti del volto e nell'abito, rispetto al ritratto originale di Braunschweig, si trovava in una collezione privata danese. E ancora una copia antica a olio (68×55) con alcune varianti, dell'esemplare di Braunschweig, in proprietà privata a Ginevra.

62. FRANCESCO I D'AUSTRIA. Braunschweig, Herzog Anton Ulrich-Museum (inv. 678)

p/pr 72×58 1744
Til. 5 Triv. 54

Replica con varianti, specie negli abiti e nella corazza, nel ritratto di Weimar (n. 60). È il *pendant* del ritratto di Maria Teresa (n. 61), col quale ha in comune la provenienza. Restaurato nel 1843. Inciso da J.C. Reinsperger nel 1744 (Til. inc. 20). Per l'iconografia del personaggio si veda al n. 60.

Ne esistono due copie: pastello, cm. 72×58, collezione castello di Fredensborg; olio su tela, cm. 72×58, già nella collezione Tilanus ad Amsterdam, venduto il 23 ottobre 1934 (cat. n. 1035); acquistato da Zwaal jr.

63. MARIA TERESA D'AUSTRIA. Anversa, Museum Mayer van den Bergh (inv. 871)

p/pr 68,2×54,2 1744 c.
Triv. 45

La composizione è vicina ai n. 59 e 61, dei quali è con tutta probabilità coeva. Secondo il catalogo del museo (1960, pag. 190), sarebbe stata acquistata presso Fusier a Milano nel 1891. Per l'iconografia del personaggio si veda al n. 58.

Trivas (ms. MAH) riferisce che una copia (o piuttosto una replica, rovinata da un maldestro restauro) si trovava nella collezione della contessa Mariette Weissenwolf a Steyregg (Alta Austria): si tratta di un pastello (cm. 61×50) che era stato donato dall'imperatrice al conte Ferdinando von Weissenwolf come ringraziamento per le cacce da lui organizzate a Steyregg in onore della so-vrana ("BSH" 1932, pag. 509).

64. MARIA TERESA D'AUSTRIA. Budapest, Accademia delle Scienze (Galleria storica) (inv. 288)

p/pr 80×67 1744-45 Triv. 46

Ritratto da parata, vicino come composizione all'esemplare del museo di Anversa (n. 63). Per l'iconografia del personaggio si veda al n. 58.

Liotard riprese la stessa composizione in una miniatura su avorio già nella collezione Emden ad Amburgo, venduta attraverso Lepke di Berlino nel 1911 (cat. n. 226).

Secondo Trivas, una replica si trovava nella collezione dell'arciduca Alberto a Budapest. Citata da Gielly (1935) come già in proprietà dell'arciduca Federico.

65. MARIA TERESA D'AUSTRIA CON TRE CORONE. Trieste, castello di Miramare

p/pr 78,5×64 1744-45

Per l'iconografia del personaggio si veda al n. 58.

Una copia (pastello, cm. 71,4×64,2) si trovava nella collezione del conte Janos Palffy a Bad Pistyan: fu venduta il 1° luglio 1924 (cat. n. 55). Un'altra copia apparve alla vendita della collezione del barone Jean de Bourgoing a Vienna. Un altro ritratto della sovrana, assieme al *pendant* con Francesco di Lorena (cm. 63×78), probabilmente una copia antica, passò per la vendita Stuker a Berna, il 14-21 novembre 1955 (cat. n. 1099 e 1100).

66. MARIA TERESA D'AUSTRIA CON TRE CORONE

p 62,8×47,1 1744-45

Si tratta di un'opera perduta. Nel 1778 si trovava con il *pendant*, n. 67, nella collezione G.G. Bögner a Francoforte (cat. n. 239). Probabilmente era uno dei ritratti che Liotard portò con sé a Francoforte, dove giunse al seguito della corte di Vienna per assistere alla consacrazione dell'imperatore. Per l'iconografia del personaggio si veda al n. 58.

67. FRANCESCO I D'AUSTRIA

p 62,8×47,1 1744-45

Era il *pendant* perduto, del ritratto di Maria Teresa (n. 66), assieme al quale si trovava nella collezione G.G. Bögner a Francoforte nel 1778 (cat. n. 238). Per l'iconografia del personaggio si veda al n. 60.

68. ELISABETTA CRISTINA, MADRE DI MARIA TERESA D'AUSTRIA, VESTITA A LUTTO. Weimar, Staatliche Kunstsammlungen, Schlossmuseum (inv. G 63)

p/pr 72×55 1744
Til. 12 Triv. 63

Elisabetta Cristina (1685 - 1750) era moglie dell'imperatore Carlo VI e madre dell'imperatrice Maria Teresa e della duchessa Marianna. Secondo Tilanus (1897) che fa riferimento a von Mechel, nel 1784 si trovava nel Gabinetto blu della Galleria imperiale di Vienna; fu poi trasportato nel castello del granduca di Sassonia-Weimar e conservato dal 1872 nel museo di Weimar. È menzionato nella biografia dell'artista scritta dal figlio: "Soggiorno di Vienna [...] dipinse anche l'Imperatrice madre [...]" ("G", XI, 1933, pag. 197). Inciso da J.C. Reinsperger (Tilanus, inc. 23). Si veda anche al n. 69.

Una copia a pastello (cm. 71 × 58) è conservata nella Bundessammlung alter Stilmöbel a Vienna (inv. V. f. B. 1816). Un'altra, anch'essa a pastello, si trovava a Vienna nel 1933; è forse identificabile col ritratto pubblicato da J. Schmidt (*Voltaire und Maria Theresia*, "MGW" 1931).

69. LA DUCHESSA MARIANNA, SORELLA DI MARIA TERESA D'AUSTRIA. Weimar, Staatliche Kunstsammlungen, Schlossmuseum (inv. G. 68)

p/pr 67 × 53 1744
Til. 11 Triv. 64

Tilanus identifica l'effigiata con Maria Cristina e data erroneamente il ritratto al 1762. L'errore è ripreso da Fosca (1928) e da Gielly (1936). Come ha giustamente rilevato Trivas, si tratta in realtà di un ritratto di Marianna sorella di Maria Teresa. Nella biografia del padre, il figlio di Liotard afferma a sua volta che l'artista eseguì i ritratti della "sorella dell'imperatrice, la duchessa Carlotta, e di Marianna, la maggiore delle arciduchesse" ("G", XI, 1933, pag. 197); anche questo dato è errato poiché l'unica sorella dell'imperatrice allora vivente era Marianna (1718-1744), che nell'aprile del 1744 sposò Carlo di Lorena, fratello dell'imperatore. Il pastello in esame apparteneva alla stessa serie dei n. 59, 60, 68, 70, assieme ai quali è databile al 1744.

Una copia antica a pastello faceva parte della collezione dei sei ritratti regalati dall'imperatore Giuseppe II al principe Wenzel Anton von Kaunitz-Rietberg (si vedano i n. 59, 70); già nella collezione del castello di Slavkov (Austerlitz).

70. CARLO DUCA DI LORENA. Weimar, Staatliche Kunstsammlungen, Schlossmuseum (inv. G. 64)

p pr 67 × 54 1744
Til. 13 Triv. 65.

Carlo Alessandro (1712-1780), duca di Lorena, era il fratello dell'imperatore Francesco I: nell'aprile del 1744 sposò Marianna, sorella dell'imperatrice. Fu maresciallo dell'esercito austriaco, governatore dei Paesi Bassi e capo dell'ordine teutonico. Il pastello apparteneva alla stessa serie di cui al n. 69. Citato nella biografia dell'artista scritta dal figlio ("G", XI, pag. 197): "Soggiorno a Vienna, a Venezia e ritorno a Ginevra. Dal 1743 al 1745. Dipinse anche [...] il principe Carlo di Lorena, fratello del granduca [...]". Non datato da Tilanus.

Una copia a pastello era conservata nel castello di Slavkov, ad Austerlitz; faceva parte della stessa serie assieme ad altri sei ritratti regalati dall'imperatore Giuseppe II al principe Wenzel Anton von Kaunitz-Rietberg (si vedano ai n. 59, 69).

71. CARLO DUCA DI LORENA(?)

p 1744 c (?) Triv. 65 a
Opera perduta. Nell'inventario steso alla morte dell'artista, nel 1789, al n. 157 è menzionato un ritratto "del principe Carlo di Lorena [...] 7 luigi" (AEG, Jur. civ. F. n. 812). Si tratta forse di una replica del n. 70 o di un ritratto di Carlo Luigi di Lorena, conte di Brione. Liotard aveva eseguito il ritratto della moglie di questi verso il 1748 a Parigi, ed è possibile che in quella stessa occasione avesse fatto anche il ritratto del principe.

72. AUTORITRATTO. Firenze, Uffizi (inv. 1890/1936)

p/pr 61 × 49 f d 1744
Til. 96 Triv. 3

In alto a destra è la scritta: "J.E. Liotard / de Genève surnommé / le peintre Turc peint / par lui-meme à Vienne 1744". Eseguito a Vienna nel 1744 per l'imperatore Francesco I, granduca di Toscana, che collezionava i ritratti di pittori; questi lo passò a sua volta alla galleria degli autoritratti agli Uffizi, creata dal cardinale Leopoldo de' Medici (1617-1675) ("Museo Fiorentino", IV, 1762, pag. 273, tav. 98). Il pastello in esame è menzionato per la prima volta nel catalogo degli Uffizi nel 1783 e riprodotto da Gori nel suo album della galleria nel 1762 (M. Roethlisberger, *Les autoportraits suisses à Florence*, "G", n.s. IV, 1956, pagg. 106-107). Si tratta del primo ritratto nel quale Liotard si raffigura in costume turco. Ratouis de Limay (*Le pastel en France au XVIIIe siècle*, Paris 1946, pagg. 131-132) cita una lettera dell'abate Le Blanc a La Tour, dell'8 aprile 1751 (Parigi, Bibl. d'art et d'archéologie), nella quale si legge, a proposito di questo ritratto: "Torno a Firenze alla Galleria per dirvi che sono rimasto scandalizzato di trovare nella sala dei pittori il ritratto del pagliaccio nel quale egli stesso si definisce 'surnommé le Peintre turc'. Oltre a tutto è il più brutto che abbia eseguito... È piatto, piatto, piatto tre volte piatto; è quanto di più piatto sia mai esistito... Hanno fatto male a mettere un pagliaccio tra tanti uomini giustamente celebri". Per l'iconografia del personaggio si veda anche ai n. 7, 8, 27, 73, 74, 102-104, 269-274, 280, 281, 334.

Un disegno a matita nera (cm. 13 × 8,5; foto 72¹), forse uno studio di impostazione per il pastello degli Uffizi, è nella collezione Bernard Naef; l'artista vi appare con lo stesso costume, ma di profilo.

73. AUTORITRATTO

p 1744

Già a Bez (Gard), nella collezione di Mme Menard; se ne ignora la provenienza. È sicuramente uno studio preparatorio per il ritratto di Dresda (n. 74). Per l'iconografia del personaggio si veda al n. 72.

74. AUTORITRATTO. Dresda, Staatliche Kunstsammlungen (inv. P 159)

p/pr 60,5 × 46,5 1744-45
Til. 95 Triv. 4

70

71

71¹

73

74 [Tav. XIII]

74¹

Molto vicino al pastello di Firenze (n. 72), dev'essere stato eseguito nello stesso momento, cioè verso il 1744-45. Secondo Tilanus, sarebbe stato acquistato a Lione dal duca di Richelieu nel 1747. È ricordato per la prima volta nel catalogo a stampa della galleria di Dresda, nel 1765, senza indicazione della provenienza; nei cataloghi successivi è indicata l'acquisizione fatta da Richelieu. Per l'iconografia del personaggio si veda al n. 72.

Vicino al pastello di Dresda, ma ripreso in posizione frontale, è lo smalto ovale conservato nella collezione Salmanowitz di Ginevra (foto 74¹), firmato e datato: "1748 Liotard p. Lui-même".

75. JEANNE SALOMÉ VON DER ASSEBURG. Braunschweig, Herzog Anton Ulrich-Museum

p/pr 66 × 55 1744 Triv. 39
Già nella collezione del barone Byern; regalato al museo di Braunschweig nel 1832. Attribuito per la prima volta a Liotard da Trivas (ms. MAH). Secondo una comunicazione scritta di Sabine Jacob (1977) del museo di Braunschweig, il pastello era registrato come "di ignoto, ritratto di una principessa" nei cataloghi del 1844-49 (n. 627) e del 1859-62 (n. 28) e dato alla scuola tedesca in quelli del 1867 e del 1868-83 (n. 95). Non lo si trova più nelle pubblicazioni del museo sino al 1969, quando è attribuito a Liotard da G. Adriani (*Verzeichnis der Gemälde*, Braunschweig 1969, pag. 89). L'identificazione del personaggio è confermata dalla copia del ritratto in esame collocata sulla tomba di Jeanne Salomé von der Asseburg (1724-1761) nella chiesa di Neindorf presso Schmidt (*Beschreibende Darstellung der älteren Bau— und Kunstdenkmäler des Kreises Oschersleben*, Halle a.d.S 1891, pag. 174, citato in: *Französische Kunst des Barock*, Herzog Anton Ulrich-Museum Braunschweig, 1975, pag. 21). A giudicare dall'età dell'effigiata, il ritratto dev'essere stato eseguito verso il 1744, al tempo del soggiorno di Liotard in Germania e più esattamente a Francoforte.

76. PRESUNTO RITRATTO DELLA SIGNORINA BALDAUF (LA BELLA CIOCCOLATAIA). Dresda, Staatliche Kunstsammlungen (inv. 161)

p/pr 82,5 × 52,5 1744-45
Til. 1 Triv. 69

In basso è stata aggiunta una striscia alta circa 20 cm. È da rilevare che il ritratto ebbe un enorme successo al tempo di Liotard, benché lo stesso artista non l'avesse mai tenuto in gran conto: lo indicava semplicemente come "Stoubmensch", e cioè "ritratto di cameriera, o camerista", e non lo citò mai nelle lettere né nel *Traité*. I suoi contemporanei lo consideravano invece "il più bel pastello che si sia mai visto" e i copisti lo riprodussero da quando Liotard era vivente sino a tutto il diciannovesimo secolo; anche la pubblicità commerciale s'impadronì del soggetto. Questo eccesso di popolarità finì per nuocere all'artista e alla sua opera. Ese-

75

76 [Tav. X]

77 [Tav. XVI]

guito a Vienna alla fine del 1744 o all'inizio del '45, il pastello fu venduto da Liotard al conte Algarotti a Venezia il 3 febbraio 1745 per la collezione del re di Polonia, per 120 zecchini. Nel suo *Diario* (Dresda, Archivi di Stato), l'Algarotti notava in data 3 febbraio 1745: "pagato al signor Liotard per un quadro a pastello raffigurante una Stoubmensch (sic) 120 zecchini = L. 2.640". In una lettera al conte Brühl da Dresda datata 23 aprile 1746, lo stesso Algarotti scriveva: "non parlerò ora della *Maddalena* di Rosalba [un'opera di R. Carriera oggi nella Gemäldegalerie di Dresda], che lei stessa ritiene il suo capolavoro, né della Stoubmensche che è stata considerata da tutti i pittori di Venezia e anche da Rosalba il più bel pastello che si sia mai visto". Infine, in una lettera a Mariette, l'Algarotti fa un'analisi aderente e particolarmente lucida dell'opera: "Un quadro a pastello, alto circa tre piedi, del famoso Monsieur Liotard, che rappresenta una giovane cameriera tedesca di profilo, con un vassoio sul quale sono un bicchier d'acqua e una tazza di cioccolato. Il dipinto è quasi privo di ombre, su fondo chiaro; la donna è illuminata da due finestre e la sua immagine appare riflessa nel vetro, tutta resa con mezze tinte e con lievissime diminuzioni di luce, di un rilievo stupendo. L'opera esprime una natura assolutamente non manierata, tutta europea; piacerebbe infinitamente ai cinesi, che come sapete sono a loro volta nemici giurati delle ombre. Quanto al-

79 [Tav. XIV]

80 [Tav. XV]

81

82 [Tav. XVII]

83

84

85

86 [Tav. XVIII]

87

la finezza del lavoro, per rendere ogni possibile espressione con una parola sola, è un Holbein a pastello" (citato da Trivas). Il quadro figura nel catalogo della galleria di Dresda del 1765 (pag. 243): "Una cameriera viennese che serve il cioccolato". Il nome di Baldauf viene generalmente accolto come quello della "Bella cioccolataia"; non lo si trova però in nessun documento dell'epoca. La tradizione vuole che la giovane abbia sposato il conte Dietrichstein o Liechtenstein.

Nelle collezioni del museo di Ginevra si conserva un disegno (penna e bistro su carta bianca, cm. 81,5 × 58,6; inv. 1935-8) con lo stesso tema; proviene dalla collezione Tilanus di Amsterdam. È stato probabilmente utilizzato dall'artista per ricalcare i contorni della composizione sulla pergamena sulla quale esegui il pastello; infatti sono ancora riconoscibili le tracce dello spolvero sul quale è stato fatto il ricalco. In alto, a destra, è una scritta non autografa: "Trait de / Stubmensch / de la / Gallerie de Dresda".

La quantità delle copie, antiche e moderne, è incalcolabile. Il museo di Ginevra conserva un pastello su pergamena (cm. 26 × 20; inv. 1921-4) raffigurante la testa della Bella Cioccolataia; sul verso reca la scritta: "La Chocolatière / Vienne 1744". Il cattivo stato di conservazione ne rende difficile l'attribuzione; deve comunque trattarsi di una buona, vecchia copia settecentesca. L'ipotesi è confermata dal dott. E. Brand del museo di Dre-

sda (comunicazione al museo di Ginevra, 1966): "Nell'originale le ombre della cuffia risultano molto più morbide, la guarnizione di trine condotta con cura molto maggiore. La fattura degli occhi e della bocca, inoltre, differisce talmente che non posso credere che la testa sia stata dipinta a Ginevra dalla mano di Liotard". Già nella collezione di Lord Taunton, è stato venduto da Berthel a Londra come originale. Deposito della fondazione Gottfried Keller al museo di Ginevra. Considerato autografo da Fosca (1928) e Gielly (1935), è messo in discussione da Trivas (ms. MAH).

77. FRANCESCO ALGAROTTI. Amsterdam, Rijksmuseum (inv. 2933)

p/pr   41 × 31,5   1745 c.
Til. 23   Triv. 26

Sul verso è un'annotazione di mano del figlio dell'artista: "Le comte Algarotti, peint par Liotard". Francesco Algarotti (1712-1764), letterato veneziano, creato conte nel 1746, fu consigliere del re di Polonia e di Federico il Grande nell'acquisto di opere d'arte. Il ritratto fu verosimilmente eseguito a Venezia nel 1745. I.F. Treat (Un cosmopolite italien du XVIIIe siècle: Francesco Algarotti, Paris 1913, pag. 122 [tesi]) cita — senza precisare le fonti — due frammenti di lettere che l'Algarotti scrisse al fratello da Berlino, l'una il 29 agosto 1741, l'altra il 5 settembre dello stesso anno, nelle quali faceva riferimento al proprio ritratto eseguito da Liotard. Secondo tali documenti Lio-

tard avrebbe quindi dipinto un altro esemplare del ritratto (ora perduto), che non sarebbe stato eseguito a Venezia — dove Liotard si era recato per organizzare una lotteria per conto della corona austriaca —, ma probabilmente prima della partenza per l'Oriente. Il dipinto è citato nell'inventario steso alla morte del pittore, nel 1789, al n. 150 (AEG, Jur. civ. F. n. 812); passato per eredità successive a J.E. Liotard-Crommelin e a Mlle M.A. Liotard di Amsterdam, fu da quest'ultima legato al museo cittadino nel 1873 (All the paintings of the Rijksmuseum in Amsterdam..., Amsterdam 1976, pag. 792, n. A 234). Inciso da R. Morghen e pubblicato nel I volume dell'edizione italiana delle opere dell'Algarotti (Venezia, 1791).

78. FRANCESCO ALGAROTTI

p/pr   41 × 31,5   1745 c.
Til. 23   Triv. 26a

Replica del pastello di Amsterdam (n. 77). Già nel castello di Doorn (Paesi Bassi); proviene dalla famiglia dell'effigiato; dal 1893, conservato nel castello imperiale di Berlino. Un'incisione eliografica a colori è stata pubblicata nel 1894 ("JKP", XV, 2) con la scritta: "Jean Etienne Liotard, Graf Francesco Algarotti, Pastellgemälde in Besitz seiner Majerstät des Kaisers. Heliogr. u. farbiger Kupferdruck d. Reichsdruckerei" (Til., inc. 34).

79. ROBERT D'ARCY, EARL OF HOLDERNESS. Berlino,

Kupferstichkabinett (inv. KdZ 26352)

p/pr   40,6 × 30,5   1745
Appartenne successivamente alle collezioni di Lady Irene Pelham e di Mrs. Scharf a Londra, dove fu acquistato con il pendant, n. 80, per la sede attuale nel 1972 (Vom später Mittelalter bis zu Jacques Louis David, Neuerworbene und neubestimmte Zeichnungen im Berliner Kupferstichkabinet, Berlin 1973, n. 167 [e n. 168 per il pendant]). Robert d'Arcy, quarto Earl of Holderness (1718-1778), sposò Maria Doublet van Groenstein nel 1742 e dal 1744 al '46 fu ambasciatore della Gran Bretagna a Venezia. Il dipinto venne eseguito nella città italiana nel 1746. Liotard figlio annota nella biografia del padre ("G", XI, 1933, pagg. 190 e segg.): "Liotard [...] fece un viaggio a Venezia per cercar di stabilirvi un lotto per conto della Corona di Vienna. Là vendette una Stoubmensch al conte Algarotti per il re di Polonia [...] Vi dipinse Mylord Holderness". Considerato disperso da Trivas (ms. MAH) e da Gielly (1935).

80. LADY ROBERT D'ARCY, NATA MARIA DOUBLET VAN GROENSTEIN. Berlino, Kupferstichkabinett (inv. KdZ 26353)

p/pr   40,6 × 30,5   1745
È il pendant del n. 79; la provenienza è la stessa.

81. LADY ROBERT D'ARCY, NATA MARIA DOUBLET VAN GROENSTEIN. L'Aia, Gemeentemuseum (inv. B 262)

p/pr   41 × 32   1745   Triv. 266
Già nella collezione di François Fagel all'Aia; l'antico proprietario era prozio dell'effigiata, cui il dipinto sarebbe stato spedito da Venezia nel 1745 (H.E. Van Gelder, Noo een Portreje door Liotard, "OH" 1948, pag. 65). Citato da Trivas (ms. MAH) senza identificare l'effigiata.

82. CAROLINA LUISA DI HESSE-DARMSTADT, MARGRAVIA DI BADEN, AL CAVALLETTO. Ginevra, coll. privata

p   61 × 47,5   1745
Carolina Luisa (1723-1783), nata principessa di Hesse-Darmstadt, sposò il margravio Carlo Federico di Baden nel 1751. Appassionata d'arte e di letteratura, si dedicò a partire dal 1759, al collezionismo: il suo gabinetto di dipinti comprendeva, alla sua morte, più di 200 quadri, per lo più opere francesi e olandesi del Sei e Settecento. I principali di esse costituirono il fondo della galleria di Karlsruhe. Si veda anche al n. 83.

83. CAROLINA LUISA DI HESSE-DARMSTADT, MARGRAVIA DI BADEN, AL CAVALLETTO. Castello di Salem, coll. margravio Max di Baden

p e guazzo/pr   59 × 49,5   1746   Triv. 67
Replica del pastello di Ginevra (n. 82). Nel 1934 G. Kircher pubblicava un ritratto della margravia Carolina Luisa, principessa di Hesse-Darmstadt, moglie del margravio

Carlo Federico di Baden, conservato un tempo nello studio della granduchessa, nel castello di Baden-Baden (Un nouveau pastel de Liotard, "GBA", XI, 1934, pagg. 141-145). Secondo una vecchia tradizione di famiglia tale pastello passava per un ritratto della margravia eseguito da lei stessa; in effetti, la nobildonna, buona intenditrice d'arte, fu allieva di Liotard. Il ritratto, rimasto di proprietà della margravia, fu conservato a Karlsruhe dove venne esposto per la prima volta nel 1907 con l'attribuzione a Liotard, a una mostra dedicata a personalità dell'epoca del margravio Carlo Federico e della margravia Carolina Luisa. La Kircher conferma giustamente l'attribuzione sulla base di osservazioni estetiche: la studiosa sembra però ignorare che Liotard esegui il ritratto della margravia due volte: una prima versione (n. 82), più elaborata, dove i lineamenti del volto risultano più somiglianti rispetto ad altri ritratti della stessa, e la stesura più accurata, è stata eseguita a Francoforte già nel 1745, mentre la seconda versione deve essere stata dipinta a Darmstadt nel 1746. L'artista tenne nella propria collezione il ritratto di Ginevra, e il margravio poté ancora ammirarlo nel 1775, quando andò a trovare Liotard nella città natale: "Il ritratto originale della margravia, nostra sposa, che Liotard ha dipinto a Francoforte, al tempo dell'incoronazione dell'imperatore" (Un voyage en Suisse du margrave Charles-Frédéric de Bade en julliet 1775, in "Festschrift des Badischen General Landesarchivs", Heidelberg 1902, pag. 20). In una lettera scritta al figlio maggiore da Confignon il 4 giugno 1782, Liotard osservava che tra i quadri più preziosi portati a Confignon c'era "la principessa Darmstadtt" (BPU, Ms. fr. 354). Il 7 novembre 1783, lo stesso artista annotava "Ultimamente ho venduto il ritratto della principessa di Darstatt [sic] per 45 luigi. Aspetto la notizia del suo arrivo a Basilea. Se arriva intatto, mi pagheranno i 45 luigi"; e aggiungeva: "Mr. Cramer figlio m'ha detto che suo padre ha avuto la notizia che il Ritratto di Darmstatt è arrivato sano e salvo e siccome è dalle sue mani che devo ricevere 45 luigi, non pagherà facilmente, dato che sia lui che il figlio sono dei grandi spendaccioni". Dopo questa data il pastello sembra perduto e non lo si trova più menzionato nella letteratura sull'artista sino al 1953, quando figurò all'esposizione "Portraits et souvenirs historiques", tenutasi alla Société des Arts a Ginevra, catalogato al n. 23 come Ritratto di una dama sconosciuta. I due pastelli (n. 82 e 83) sono stati oggetto di uno studio esauriente, di J. Lauts di Karlsruhe (J. E. Liotard und seine Schülerin Markgräfin Karoline Luise von Baden, "JBW", 14, 1977, pagg. 43-65). Le sue conclusioni coincidono perfettamente con le nostre.

84. CAROLINA LUISA DI HESSE-DARMSTADT, MARGRAVIA DI BADEN

p   1746   Til. 19   Triv. 66

96

Del pastello, perduto, esisteva una copia eseguita dalla stessa margravia, che venne donata all'artista, e che reca al verso una scritta di mano di Liotard: "peint par la princesse Hesse-Darmsatt [sic]. présnt. Princ. de Bade et donné à Liotard en 1746". Il ritratto figura nell'inventario steso alla morte dell'artista nel 1789, al n. 188: "uno che si dice dipinto dalla principessa di Hesse" (AEG, Iur. Civ. F. n. 812). Tilanus (1897) ne dà la seguente descrizione: "Giovane dama, di prospetto, con le braccia appoggiate alla balaustra di un balcone di pietra; pettinatura incipriata, mantello di velluto bleu guarnito di pelliccia, maniche ornate di pizzi, corpetto aperto a punta; nastro nero al collo; le mani nascoste in un manicotto rosso". Apparve alla mostra di Liotard ad Amsterdam, nel 1885 (cat. n. 10). G. Kircher (Karoline Luise v. Baden als Kunstsamml., 1933, pag. 132) cita nell'inventario di successione della margravia Cristiana Luisa, al n. 92, un ritratto di Liotard, incompiuto: "Ritratto incompiuto della defunta margravia di Leotard [sic]. Alto 1 piede 2 pollici, largo 10 pollici" (Verzeichnis von Mahlereyen, die zur Verlasschenschaft Ihrer Hoheit der hochseligen Frau Markgrafin Christiane Luise gehören, 1829). Secondo Trivas (ms. MAH) è possibile che il ritratto, schizzato da Liotard, fosse stato completato da un altro pittore.

La Bibliothèque Nationale di Parigi conserva un disegno (controprova a matita nera e sanguigna su carta bianca, cm 24,2 × 18,2; foto 84¹) raffigurante lo stesso personaggio.

85. FEDERICA SOFIA GUGLIELMINA DI PRUSSIA, MARGRAVIA DI BRANDEBURGO-BAYREUTH. Bayreuth, Neues Schloss

p/pr 48,9 × 38,6 1745-46

Già nella collezione Gunther Scharnowski, Monaco, per acquisto da un antiquario nel 1961. Nel 1971 è stato acquistato dalla città di Monaco. Sul retro è il sigillo del conte Samuel di Monmartin. Questo ritratto e il suo pendant (n. 86) sono ignorati da tutti i biografi di Liotard; risultano pubblicati per la prima volta da G. Scharnowski nel 1966 (Zwei neu entdeckte Bildnisse der Markgräfin Wilhelmine und ihrer Tochter, "AGO", 46, pagg. 339-341). L'effigiata, margravia di Brandeburgo-Bayreuth (1709-1758), nata principessa di Prussia, era la sorella preferita di Federico il Grande. Il pastello proviene dalla collezione del conte Friedrich Samuel von Montmartin, primo ministro del Württemberg (1712-1778), che fu incaricato dei negoziati tra Bayreuth e la corte di Stoccarda in vista del matrimonio del duca Carlo Eugenio con la figlia della margravia Guglielmina, la principessa Elisabetta Federica Sofia. La data e il luogo in cui il conte conobbe Liotard restano sconosciuti, così come i rapporti dell'artista con le corti di Baviera e Stoccarda. È possibile che abbia fatto da intermediario l'Algarotti: in effetti, l'italiano, molto legato alla margravia Guglielmina, soggiornò a

Bayreuth nel 1740 e rivide la nobildonna a più riprese. D'altra parte, il margravio Federico di Brandeburgo-Bayreuth, sposo di Guglielmina, restò per otto anni a Ginevra dove forse incontrò l'artista e dove comunque aveva sentito parlare di lui. I due pendants devono essere stati dipinti nello stesso momento, verso il 1745-46, durante un viaggio che Liotard fece in Germania, giungendo probabilmente anche a Bayreuth; non sembra infatti che la margravia abbia lasciato in quel periodo la sua residenza.

Una copia settecentesca del dipinto (olio su tela, cm 79,5 × 62,5), con varianti, probabilmente eseguita da un artista della Germania meridionale, è conservata nella collezione Günther Scharnowski a Monaco.

86. LA DUCHESSA ELISABETTA FEDERICA SOFIA DI WÜRTTEMBERG. Bayreuth, Neues Schloss

p/pr 48,7 × 38,2 1745-46

Stessa provenienza del n. 85, di cui costituisce il pendant. L'effigiata, Elisabetta Federica Sofia di Brandeburgo-Bayreuth (1732-1780), era la figlia della margravia Guglielmina; sposò nel 1748 il duca Carlo Eugenio di Württemberg. Il ritratto è incompiuto; solo la testa, il décolleté e una parte del fondo sono portati a termine. Sulla destra si distingue ancora una prova dei pastelli fatta dall'artista. Nel verso, il viso è sottolineato a pastello. La giovane principessa dovrebbe avere una quindicina d'anni; a prima vista sembra dimostrare qualche anno di più, ma se non si tiene conto degli abiti che indossa, dei capelli bianchi di cipria e dell'atteggiamento convenzionale che è proprio del personaggio, il viso appare assai giovane. Per l'iconografia della duchessa si veda il ritratto di Per Krafft il Vecchio (1724-1793) nel museo di Stoccolma.

87. PIERRE VICTOR, BARONE DI BESENVAL

p 49,5 × 38,5 f d 1746 Triv. 77

Già nella collezione J. Salmanowitz a Ginevra; non si conosce la provenienza del dipinto. Eseguito a Parigi, dove viveva il generale Pierre-Victor barone di Besenval (1722-1791), figlio d'un colonnello del reggimento degli svizzeri. Grazie all'appoggio di Maria Antonietta nel 1789 gli venne affidato il comando delle truppe raccolte attorno a Parigi; dopo averle portate alla disfatta, scappò munito di falsi documenti.

88. IL SIGNOR BOERE. Amsterdam, Rijksmuseum (inv. 2938)

p/pr 61 × 48 1746 Til. 31 Triv. 85

Sul verso, di mano del figlio dell'artista: "M. Boere, négociant de Gènes, né et décédé à Genève, peint par J.E. Liotard en 1746". Già nella collezione dell'artista, passò per eredità a J.E. Liotard-Crommelin e a Mlle M.A. Liotard di Amsterdam che nel 1873 lo legò al museo (All the paintings of the Rijksmuseum in Amster-

88

89 [Tav. XIX]

90 [Tav. XX]

91 [Tav. XXI]

91¹

92

93

dam..., Amsterdam 1976, pag. 791, n. A 233). Venne eseguito a Venezia assieme al pendant, n. 89.

89. LA SIGNORA BOERE IN COSTUME DA CARNEVALE. Amsterdam, Rijksmuseum (inv. 2939)

p/pr 61 × 48 1746 Til. 32 Triv. 86

Stessa provenienza del n. 88, di cui costituisce il pendant. Sul verso reca una scritta, di mano dell'artista: "Madame Boere Epouse du Négociant de Gènes Décédée à Genève, peint par J.E. Liotard en 1746" (All the paintings of the Rijksmuseum in Amsterdam 1976, pag. 791, n. A 233). Secondo Fosca (1956), il dipinto esposto all'Académie de Saint-Luc nel 1752 (cat. n. 72) come Una veneziana potrebbe essere stato una replica del presente ritratto.

90. MARIE CHARLOTTE BOISSIER. Vufflens, coll. de Saussure

p/pr 61 × 47,5 1746

Si trovava nella collezione ginevrina di Théodore de Saussure già prima del 1886. Venne eseguito molto probabilmente a Ginevra nel 1746, prima della partenza di Liotard per Parigi. Marie-Charlotte Lullin detta Manon, figlia del sindaco Lullin, nata nel 1725, doveva avere ventitré anni al tempo del ritratto, il che sembra del tutto plausibile. Sposò Jean-Jacques André Boissier (1716-1766), che intraprese la carriera amministrativa.

91. LA SIGNORINA LAVERGNE ("LA BELLE LISEUSE"). Amsterdam, Rijksmuseum (inv. 2928)

p/pr 54 × 42 f d 1746 Til. 2 Triv. 158

Firmato all'altezza della spalla, sulla destra, in pastello bruno: "J.E. Liotard / lion 1746". Sul verso è l'annotazione: "Madᵉˡˡᵉ Lavergne de Lion peint par Liotard". È possibile che si tratti del pastello esposto all'Académie de Saint-Luc a Parigi nel 1751. La "lettrice" in esame figura come n. 17 nel catalogo dei dipinti della collezione Liotard (Parigi 1771); risulta citato nella lettera che l'artista scrisse al figlio maggiore il 4 giugno 1782 (BPU, Ms. fr. 354), tra i dipinti più preziosi portati a Confignon. Reiffenstein vedrà il ritratto in occasione della sua visita a Liotard a Ginevra nel 1761; nello stesso anno scriverà infatti alla margravia Carolina Luisa di Baden riferendole del viaggio: "Il suo autoritratto [si veda al n. 102] e in particolare il ritratto della donna che legge una lettera [...] egli [Liotard] li considera i suoi lavori più notevoli". Il ritratto figurava nell'inventario di successione del 1790 come n. 118; passò poi, per via ereditaria, nella collezione di J.E. Liotard-Crommelin e di Mlle M.A. Liotard di Amsterdam, che lo legò al museo nel 1873 (All the paintings of the Rijksmuseum in Amsterdam..., Amsterdam 1976, pag. 791, n. A 288). Nelle svariate versioni del tema, registrate qui di seguito, Liotard abbandona la sua ricerca di "verità" per esprimere una

languorosa malinconia, piegandosi al gusto, caratteristico del suo tempo, per i ritratti di un tipo particolare che culminerà nell'opera di Greuze. Come per il ritratto della giovane che legge un libro, vestita alla turca (n. 44, 123-125), non si può fare a meno di ricordare certe composizioni di Pietro Rotari (1707-1762). Se l'esemplare del museo di Amsterdam rappresenta veramente Mademoiselle Lavergne, figlia di François Lavergne e di Sarah Liotard, una delle sorelle del pittore, è il caso di notare che ancora una volta Liotard, ripetendo questa composizione che egli stesso considerava tra i suoi più brillanti successi, modifica notevolmente i lineamenti del personaggio per trasformare il ritratto in un tema di genere, dove il modello non è ormai più che un pretesto per la sua creazione artistica. Inciso da Daulle e Ravenet, da J. Mc Ardell nel 1754 e da R. Purcell e C. Spooner come "Miss Lewis" (Til., inc. 53-55); le incisioni sono notevolmente diverse dall'originale per quanto riguarda la somiglianza.

Liotard riprese il tema in uno smalto (foto 91¹) firmato e datato: "pt par Liotard 1752", già appartenente alla collezione di Francesco Giuseppe e conservato nella cancelleria federale a Vienna.

92. LA SIGNORINA LAVERGNE ("LA BELLE LISEUSE"). Dresda, Staatliche Kunstsammlungen (inv. P 162)

p/pr 37,5 × 30,5 1746 Til. 2 Triv. 158 a

In alto a destra è stata aggiunta una striscia di circa 7 cm. Sul verso è l'annotazione: "liseuse. En habit de Païsanne Lionnaise. Peint par Liotard de Genève surnommé le Peintre Turc. a Lion 1746". Il pastello sembra tagliato, e l'intervento sembra essere stato fatto a seguito di un incidente; una misteriosa allusione nella biografia dell'artista scritta dal figlio pare confermare l'ipotesi: "durante il viaggio per Lione si fermò presso la famiglia dei nipoti Lavergne, cui fece numerosi ritratti. Nel viaggio, incidente alla Liseuse attraversando un fiume" ("G", XI, 1933, pag. 193). Secondo una tradizione non documentata il ritratto sarebbe stato acquistato dal duca di Richelieu nel 1747. Citato per la prima volta nel catalogo della galleria dell'elettore di Dresda nel 1765 (pag. 243): "Ritratto di una giovane donna nota come la piccola lionese che legge una lettera". Secondo J. Leymarie (L'esprit de la lettre dans la peinture, Genève 1967, pag. 63), il dipinto sarebbe uno schizzo per la versione di

Amsterdam (n. 91). Numerose copie della "Belle Liseuse" — opera già famosa al tempo di Liotard — sono state eseguite sull'esemplare di Dresda.

93. LA SIGNORINA LAVERGNE ("LA BELLE LISEUSE"). Ginevra, coll. B. Naef

p/cr   37,5 × 30,5   1746

Deriva dalla versione di Dresda (n. 92). Già nella collezione dell'artista, è pervenuto per via ereditaria nella collezione

94

95

96 [Tav. XXII]

97

98¹

98

102 [Tav. XXIII]

103

104

Tilanus di Amsterdam, venduta nel 1934.

94. FEDERICO, PRINCIPE EREDITARIO DI SASSONIA-GOTHA-ALTENBURG. Gotha, Schlossmuseum (inv. 159/118)

p/pr   40 × 31   f   1746
Til. 18   Triv. 210

Federico, principe ereditario di Sassonia-Gotha-Altenburg (1735-1758), era figlio del duca Federico III (1695-1772) e di Luisa di Sassonia-Meiningen; morì giovane, prima di salire al trono. Secondo il catalogo del museo di Gotha (1890, n. 582) il pastello reca sul verso la scritta: "Liotard à Genève 1746". La data 1746 sembra esatta; Liotard dovette infatti eseguire il ritratto in occasione del viaggio che fece in Germania proprio quell'anno, per la consacrazione dell'imperatore a Francoforte; la localizzazione "Ginevra" è invece più problematica perché il giovane Federico di Sassonia non vi si recò affatto. Si potrebbe forse concludere che Liotard abbia terminato il pastello nella sua città natale prima di consegnarlo alla casa di Sassonia.

95. FEDERICO, PRINCIPE EREDITARIO DI SASSONIA-GOTHA-ALTENBURG. Windsor Castle, collezioni reali

p/pr   40,5 × 31,7   1746
Triv. 210 a

Replica, con lievi varianti, del ritratto di Gotha (n. 94). Fu acquistata direttamente presso l'artista da Augusta, principessa di Galles, zia del principe

Federico di Sassonia-Gotha-Altenburg, che commissionerà allo stesso Liotard i ritratti dei propri figli (n. 175-184). Citato nel catalogo di Windsor (Catalogue raisonné of the pictures in the possession of King George V., Windsor Castle 1922, n. 564) come ritratto di Edoardo duca di York. Taciuto da O. Millar (Tudor, Stuart and Early Georgian Pictures in the collection of her Majesty the Queen, London 1963).

96. IL MARESCIALLO MAURIZIO DI SASSONIA. Dresda, Staatliche Kunstsammlungen (inv. P. 160)

p/pr   64 × 53   1746-49
Til. 59   Triv. 209

Il conte Maurizio di Sassonia (Goslar 1696 - Chambord 1750), maresciallo di Francia, era figlio dell'elettore di Sassonia Augusto II, futuro re di Polonia, e di Aurora di Königsmarck; rivelò le sue doti di stratega nella guerra di successione d'Austria, in particolare nella vittoria di Fontenoy. Liotard lo conobbe a Parigi, durante il suo secondo soggiorno in questa città. Il ritratto deve essere stato eseguito verso il 1746; alla fine del 1749 Liotard si varrà del dipinto per essere introdotto alla corte di Versailles e per ottenere la commessa dei ritratti della famiglia reale (n. 105-118). Nella biografia dell'artista scritta dal figlio ("G", XI, 1933, pag. 199) si legge: "Fece il ritratto del maresciallo di Sassonia; questo famoso generale, che era stato ritratto più volte, senza successo, disse, vedendo il

97. IL MARESCIALLO MAURIZIO DI SASSONIA. Amsterdam, Rijksmuseum (inv. 2943)

p/pv   62 × 51   1746-49
Til. 59   Triv. 209 a

Sul verso reca l'annotazione, di mano del figlio dell'artista: "Le maréchal de Saxe inhumé à Strasbourg d'après nature par Liotard". È una replica dell'esemplare di Dresda (n. 96); la composizione è la stessa con lievi varianti nell'espressione del modello; il paesaggio in secondo piano, sulla destra, è reso più sommariamente. Nel catalogo del museo di Amsterdam (1960) è datato "1744-45", il che risulta errato poiché nel periodo indicato Liotard si trovava a Francofor-

99. IL MARESCIALLO MAURIZIO DI SASSONIA

p/pr   25 × 22   1746-49
Til. 61   Triv. 208

Già nella residenza granducale di Weimar. Secondo Tilanus (1897) questo studio apparte-

te e a Venezia. La cronologia esecutiva deve essere la stessa del dipinto precedente (n. 96), a quanto scrive Pierre Clément, un contemporaneo dell'artista, il 30 novembre 1748, a proposito della società parigina dipinta da Liotard: "Conserva delle copie di tali ritratti e di tutti quelli che somigliano loro, tanto che tra qualche anno avrà una serie di teste degna delle preziose collezioni dei grandi principi" (Années littéraires, II, pag. 147). Il dipinto è con tutta probabilità identificabile con quello esposto all'Académie de Saint-Luc a Parigi nel 1752 (cat. n. 64), lo stesso che figura, come n. 29, nel catalogo della collezione di dipinti di Liotard (Parigi 1771), e in seguito alla vendita Liotard a Londra nel 1773 (cat. n. 7; non venduto) e alla vendita Liotard presso la Christie's a Londra, il 16 aprile 1774 (cat. n. 37; non venduto). Citato nella lettera di Liotard del 4 giugno 1782 tra i quadri portati a Confignon (BPU, ms. fr. 354); nell'inventario dopo la morte dell'artista, nel 1789, col. n. 124 (AEG, Jur. civ. F. n. 812). Fu nelle collezioni della figlia dell'artista Marie-Thérèse Liotard, e di J.E. Liotard-Crommelin, e di Mlle A.M. Liotard, Amsterdam, che nel 1873 lo lasciò per legato al museo cittadino (All the paintings of the Rijksmuseum in Amsterdam..., Amsterdam 1976, pag. 792, n. A 229). È probabilmente lo stesso ritratto cui fa riferimento J.J. Vial nella lettera scritta a Liotard a Nizza il 14 dicembre 1775 (citazione da Trivas): "Mylord [si tratta di Augustus Hervey; si veda al n. 119] ha chiesto se avete ancora il ritratto del Maresciallo di Sassonia [...] Mi ha pregato di dirvi di riservarglielo allo stesso prezzo che ne avete chiesto e ben confezionato, al suo indirizzo di Londra". Una replica — o forse una copia antica — della versione di Amsterdam si trovava in passato nella collezione del duca di Piacenza (riprodotta nell'"Illustration", 1922).

98. IL MARESCIALLO MAURIZIO DI SASSONIA

p/pr   59 × 48,5   1746-49
Til. 61 (nota)   Triv. 209 b.

Già nella collezione del conte de Turpin. È noto attraverso l'incisione (foto 98¹) di A. de Marcenay (Til., inc. 58) recante la scritta: "Liotard pinxit. de Marceray sc. 1766. Gravé d'après l'original que M. le comte de Turpin a bien voulu communiquer. A Paris chez l'auteur, rue d'Anjou Dauphine, la dre porte cochère à gauche et chez M. Wille, quay des Augustins". Probabilmente identificabile col ritratto apparso alla vendita del cabinet del conte de Luc a Parigi, nel 1777 (Blanc, Trésor de la curiosité, Paris 1857, 5, pag. 398 [venduto al collezionista Ventimille]).

dipinto: Perbacco, questo sono io!". Secondo la tradizione, il dipinto fu acquistato dal duca di Richelieu nel 1747, assieme al n. 92. Nel 1765 figurava già nel catalogo della galleria di Dresda, al n. 243.

Una copia antica (olio su tela, cm 64 × 52,5) passò per una vendita a Parigi il 1° aprile 1909 (cat. n. 12); è probabilmente la stessa che fece parte della vendita P. Helleu, sempre a Parigi, il 28 marzo 1928; castello di Guermantes, collezione Hottinger. Un altro esemplare, probabilmente una copia, è passato per una vendita all'Hôtel Galliéra a Parigi, il 20 ottobre 1975. Altre copie antiche sono conservate a Windsor Castle — per Fosca (1956) si tratta di una replica —, agli Invalides a Parigi e nella collezione del duca di Wellington, a Stratfield Saye.

neva alla collezione E. Humbert a Ginevra; esposto nella città elvetica nel 1886 ("Liotard", Société des Arts, 1886, cat. n. 16).

100. LOUISE DE MONTAUBAN, CONTESSA DI BRIONNE

p (?)   1748 c.   Triv. 175

Perduto. P. Clément (Les Cinq années littéraires, II, pag. 147) scriveva in data 30 novembre 1748, parlando di Liotard: "Ha dipinto ultimamente [...] la figlia di Mme la principessa di Montauban, uscita di fresco dal convento per far piacere al conte di Brionne". Indicato come "scomparso" da Tilanus (1897) e Trivas (ms. MAH); Fosca (1956) cita il testo di Clément.

101. LA SIGNORA CAZE

p   1748 c.

Perduto. Citato da P. Clément (Les Cinq années littéraires, 30 novembre 1748): "Liotard ha ritratto ultimamente due delle più belle donne di Francia: la signora Caze che avete conosciuto col nome di Mlle d'Escormoutier".

102. AUTORITRATTO CON LA BARBA. Ginevra, Musée d'Art et d'Histoire (inv. 1843-5)

p/cr   97 × 71   1749
Til. 97   Triv. 5

Eseguito a Parigi verso il 1749, il pastello fu esposto all'Académie de Saint-Luc nel 1752. Faceva parte della collezione del pittore che lo lasciò in legato alla biblioteca di Ginevra (testamento del pittore, 8 aprile 1761, Minutes di Me Delorme, 27, pag. 302 [AEG]): "il testatore prega i Signori Direttori della Biblioteca pubblica di accettare il legato da lui fatto alla biblioteca relativo al proprio ritratto in grande dipinto da lui stesso, con relativa cornice". Depositato nel museo di Ginevra nel 1843. Al dipinto sono riferibili le due repliche registrate qui di seguito (n. 103 e 104); ciascuna presenta lievi varianti, specie nella resa del volto, ma l'attribuzione all'artista è indubbia. Probabilmente sono state eseguite subito dopo la versione del museo di Ginevra o al più tardi prima del 1752, data dell'esposizione del primo esemplare all'Académie de Saint-Luc. Una copia, dipinta da Marie Vignier nel XIX secolo (p/tl, cm. 99 × 73) si trovava nella collezione Tilanus ad Amsterdam (vendita Tilanus, Amsterdam 1934, n. 1039). Per l'iconografia del personaggio si vedano anche i n. 7, 8, 27, 72-74, 103, 104, 269-274, 280, 281, 334.

103. AUTORITRATTO CON LA BARBA. Winterthur, Stiftung Oskar Reinhart

p/pr   79 × 62,5   1749

Proviene dalla successione Liotard; passato per una collezione privata ginevrina, è stato venduto da R. Dunki a Ginevra, nel 1946, ad O. Reinhart. Taciuto da Tilanus (1897) e Trivas (ms. MAH). Con tutta probabilità si tratta di uno studio preparatorio per il n. 102 (si veda) (F. Zelger. Stiftung Oskar Reinhart, Winterthur, I, Schweizer Maler des 18. und

19. Jarhunderts, Zürich 1977, pag. 228, n. 106).

104. AUTORITRATTO CON LA BARBA. Ginevra, coll. B. Naef

p/pr 68 × 55 1749 c.

Se ne ignora la provenienza. Taciuto da Tilanus (1897) e Trivas (ms. MAH). È una versione ridotta del n. 102 (si veda).

105. LUIGI XV. Stupinigi (Torino), Palazzina di Caccia

p/cr 60 × 48,7 1749-50
Triv. 126

Nell'opera di Liotard i ritratti della famiglia di Luigi XV (n. 105-118) hanno la stessa importanza di quelli della famiglia reale d'Inghilterra (n. 174-184) o della famiglia d'Austria (n. 58-71, 245-255). All'artista, introdotto alla corte di Versailles dal maresciallo di Sassonia, del quale aveva eseguito il ritratto, furono commessi i ritratti del re e della sua famiglia. Nelle *Memorie* del duca di Luynes si legge, in data 26 ottobre 1749: "Il re è tornato ieri l'altro da Choisy; giovedì è andato a Versailles, come ho già notato; vi è giunto un'ora dopo mezzogiorno col Delfino, e Madame la delfina è andata ad accoglierlo appena sceso dalla carrozza. Sua Maestà è entrato nelle stanze della delfina, dove gli sono stati mostrati i ritratti fatti da un abile pittore di nome Liotard; è un francese che è stato a Roma e in molte corti straniere, e fra l'altro a Costantinopoli; ha mantenuto l'abbigliamento turco e la barba. Ha dipinto Madama Infanta, le tre Dame e l'Infanta Isabella. Tutti questi ritratti sono molto belli, tranne quello di Madama Vittoria di cui il re non è stato altrettanto contento" (*Mémoires du duc de Luynes sur la cour de Louis XV, publiés sous le patronage du duc de Luynes par L. Dussieux et F. Soulié*, Paris 1862, IX, 1749-50, pag. 21). Questo testo ci permette di stabilire che tali ritratti — almeno i n. 107-111 e 114, erano già dipinti nel 1749 e non già "attorno al 1752" come sostiene Oprescu (*Bildnisse von Liotard in Stupinigi*, "ZBK", 11-12, 1931-32, pag. 211). Trivas (ms. MAH) indica una cronologia "verso il 1750" e Mallé, a sua volta (*Stupinigi, Un capolavoro del Settecento europeo tra barocchetto e classicismo*, Torino 1968, pag. 460) li pone "un po' retrodatati sul '50". La serie venne del resto esposta a Parigi, all'Académie de Saint-Luc, nel 1751: "75 Il ritratto del re - 76 Il ritratto di Madama la Delfina - 77 Il ritratto di Madama Adelaide - 78 Il ritratto di Madama Vittoria [...] questi pezzi sono a pastello su tele di 12" e nel 1752: "57 Il ritratto del re - 58 Madama la Delfina - 59 Madama Infanta - 60 Madame Henriette - 61 Madame Sophie - 62 Madama Louise - 63 L'infanta Isabella" (*Livrets des expositions de l'Académie Saint-Luc à Paris de 1751 à 1774*, Paris 1872). Un'indicazione supplementare ci viene fornita dalla biografia dell'artista scritta dal figlio: "Liotard fece il ritratto di tutta la famiglia reale, prima dell'Infanta, cinque volte dal vero e due volte

di molti altri della famiglia" ("G", XI, 1933, pag. 199); in tale numero sono comprese senz'altro anche le miniature eseguite nella stessa epoca). L. Vaillat (*La Société au XVIIIe siècle et ses peintres*, Paris 1912, pag. 192) cita una lettera sui dipinti dell'Académie de Saint-Luc esposti nel 1751 ai Grands-Augustin, nella quale l'autore scriveva: "Vengono poi i pittori di ritratti, a olio e a pastello, e fanno in buona parte gli onori della sala; ma quello che colpisce di più sono i ritratti del re e di Madama la Delfina, di Madama Adelaide e di Madama Vittoria; vi si ammirano con un piacere misto a rispetto, i tratti propri di Sua Maestà, la grandezza e la bontà, principali attributi suoi e della sua augusta famiglia. Questi rispettabili ritratti sono di M. Liotard, così come la deliziosa *Liseuse*". Quanto al ritratto detto "di Luigi XVI", citato da Trivas (ms. MAH) e Oprescu, è invece identificabile, come ha fatto giustamente Mallé, con l'effige del Delfino, figlio di Luigi XV, premorto al padre. Mallé ritiene che nella palazzina di Caccia di Stupinigi siano conservati altri pastelli di Liotard: "almeno altri sei (se non sette) divisi tra la camera della Regina, l'anticamera e la camera del re, il salotto e la sala da pranzo dell'appartamento di levante". Tali opere non possono in realtà essere attribuite a Liotard per motivi stilistici. I pastelli di Liotard provenienti dal castello di Colorno, vicino Parma, passati in seguito in quello di Moncalieri, proprietà di casa Savoia, vicino a Torino, sono attualmente conservati a Stupinigi. Con tutta probabilità furono ceduti dalla corte di Francia a Maria Clotilde, sorella di Luigi XVI e sposa di Vittorio Amedeo III di Savoia. È tuttavia il caso di notare che Liotard fu in rapporto diretto con Torino nel 1766, quando dipinse il *Ritratto del banchiere Haldimand* (n. 268), nonché quando il sovrano gli commise "un quadro smaltato su vetro rappresentante l'interno di una chiesa gotica", pagato 1500 lire (Baudi di Vesme, *Schede Vesme*, II, Torino 1966, pag. 627). Tale opera è del resto menzionata da Liotard nel *Traité* (Règle XIII, pag. 62): "In questo genere ho dipinto, in pittura trasparente su vetro, una parte di una chiesa illuminata dal sole attraverso le finestre, in punti diversi: molte persone sono rimaste ingannate al punto che sono stato costretto a mostrare loro che non era affatto il sole che ne schiarava la mia opera. Il proprietario di questo dipinto è il re di Sardegna". Il pastello raffigurante Luigi XV, conservato a Stupinigi, non è citato dal duca di Luynes; deve essere stato eseguito subito dopo quelli delle figlie del re. In effetti, nella biografia dell'artista scritta dal figlio ("G", XI, 1933, pag. 199) si legge: "Infine, fece il ritratto del re Luigi XV. Le Dame di Francia ne avevano parlato al sovrano, assicurandolo di essere contente dei loro ritratti. Al momento non gli parve di curarsene, ma quando Madame de Pompadour gli disse: 'Dovreste farvi ritrarre da questo pittore perché coglie molto bene la somiglian-

za', allora si fece ritrarre e in seguito ancora un'altra volta di sua totale iniziativa, senza che nessuno lo esortasse a farlo".
Del presente pastello Liotard eseguì una replica in miniatura su smalto (già nella collezione di Mrs V. Howden).

106. LUIGI XV

p (?) 1749-50 Triv. 126
Perduto. L'atteggiamento è lo stesso che nel pastello di Stupinigi (n. 105). Inciso (foto 106[1]) da Vispré (Til., inc. 75) con la scritta: "Peint par Liotard. Gravé par Vispré. Louis Quinze. A Londre chez l'Auteur dans St. Martins Lane et à Paris chez Buldet Quai de Gesvres". Un ritratto di Luigi XV era incluso nella vendita che Liotard organizzò presso la Christie's a Londra il 16 aprile 1774 (cat. n. 63; invenduto).

107. LUISA ELISABETTA DI FRANCIA. Stupinigi (Torino), Palazzina di Caccia

p/cr 59,7 × 49 1749-50
Triv. 131

Luisa Elisabetta (1727-1759) era la figlia maggiore di Luigi XV e di Maria Leszczyńska, andata sposa all'infante don Filippo, duca di Parma. A Versailles, dove si recava spesso mentre il marito tentava di conquistare il suo ducato, portava il titolo di Madama Infanta. Il pastello non è riprodotto da Mallé e nella collezione di Stupinigi viene considerato come il ritratto di una principessa sconosciuta. L'identificazione con Luisa Elisabetta, confermata da Trivas (ms. MAH) e da Oprescu, appare giustificata dal confronto con il ritratto della stessa eseguito da Nattier e conservato a Versailles. Si veda anche al n. 105.

108. ANNA ENRICHETTA DI FRANCIA. Stupinigi (Torino), Palazzina di Caccia

p/cr 59 × 49 1749-50
Triv. 132

Presenta ritocchi a guazzo. Anna Enrichetta (1727-1752) era la sorella gemella di Luisa Elisabetta. Giustamente riconosciuta come l'immagine di Enrichetta di Francia da Trivas (ms. MAH) [si veda il ritratto della stessa principessa eseguito da Nattier, a Versailles; opera postuma, del 1754, mentre la stessa era stata dipinta nel 1752], viene erroneamente identificata da Oprescu come ritratto di Vittoria di Francia e da Mallé come quello di Luisa di Francia. Si veda anche al n. 105.
Una replica con lievi varianti (pastello o miniatura), perduta è stata incisa da Vispré (Til., inc. 27); la scritta reca: "Peint par Liotard. Gravé par Vispré. Mme Anne Henriette de France".

109. ADELAIDE DI FRANCIA. Stupinigi (Torino), Palazzina di Caccia

p/cr 59 × 49 1749-50
Triv. 133

Adelaide di Francia (1732-1800) si interessò vivamente alla politica; nel 1791 emigrò a Roma e vi rimase sino all'avvicinarsi delle truppe francesi; morì a Trieste. Secondo Mallé, l'effigiata sareb-

105

106[1]

107

108

109

110

be invece Vittoria di Francia, ma il confronto con gli svariati ritratti eseguiti da Nattier permette di rifiutare tale identificazione. Oprescu, pur riconoscendo trattarsi di Adelaide, ritiene che "il pastello non è ben riuscito. Si notano ripetute ripassature, non è libero, e risulta più freddo del ritratto dell'altra sorella". Si veda anche al n. 105.

110. ADELAIDE DI FRANCIA. Ginevra, Musée d'Art et d'Histoire

p/cr incollato su tl 60 × 50 1750 c.

Proviene da una collezione francese. Nel verso, sul cartone del telaio, una scritta in caratteri ottocenteschi: "Portrait de Madame Adelaide de France, fille de Luiz quinze et tante des rois Louis seize, Louis dix-huit et Charles dix. Ce portrait est dû au pinceau de Liotard en 1750 ou 1751". Il dipinto è passato per una vendita presso Stuker a Berna il 21 maggio 1953 (cat. n. 4153), ed è stato acquistato dal museo di Ginevra sul mercato d'arte nel 1963. Si tratta di un'ulteriore versione del pastello di Stupinigi (n. 105), con varianti, eseguita probabilmente verso il 1750 o al più tardi nel '53, data della partenza di Liotard per l'Inghilterra. Nell'inventario steso alla morte dell'artista, nel 1789, un ritratto di Madama Adelaide di Francia figura al n. 129 (AEG, Jur. civ. F. n. 812).

111. SOFIA DI FRANCIA. Stupinigi (Torino), Palazzina di Caccia

p/pr 59 × 49 1749-50
Triv. 136

Non identificato da Mallé, che si limita a registrarlo come "di una principessa reale", è invece riconosciuto come raffigurante Sofia (1734-1782) da Trivas e Oprescu. L'identificazione trova conferma nel dipinto di Nattier conservato al museo di Versailles. Si veda anche al n. 105.

112. SOFIA DI FRANCIA. Parigi, coll. privata

p/tl 60,5 × 50 1750 c.

Sul verso della tela originaria è una "A". Replica del ritratto di Stupinigi (n. 111); eseguita nello stesso momento o più tardi nel 1753, data della partenza di Liotard per Londra. Nell'inventario steso alla morte del pittore, nel 1789, figura al n. 130 un ritratto di Madama Sofia (AEG, Jur. civ. F. n. 812).

113. LUISA DI FRANCIA. Stupinigi (Torino), Palazzina di Caccia

p/pr 59,4 × 48,7 1749-50
Triv. 137

Luisa Maria di Francia (1737-1787) fu educata con le sorelle Vittoria e Sofia all'abbazia di Fontevrault; tornata a corte all'età di quattordici anni, visse in una sorta di ritiro e nel 1770 entrò nelle Carmelitane di Saint-Denis, diventando priora col nome di sorella Teresa di Sant'Agostino. L'identificazione è condivisa da Trivas e Oprescu. Mallé riconosce invece come effige di Luisa di Francia un ritratto che raffigura in realtà Madama Enrichetta (n. 108). Il confronto col ri-

111

112

113 [Tav. XXIV]

114 [Tav. XXV]

116

117

118

120 [Tav. XXVI]

121 [Tav. XXVII]

tratto di Nattier a Versailles permette di confermare l'identificazione di Trivas e Oprescu. Nell'inventario alla morte del pittore, nel 1789, figura al n. 132 un ritratto di Madama Luisa di Francia (AEG., Jur. Civ. F. n. 812).

114. ISABELLA, FIGLIA DI MADAMA INFANTA. Stupinigi (Torino), Palazzina di Caccia

p/ 59 × 49 1749-50
Triv. 138

Isabella (1742-1763) era figlia di Madama Luisa Elisabetta di Francia e del duca Filippo di Parma. Fu allevata alla corte di Luigi XV, dove era considerata principessa della casa reale e nel 1760 sposò il futuro imperatore Giuseppe II. Il ritratto è identificato da Mallé come quello di Luisa Elisabetta di Francia, infanta di Spagna, madre di Isabella. Tale identificazione era già stata sostenuta, in una comunicazione orale datata al 1963, da Boris Lossky (N. Gabrielli, *Museo dell'arredamento di Stupinigi. Catalogo*, Torino 1974², fig. 28). Si veda anche al n. 105.

115. ISABELLA, FIGLIA DI MADAMA INFANTA

ol 80 × 65 1750 c. (?)
Triv. 138 a

Negli Archivi Nazionali a Parigi (OI 2991) si trova, fra i conti dei *menus plaisirs* della corte, la seguente nota, citata da Vaillat (pag. 182): "A Liotard [...] per una copia a olio della principessa più giovane figlia di Madama Infanta, figura intera. Tela di 25.360 *livres*". Può trattarsi sia di una replica

ingrandita del n. 114, sia di una copia commessa a Liotard, dal ritratto di un altro pittore.

116. IL DELFINO LUIGI DI BORBONE. Stupinigi (Torino), Palazzina di Caccia

p/pr 59 × 49 1749-50
Triv. 139

Luigi di Borbone (1729-1765) era figlio di Luigi XV e di Maria Leszczyńska. Sposò in prime nozze, nel 1745, Maria Teresa, figlia del re di Spagna Filippo V e in seconde nozze, nel 1747, Maria Giuseppina di Sassonia, figlia di Federico Augusto III, elettore di Sassonia. Il dipinto è considerato da Trivas e Oprescu un ritratto di Luigi XVI, con datazione attorno al 1771. In realtà si tratta di un'effige del delfino Luigi di Borbone, figlio di Luigi XV. Liotard eseguì almeno due ritratti di questo personaggio (si veda il n. 117). Il presente pastello fu probabilmente eseguito assieme ai ritratti precedentemente registrati (si veda al n. 105), cioè tra la fine del 1749 e l'inizio del '50. Inciso da Vispré.

117. IL DELFINO LUIGI DI BORBONE. Amsterdam, Rijksmuseum (inv. 2932)

p/cr 60 × 59 1749-50
Til. 15 Triv. 129

Apparteneva alla collezione dell'artista; figura, come n. 28, nel catalogo del suo gabinetto di dipinti (Parigi 1771): "Il fu Delfino. Pastello. Alt. 22½, largh. 18½". È citato nell'inventario steso alla sua morte, nel 1789, col n. 125: "il ritratto

del Delfino 153 *livres*" (AEG, Jur. civ. F. n. 812). Passò quindi alla figlia minore di Liotard, e per via ereditaria, a Mlle M.A. Liotard di Amsterdam, che nel 1873 lo legò al museo (*All the paintings of the Rijksmuseum in Amsterdam...*, Amsterdam 1976, pag. 792, n. A 235).

118. LA DELFINA MARIA GIUSEPPINA. Amsterdam, Rijksmuseum

p/pr 40 × 31 1749-50
Til. 16 Triv. 130

Fu esposto all'Académie de Saint-Luc a Parigi nel 1751. Già nella collezione dell'artista; figura come n. 32, nel catalogo del suo gabinetto di dipinti (Parigi 1771): "La fu Delfina, pastello. Di Liotard. Alt. 14½, largh. 12". È menzionato nell'inventario steso alla sua morte nel 1789, al n. 126: "il [ritratto] citato della Delfina 102 *livres*" (AEG, Jur. Civ. F. n. 812). Alla morte di Liotard passò per legato alla figlia maggiore Madame Bassompierre. La provenienza è comune al n. 117 (*All the paintings of the Rijksmuseum in Amsterdam...*, Amsterdam 1976, pag. 792, n. A 238). Il duca di Luynes lo cita nelle sue memorie (pag. 69; per cui si veda al n. 105): "[Liotard] ha fatto anche un ritratto della Delfina che però non è riuscito bene. Cominciò a dipingerlo al tempo in cui la Delfina partì per Forges". La Delfina era andata a Forges nel 1749 (Luynes, pag. 69); il ritratto è quindi databile tra la fine del 1749 e l'inizio del '50. C. Stryienski (*Marie-Josèphe de*

Saxe et ses peintres, "GBA", II, pag. 15) lo considera, a torto, una copia. Secondo Vaillat (*La société du XVIIIᵉ siècle et ses peintres*, Paris 1912) "è probabile, d'altra parte, che si tratti di una replica del ritratto originale, poiché Liotard aveva l'abitudine di conservare una replica di ciascuno dei suoi ritratti".

119. LORD AUGUSTUS JOHN HERVEY

p (?) 1750

Perduto. L'effigiato (1724-1779) era figlio del primo Earl of Bristol e diventò il terzo Earl nel 1775; era vice-ammiraglio. V. Manners (*New Light on Liotard*, "C", maggio 1933, pag. 294) cita un frammento del diario dell'effigiato datato il 3 gennaio 1750 da Parigi, nel quale si trova una relazione della visita fatta a Liotard (conservato negli archivi di Ickworth): "Per il mio ritratto mi recai da Liotard, un famoso pittore ginevrino che era stato a lungo in Turchia, indossava le loro vesti e aveva una lunga barba — egli godeva della reputazione di grande artista — Ma benché cogliesse una notevole rassomiglianza — non pensavo fosse un buon pittore — Gli diedi 16 luigi per un piccolo ritratto della mia persona". Nelle carte Trivas (MAH) è inoltre conservata copia di una lettera di J.J. Vial, un giovane ginevrino, commesso in una ditta a Nizza e amico del figlio maggiore dell'artista, inviata a Liotard da Nizza il 14 dicembre 1775; nella lettera si allude ad un altro ritratto di Hervey: "avendo fatto cadere la conversazione sulla pittura in casa di lord Bristol, dal quale ero andato a prendere il tè [...] il lord, che vi è certo meglio noto col nome di Hervey, esclamò: dov'è questo caro turco! [...] e mi mostrò poi un ritratto di una dama della sua cerchia, che gli avete fatto [si tratta forse di Mme Caze] e aggiunse: Credete che non si possa convincerlo a fare di nuovo un viaggio a Londra? Poiché non avevo risposto niente a questo proposito, mi pregò con insistenza di scrivervi a nome suo [...]. Desidera sapere se avete ancora voglia di rivedere l'Inghilterra, vi offre alloggio a Londra, nonché sostentamento e rimborso di ogni eventuale spesa; e per il vivo desiderio che mi ha dimostrato che portiate a termine il suo ritratto, che è tuttora solo iniziato [...] o se voi preferite venire a passare qui l'inverno presso di lui, vi farà le stesse proposte e sarà felice di avervi a casa sua e ritrarlo con una dama del suo ambiente, che avete già raffigurato più volte".

120. MARIE-ROSE DE LARLAN DE KERCADIO DE ROCHEFORT, MARCHESA DE NÉTUMIÈRES. Detroit, Institute of Arts (inv. 64.74)

p/tl 60 × 50 f d 1750

Firmato in basso a destra sul libro: "Liotard 1750". Taciuto dai biografi dell'artista ad eccezione di Previtali (1966). Eseguito a Parigi durante un soggiorno della marchesa di Nétumières, che in quell'occasione fece visita a Liotard. La marchesa di Nétumières, lo

regalò a Mlle Trotteminard de La Plesse, "sposa del Presidente Sénéchal e sottodelegato di Vitré, in occasione del matrimonio del marchese de Nétumières suo figlio con Mlle Hay de Bonteville avvenuto verso la metà dell'anno 1779", come è indicato in una nota manoscritta del XVIII secolo. Conservato sino al 1958 nella famiglia di La Plesse, è stato venduto al museo di Detroit dalla galleria Heim nel 1962.

121. RITRATTO DI DONNA. Aarau, Kunsthaus (deposito della fondazione Gottfried Keller, Berna)

p/pr 58,5 × 47,5 1750 c.

Proviene da una collezione francese; fece parte della collezione di Jean Marchig, a Ginevra, che lo vendette alla fondazione Gottfried Keller, a Berna, nel 1958. Secondo G. Fischer (*J.-E. Liotard*, "Bericht Gottfried Keller Stiftung" 1958-59, pagg. 78-80, fig. 1) il ritratto sarebbe stato eseguito tra il 1750 e il '60, o in Francia o in Inghilterra. Quanto allo stile sembra vicino ai lavori del secondo soggiorno parigino di Liotard, e in particolare alla serie di pastelli della famiglia reale (si vedano i n. 105-118). È stato probabilmente eseguito verso il 1750.

122. LADY EGERTON

p 1750 c.

Perduto. Citato da Pierre Clément (*Les Cinq années littéraires*, 1755): "Non mi dite niente di una delle inglesi più belle che io abbia mai visto in vita mia, che è passata di qui circa due anni fa, quando poteva averne quattordici o quindici, e che il virtuosissimo Liotard dipinse e di cui tutta Parigi ha ammirato il ritratto. Sapete che Liotard è il pittore della Verità". Clément precisa in una nota che l'inglese in questione era Lady Egerton, figlia della duchessa di Bridgewater.

123. GIOVANE DONNA CHE LEGGE, IN COSTUME ORIENTALE. Firenze, Uffizi (inv. 1890, n. 1055)

ol/tl 50 × 56 1750-53
Triv. 134

Sul verso è la scritta: "Madame Marie-Adélaide de France MDCCLIII" e, secondo C. Gamba (*Un ritratto di Maria Adelaide di Francia*, "D" ottobre 1931, pag. 1241), "Lole Pis de Moriae" (iscrizione peraltro non chiarita dall'autore). Non se ne conosce la provenienza. Liotard ritornò al tema (per cui si veda al n. 44), che era allora di gran moda, in tre riprese (n. 123-125), con lavori probabilmente eseguiti a Parigi verso il 1750, e ispirati sempre a disegni del periodo turco. La versione fiorentina, molto più interessante, è stata scoperta nel 1931 dal Gamba. Lo studioso riteneva che il dipinto provenisse da Parma e che rappresentasse Maria Adelaide di Francia vestita alla turca. L'identificazione sembra però errata: se si confronta il personaggio del museo degli Uffizi col ritratto di Adelaide conservato a Stupinigi si constata che non si tratta dello stesso modello. In questo caso Lio-

123 [Tav. XXVIII]

124

125

tard non ha voluto rappresentare che un tema di genere, come farà poi in più riprese (n. 44 e 126), vestendo di abiti orientali modelli immaginari. D'altra parte non risulta in alcun modo documentata la provenienza del dipinto da Parma, il che avrebbe potuto confermare l'ipotesi di un ritratto di Adelaide di Francia (Catalogo della mostra "L'art français et l'Europe au XVIIe et XVIIIe siècles", 1958, n. 138). L'indicazione nel verso della tela: "Madame Adelaide de France MDCCLIII" non sembra determinante, trattandosi di una scritta non autografa, con tutta probabilità più tarda. Dall'esemplare degli Uffizi derivano le versioni della collezione zurighese (n. 124) e della collezione di Mrs Arthur Erlanger-Luginbühl a Washington (n. 125).

Una copia con l'immagine rovesciata (ol/tl, 56 × 47), probabilmente eseguita da una stampa, e con la scritta in alto a sinistra: "MADAME INFANTE / DUCHESSE DE PARME / 1759", è conservata in una collezione ginevrina, ed è apparsa col nome di Liotard nel catalogo dell'esposizione "Schönheit des 18 Jahrhunderts" (cat. n. 183).

124. GIOVANE DONNA CHE LEGGE, IN COSTUME ORIENTALE. Zurigo, coll. privata

ol/tl 45 × 58 1750-53

Già nella collezione Collinet a Parigi. Si veda anche al n. 123.

125. GIOVANE DONNA CHE LEGGE, IN COSTUME ORIENTALE. Washington, coll. Mrs Arthur Erlanger-Luginbühl

ol/tl 46 × 53,5 Triv. 134 b

Non se ne conosce la provenienza. È possibile che si tratti dell'esemplare che nel 1926 si trovava a Berlino presso van Diemen. Si veda anche al n. 123.

126. PRESUNTO RITRATTO DELLA CONTESSA DI COVENTRY. Ginevra, Musée d'Art et d'Histoire (inv. 1930-2; deposito della fondazione Gottfried Keller, Berna)

p/pr 23,5 × 19 1750 c.
Til. 41 Triv. 105 a

Nel verso, sulla tavoletta di protezione, è scritto a inchiostro: "Mimica pastel peint / Pastel de p^{sse} Darmstat / Jean Etienne Liotard 1749". Già nella collezione F. Turrettini a Ginevra; la fondazione Gottfried Keller di Berna lo ha acquistato nel 1930 dall'eredità di Mme F. Turrettini. Mary, contessa di Coventry, nata Gunning (1732-1760), era la maggiore di tre sorelle che venivano considerate le donne più belle dell'Impero britannico. Nel 1752 sposò William, sesto Earl di Coventry; la coppia si stabilì a Parigi dove la giovane contessa non si trovò affatto bene; tornata a Londra, morì di tisi nel 1760. Il presunto ritratto della contessa, eseguito da Liotard almeno in tre versioni, pone un problema di difficile soluzione: quale degli esemplari riproduce veramente la fisionomia della contessa, dal momento che sembra trattarsi di due modelli assai diversi? Quanto agli accessori, variano anch'essi a seconda delle versioni: un mazzolino di fiori in un vaso cinese, in primo piano a destra, nel pastello di Amsterdam (n. 128); due lettere aperte, gettate sul tappeto, a sinistra, in quello di Ginevra. I personaggi portano lo stesso abito, che è però anche quello della *Giovane donna che legge, in costume orientale* (n. 44, 123-125). Si può dunque concludere che Liotard vestiva i suoi svariati modelli con abiti simili, portati dall'Oriente? L'esemplare di Ginevra reca una scritta che Gielly giudica autografa (*Le portrait de la comtesse de Coventry par J. E. Liotard*, "G", IX, 1931, pagg. 225 segg.); tale scritta proverebbe che il ritratto apparteneva alla principessa di Darmstadt e che fu eseguito nel 1749; in tal caso l'effigiata non potrebbe essere la contessa di Coventry, che aveva allora solo diciott'anni e che arrivò a Parigi nel 1752, lo stesso anno del suo matrimonio. L'autore suppone dunque che Liotard abbia eseguito a Costantinopoli un disegno di Mimica, una giovane levantina, e che lo abbia più tardi utilizzato per questo ritratto. A.-M. Cetto (si veda in Huggler, *Schweizer Malerei und Zeichnungen im 17. und 18. Jahrhundert*, Basel 1944), da parte sua, ritiene di non poter riconoscere con sicurezza i lineamenti di Mimica nella controprova del Louvre; a suo avviso, il pastello raffigurerebbe la principessa di Darmstadt; la data sarebbe stata letta male — 1749 invece che 1745 — e il ritratto sarebbe quello che il margravio Carlo Federico ammirò in casa di Liotard a Ginevra, nel 1775; l'esemplare di Amsterdam rappresenterebbe Mimica e una terza versione, conservata a Swallowfield, la contessa di Coventry. Fosca (1956) si rifà a una comunicazione di P. du Colombier che, riferendosi al lavoro di G. Kircher (*Karoline Luise von Baden als Kunstsammlerin*, Karlsruhe 1933) ritiene che il pastello sia una copia da un originale di Liotard, eseguita dalla stessa margravia; lo studioso suggerisce comunque a sua volta un'interpretazione ancora diversa (pag. 40): "A Costantinopoli Liotard esegue un pastello raffigurante Mimica, che è quello di Amsterdam, e ne conserva un disegno. Nel 1749 esegue una replica di questo pastello, un po' diversa, che è il pastello di Ginevra, e che destina alla margravia; per una ragione qualunque, lo tiene presso di sé. L'iscrizione nel verso sarebbe stata fatta in due tempi: dapprima Liotard avrebbe scritto: 'Mimica pastel peint / Jean Etienne Liotard 1749', e poi avrebbe aggiunto le altre

126 [Tav. XXIX]

due righe: 'Pastel de p Darmstat'. Infine, nel 1752, avrebbe eseguito a Parigi, utilizzando ancora il suo disegno, il ritratto della contessa di Coventry conservato a Swallowfield". In realtà, osservandola da vicino, l'intera scritta sul retro del pastello di Ginevra appare apocrifa e le parole "pastel de p^{sse} Darmstat" e la data sembrano a loro volta essere state aggiunte più tardi da un'altra mano. Quanto a raffigurare la principessa di Darmstadt, allieva di Liotard, da lui ritratta nel 1745, il dipinto non le somiglia affatto. Si può quindi supporre che il pastello di Ginevra e la relativa replica a olio siano stati eseguiti prima del pastello di Amsterdam, probabilmente da un disegno portato dall'Oriente, in quanto l'artista intendeva semplicemente rappresentare una giovane donna in un'attraente cornice orientale. Tale ipotesi può trovare conferma nell'esistenza, da un lato della controprova del Louvre, dall'altro di uno studio di impostazione conservato in una collezione francese. L'esemplare di Amsterdam, dai lineamenti fortemente personalizzati — contrariamente a quello di Ginevra — sarebbe allora il ritratto della contessa di Coventry, e può essere stato eseguito sia a Parigi verso il 1752, sia a Londra, verso il 1754, come pensa Previtali ("Il pastello potrebbe essere stato eseguito a Londra circa il 1754"). L'incisione di Houston, pubblicata quando Liotard era vivo (Houston morì nel 1755), recante la scritta: "The Right Hon.ble Maria Countess of Coventry. J. S^{t}. Liotard pinxit. R. Houston fecit" starebbe a confermare l'ipotesi. Il ritratto detto della "contessa di Coventry" dovette essere famoso già al tempo di Liotard, dal momento che ad esso si ispirarono alcuni contemporanei, e in particolare il pittore George Willison (1745-97) per il *Ritratto di Nancy Persons in abito turco*, della National Gallery di Washington (Fondazione P. Mellon), nel quale riprende non solo il costume utilizzato da Liotard ma anche il divano, la cesta da lavoro e lo specchio, provando in tal modo di essersi rifatto a uno degli originali e non all'incisione di Houston, che si limita alla raffigurazione del personaggio.

L'incisione di Houston "senza accessori" ha avuto numerose copie, tra le quali sembra opportuno includere il pastello della vecchia collezione Fitzhardingue, Crawford, oggi a Swallowfield, catalogato come autografo da Tilanus (n. 40); non sembra però che lo studioso abbia visto il quadro,

127

poiché non ne fornisce alcun particolare, neanche le dimensioni. Un altro esemplare (Ginevra, coll. privata) apparve alla mostra di Liotard a Ginevra nel 1925; si tratta probabilmente del ritrattto della collezione B. Naef a Ginevra. Un esemplare a olio cm. 58,5 × 46,5) passò per la vendita della Christie's a Londra il 16 febbraio 1934 (cat. n. 104) sotto il nome di Zoffany.

127. PRESUNTO RITRATTO DELLA CONTESSA DI COVENTRY. Ginevra, coll. G. Salmanowitz

ol/tl 60,7 × 50,4 1750 c

Già nella collezione F. Turrettini a Ginevra; acquistato da J. Salmanowitz nel 1934. È la replica a olio del pastello di Ginevra (n. 126) con alcune varianti nel costume della modella e nell'ombra relativa alla figura, che risulta spostata.

128. PRESUNTO RITRATTO DELLA CONTESSA DI COVENTRY. Amsterdam, Rijksmuseum (inv. 2941)

p/pr montata su tl 100 × 75
1752-54 Til. 39 Triv. 105

Non compare nell'inventario steso alla morte del pittore, nel 1789; lo si ritrova però nella collezione del figlio maggiore, dove è citato per la prima volta nella lista (1807) dei quadri di Liotard compilata in occasione del fallimento di J. E. Liotard-Crommelin (Trivas). Il pastello fu allora valutato 200 fiorini, che era la cifra più alta dell'inventario. Per via ereditaria passò a Mlle M. A. Liotard di Amsterdam, che nel 1873 lo legò al museo. Si veda, per la discussione critica, al n. 126.

129. MADAME DE POMPADOUR

p 1750 c. Triv. 188

Perduto. Jeanne Antoinette Poisson, marchesa di Pompadour (1721-1764) sposò nel 1741 Lenormand d'Etioles; favorita di Luigi XV, fu protettrice delle arti e delle scienze, ma ebbe un ruolo nefasto nella politica. Nella biografia del pittore scritta dal figlio si trova l'indicazione: "Fece anche quello [il ritratto] di Madame de Pompadour, ma non la coltivò come avrebbe dovuto; la fece aspettare per la consegna del ritratto e questo fu il motivo per cui perdette una protettrice potente che gli avrebbe fatto fare fortuna" ("G", XI, 1933, pag. 199). Dulaure (*Pogonologie ou Histoire philosophique de la Barbe*, Paris 1786) riferisce l'aneddoto citato nel "Magasin Pittoresque": "La marchesa di Pompadour rimase ferita dalla scrupolosa esattezza del no-

128

stro pittore e dandogli 100 luigi in pagamento di un ritratto che le aveva appena fatto disse queste preziose parole, che dovrebbero essere scritte in lettere d'oro nei fasti dei menti barbuti: il vostro merito sta nella barba". Sembra veramente che la marchesa rimanesse poco soddisfatta del ritratto; ella stessa scrisse infatti al fratello, M. de Vendières, il 1° marzo 1750:" Mi guarderò bene dal mandarvi i miei ritratti fatti da Liotard, ma vi voglio mandare la copia di uno fatto da Boucher, che è delizioso e che sta per essere terminato" (*Correspondance de Madame de Pompadour avec son père, M. Poisson et son frère M. de Vendières*, a cura di M. A. Poulet Malassis, Paris 1878, pag. 37); il 26 aprile dello stesso anno aggiungeva (pag. 50): "Vi mando la copia del mio ritratto fatto da Boucher; è molto somigliante all'originale, poco a me; tuttavia è abbastanza piacevole. Sto facendo copiare quello di Liotard. Non so se sarà possibile farne qualcosa di buono"

Nella collezione Lugt a Parigi, all'Institut Néerlandais, si trova un disegno di Liotard (sanguigna e lapis nero su pergamena, cm 8,2 × 6,4; foto 129[1]), considerato un presunto ritratto di Madame de Pompadour; proviene dalla collezione del barone B. d'Hendecourt (vendita Sotheby a Londra, 8-10 maggio 1929, cat. n. 226). Nel catalogo della collezione di dipinti di Liotard (Parigi 1771) figurano, al n. 92, cinque miniature fra cui "due teste della marchesa di Pompadour. Di Liotard".

129¹

136 [Tav. XXX]

137

138 [Tav. XXXI]

139

150

152

153

102

130. MARIVAUX

p 1750 c.

Perduto. Già nella collezione di H. Walpole, il quale scriveva nel maggio 1753: "È arrivato il pittore Liotard e m'ha portato il ritratto di Marivaux che dà un'idea ben diversa da quella che ci si può fare dell'autore di 'Marianne'; si dice che la somiglianza sia perfetta. L'espressione di questa persona ha a un tempo del buffone e dell'uomo di basso rango".

131. CRÉBILLON

p 1750-52 c.

Perduto. Già nella collezione di H. Walpole, che in una lettera datata 27 luglio 1752 scriveva (*Lettres d'H. W.*, Londres 1861, II, pag. 205): "Conoscete la mia passione per gli scritti di Crébillon il giovane; capirete quindi quale mortificazione mi ha causato la scoperta di una meschinità da lui commessa. Avevo chiesto a Lady Mary [du Deffand, celebre per il suo frequentato salotto parigino] di destinare trenta ghinee a un'opera di Liotard, poiché desideravo riuscire ad avere i ritratti di Crébillon e di Marivaux per la mia raccolta. M. Churchill, allora a Parigi, mi scrisse che il prezzo che Liotard chiedeva era di sedici ghinee; che Marivaux, intimo del pittore, avrebbe posato sicuramente e avrebbe ottenuto da Crébillon, a Parigi per un mese, che posasse a sua volta. M. Churchill andò da quest'ultimo e gli disse che un gentiluomo inglese sarebbe stato felice di avere il suo ritratto. Crébillon fece professione di umiltà, si dichiarò

indegno, lusingato ecc., e posò. Il ritratto era finito quando — stupite! — Crébillon scrisse a M. Churchill che pretendeva di riceverne una copia, né più né meno, e reclamava sedici ghinee per le pose nello studio del pittore". Walpole aggiungeva nel maggio 1753: "Vi ho raccontato la disavventura che ho avuto con Crébillon... Credereste che ha avuto l'insensatezza e la villania di tenere per sé il ritratto".

132. TESTA PER L'ACCADEMIA

p 1751 c.

Perduto. Esposto all'Académie de Saint-Luc a Parigi nel 1751 (cat. n. 79).

133. FIGURA TURCA

p 1751 c.

Perduto. Esposto all'Académie de Saint-Luc a Parigi nel 1751 (cat. n. 80).

134. GEORGE WALPOLE

p (?) 1751

Citato da Tilanus (1897, pag. 207) tra le opere scomparse.

135. TESTA DI VECCHIO

p 31 × 23 1750-53 (?) Til. 93

Perduto. Già a Le Havre, nella collezione Ch. Vignier (1897). Menzionato come n. 5 nelle carte Charles Vignier conservate nel museo di Ginevra.

136. DAVID GARRICK. Chatsworth, coll. duca di Devonshire

137. EVA MARIA GARRICK.

Chatsworth, coll. duca di Devonshire

p 58,2.× 48 1751 Triv. 143

Stessa provenienza del n. 136, di cui sembra essere il *pendant*. I due dipinti devono essere stati dipinti entrambi a Parigi nella primavera del 1751, quando Garrick e la moglie soggiornarono nella capitale francese. Fosca (1965) rivela tuttavia che il diario di Garrick cita solo il ritratto dell'attore e non fa alcuna allusione a quello della moglie e aggiunge: "ci si può quindi chiedere se il ritratto di Mrs. Garrick non sia stato dipinto a Londra, quando Liotard vi soggiornò a partire dal 1753". Nessun documento conferma o smentisce tale ipotesi.

H. Walpole cita i due ritratti nei suoi *Journals of Visits to Country Seats* ("Walpole Society", XVI, pag. 23), descrivendo la villa di Chiswick verso il 1760, quando apparteneva a Richard Boyle, terzo Earl of Burlington: nella *dressing room*, "Mr e Mrs Garrick di Liotard, a pastello".

138. RITRATTO D'UOMO SEDUTO ALLA SCRIVANIA. Vienna, Schöbrunn (inv. AC 55013)

p/cr incollata su tl 81 × 107 f d 1752 Triv. 74

Nel *Traité* di Liotard (règle IX, pagg. 57-58) si legge: "Ho dipinto il *pendant* di questo quadro (n. 164); è un giovane uomo davanti a un tavolo nell'atto di scrivere una lettera: un domestico sta portando un piccolo candeliere e tiene la mano davanti alla candela accesa, di cui si scorge la luce attraverso le sue dita; gli accessori e tutti gli oggetti del quadro sono molto rifiniti, e dello stesso effetto e rilievo dell'altro quadro; appartiene all'imperatore, ed era nel gabinetto della defunta maestà la regina imperatrice". Il pastello fece parte delle collezioni del museo del Belvedere a Vienna dove fu arbitrariamente datato al 1761 da von Mechel (Catalogo, 1783): considerato come "scomparso" da Tilanus (1897). Trivas, basandosi sul titolo del volume posato sul tavolo, *L'art d'aimer et de plaire*, ha ritenuto di indentificarlo con un ritratto del poeta erotico Pierre-Joseph Bernard, autore dell'*Art d'aimer*, che in realtà fu pubblicata solo dopo la sua morte, nel 1775. Stando a una lettera scritta da Liotard a François Tronchin a Vienna il 9 maggio 1778, il ritratto sarebbe quello del nipote dell'artista Lavergne; infatti, riferendo di un incontro avuto con l'imperatrice Maria Teresa, Liotard scrive: "Mercoledi scorso ho visto l'imperatrice e le ho parlato per tre quarti d'ora proponendole di far venire i miei quadri di fiori e qualcuna delle mie opere per collocarle al Belvedere e Credereste mi disse, che ho proposto di sistemarvi Madame Necker e mio nipote Lavergne che scrive una lettera (di cui forse vi ricordate) e che il pittore Rosa, che ha la direzione e provvede alla collocazione dei dipinti, li ha rifiutati, col pretesto di non so che, e perché avevano delle manchevolezze nel disegno. Ora, questi due quadri sono alla pari di quello di Vostra moglie (n. 228), e

oso dire che sarebbero piaciuti a tutti più di qualunque altro, mentre nelle stanze dell'imperatrice nessuno li vede" (BPU, archivi Tronchin 191).

139. CONTE WENZEL ANTON KAUNITZ, FUTURO PRINCIPE VON KAUNITZ RITTBERG. Basilea, coll. Christophe Bernouilli

p 61 × 50 1752 c.

Già nella collezione di Louis Dunki fino agli anni intorno al 1940, data in cui venne acquistato dall'attuale proprietario. L'effigiato, uomo politico austriaco (1711-1794), che negozio la pace di Aix-La Chapelle nel 1748, poi ambasciatore a Parigi dal 1750 al '52, fu nominato cancelliere di Stato nel 1763. Il ritratto venne verosimilmente eseguito a Parigi nel 1752. Per l'iconografia del personaggio si vedano anche i n. 256 e 257.

140. LUISA ENRICHETTA DI BORBONE-CONTI, DUCHESSA D'ORLÉANS

p (?) 1752 c.

Perduto. Citato dai biografi di Liotard: Baud-Bovy (1903) e Fosca (1928), senza altri ragguagli.

141. IL SIGNOR DI S.

p 1752 c.

Perduto. Apparso all'esposizione dell'Académie de Saint-Luc a Parigi, 1752 (cat. n. 66). Citato da Bellier de la Chavignerie e Auvray (1882, I, pag. 1049).

142. IL MARESCIALLO D.E.F.

p 1752 c. Triv. 107

Perduto. Esposto all'Académie de Saint-Luc a Parigi nel 1752 (cat. n. 65). Considerato "scomparso" da Tilanus (1897) e Trivas (ms. MAH).

143. IL MARCHESE DI S.

p 1752 c.

Perduto. Apparso all'esposizione dell'Académie de Saint-Luc a Parigi, 1752 (cat. n. 67). Citato da Bellier de la Chavignerie e Auvray (1882, I, pag. 1049).

144. LA SIGNORINA PAULLY

p (?) 1752 c. Triv. 185

Perduto. Esposto all'Académie de Saint-Luc nel 1752 (cat. n. 68). Citato nella recensione della mostra apparsa nel "Journal économique" 1752: "Quelli che hanno meritato di più i consensi del pubblico sono : Liotard; i pezzi principali erano [...] il ritratto della signorina de Paully".

145. SIGNORA CHE PRENDE LA CIOCCOLATA

ol 94 × 57 1752 c. (?) Til. 112 (aggiunte)

Descritto da Tilanus: "Signora anziana seduta; abito a fiorellini corpino scollato; pettinatura incipriata, ornata di fiori. Su un piccolo tavolo Luigi XV, una tazza piena di cioccolato, una zuccheriera e una scatola di cuoio chiusa". Secondo lo studioso (1897) il pezzo proviene dalla collezione van Bogaerde, nel castello Heeswijk (Paesi

150. [testo non visibile]

152. [testo non visibile]

153. [testo non visibile]

p 59,2 × 48,4 1751 Triv. 142

Proviene dalla collezione di R. Boyle, terzo Earl of Burlington (1760), della famiglia dei duchi di Devonshire, fervido ammiratore di Garrick. David Garrick (1717-1779) fu l'attore più celebre del suo tempo. Nel 1749 sposò Eva Maria Veigel, una ballerina tedesca. Lo stesso Garrick notava nel suo Diario, durante il soggiorno parigino, (*Diary of Garrick being a record of the trip to Paris in 1751...*, New York 1928), le sedute da lui fatte nello studio di Liotard: "Giovedì 13 giugno. Andato a vedere i dipinti di Leotarde [*sic*] che sono davvero molto somiglianti, andato in serata da L. Connbury [...] Venerdì 14 giugno. Seduta per il mio ritratto [...] Sabato 15 giugno. Altra seduta per il dipinto, cena da Leotard [*sic*], un uomo davvero di molto buon senso e privo di affezione, solo un po' vanitoso come sono tutti costoro [...] Lunedì 17 giugno. Altra seduta per il mio ritratto". Inciso alla maniera nera da J. Mac Ardell con la scritta: "O. Garrick Esq. done from the original picture painted at Paris 1751. Liotard pinxit. J. Mac Ardell fecit, sold by Ardell" (Til., inc. 50) Per l'iconografia del personaggio si veda anche il n. 307. Una copia di un ritratto di Garrick eseguito da Liotard figura, come n. 99 nel catalogo del suo gabinetto di dipinti (Parigi 1771): "Un ritratto di Garrick, famoso commediante Inglese, copia da Liotard".

Bassi) e nel 1897 si trovava presso F. Muller e C. ad Amsterdam. È forse identificabile col n. 263 dell'esposizione dell'Académie de Saint-Luc a Parigi nel 1752.

146. LA SIGNORINA JAQUET

p (?) 1752 c. Triv. 153

Perduto. Appare all'esposizione dell'Académie de Saint-Luc, a Parigi nel 1752 (cat. n. 70). Era in proprietà dell'effigiata, ad Aix: "In casa di Dlle Jaquet, cantante, il suo ritratto fatto da Liotard, molto bello" (*Voyage dans le Midi de la France en 1769. François Tronchin, manuscrit autographe inédit*; BPU, archivi Tronchin 196).

147. TESTA DI VERGINE

p 1752 c.

Perduto. Esposto all'Académie de Saint-Luc a Parigi nel 1752 (cat. n. 71). Citato nella recensione sul Salon apparsa nel "Journal économique": "Quelli che hanno meritato di più i consensi del pubblico sono: Liotard, i cui pezzi principali erano una testa di Vergine...".

Secondo Jan Lauts (*I. E. Liotard und seine Schulerin Markgräfin Karoline Luise von Baden*, "JBW", 14, 1977, pag. 53) un'altra versione del pastello apparteneva, già nel 1745-46, alla margravia di Bade. Figura nell'inventario della sua collezione nel 1784 (n. 7). A opinione dello studioso, l'opera fu copiata da Carolina Luisa di Baden; l'autore cita, a sostegno, una lettera della contessa Bentinck, che scrive da Vienna il 27 dicembre 1758: "questo bel capolavoro di vostra mano, questa superba testa della Vergine che sembra fatta per essere posata nel Gabinetto di una Santa incoronata" (allusione a Maria Teresa d'Austria).

148. LITIGIO PER DEI "MARRONS"

p 1752 c.

Perduto. Esposto all'Académie de Saint-Luc a Parigi nel 1752 (cat. n. 73).

149. IL SIGNOR DI ***

p 1750-53

Perduto. Esposto all'Académie de Saint-Luc a Parigi nel 1753.

150. JACQUES DE CHAPEAUROUGE. Ginevra, coll. privata

p/pr 50×40 1753 c. Til. 73 Triv. 288

È sempre rimasto nella famiglia dell'effigiato. Jacques de Chapeaurouge, nato a Ginevra nel 1744, visse ad Amburgo; il figlio Corneille-Guillaume, negoziante come lui, tornò a Ginevra. La figlia di quest'ultimo, Jeanne, morta nel 1883, sposò nel 1818 Jean-François Frédéric de Stoutz (1786-1871), giudice nel tribunale di Commercio. Il giovane Jacques de Chapeaurouge, con un abito di stile Luigi XV e col tricorno, dimostra qui una decina d'anni; è quindi probabile che Liotard abbia eseguito il dipinto verso il 1753, prima di partire per l'Inghilterra. Citato col titolo "*Infant de Mr de Stoutz*" da Tilanus (1897).

151. THOMAS ALCOCK

ol/tv 30,5×25,5 1753-54

Già nella collezione A. Goodey a Londra; si tratta probabilmente del ritratto passato per una vendita della Parke Bernet il 3 maggio 1972 (lotto 61), proveniente dalla collezione Cranbrook. Thomas Alcock (1709-1798) era uno scrittore e teologo inglese. Il dipinto fu eseguito durante il soggiorno londinese di Liotard, verso il 1753-54.

152. MISS BACON. Raveningham Hall (Norfolk), coll. Sir Edmund Bacon

p 54,6×41,3 1753-54

Reca sul verso la scritta: "Miss Bacon"; si tratta probabilmente di una delle quattro figlie del sesto baronetto, che si sposò nel 1712 e la cui moglie morì nel 1727. Acquistato a una vendita della fine dell'Ottocento dal padre dell'attuale proprietario. Venne verosimilmente eseguito in Inghilterra tra il 1753 e il '54, durante il primo soggiorno di Liotard a Londra.

153. LADY MARY CARR. Raby Castle, coll. Lord Barnard

p 58,5×44,5 1753-54

Lady Mary era la figlia (probabilmente la seconda) dell'Earl of Darlington, che sposò nel 1725 Lady Grace Fitzroy; Mary sposò nel 1752 Ralph Carr di Cocken (Durham), e morì nel 1781. Come il n. 152, è stato probabilmente eseguito durante il primo soggiorno di Liotard a Londra, verso il 1753-54.

154. JOSEPH SPENCE. Hilterfingen, coll. P. Leonhard Ganz

p 59×46 1753-54

Già nella collezione dell'Earl Spencer; vendita N. Fischmann, Londra 1937. L'effigiato Joseph Spence (1699-1768), era un famoso scrittore, autore di "Anecdotes", professore di letteratura e storia a Oxford. Il ritratto fu eseguito probabilmente in Inghilterra durante il primo soggiorno di Liotard, tra il 1753 e il '54.

155. LADY MARIA BEAUCLERK, POI LADY SPENCER. Londra, coll. duca di St. Albans

p 62,8×50,2 1754

L'effigiata (nata poco dopo il 1736, morta nel 1812) era la figlia del primo Lord Vere, sorella del primo duca di Saint Albans, e pronipote di Carlo II e di Eleanor Gwynn; sposò nel 1762 Lord Charles Spencer, figlio del terzo duca di Marlborough. Eseguito in Inghilterra al tempo del primo soggiorno di Liotard, verso il 1754.

Nella collezione dell'Earl Spencer ad Althorp si trovava una miniatura raffigurante lo stesso personaggio, firmata e datata 1754.

156. RITRATTO DI UN GIOVANE

p 1753-54

Già a Oxford, Stanton Saint John, nella collezione di Mrs. C. Gore, imparentata con la famiglia Bessborough. Apparteneva alla collezione di Lord

154

155

158

159

160

161

162¹ / 163

Bessborough; vendita Bessborough a Londra, Christie's, 1° aprile 1848. Descritto da Fosca (1956, pag. 62), sulla base di una comunicazione di Lord Bessborough: "Busto di un giovane dai capelli rossi, con gli occhi rivolti a destra. Vestito di un abito verde. Regge un mantello color pomodoro". Eseguito probabilmente, con il *pendant*, n. 157, a Londra durante il primo soggiorno di Liotard nella città inglese, cioè verso il 1753-54.

157. RITRATTO DI UNA GIOVANE

p 1753-54

Già a Oxford, Stanton Saint John, nella collezione di Mrs. C. Gore. Proviene dalla collezione di Lord Bessborough; venduto a Londra il 1° aprile 1848 attraverso la Christie's, col *pendant*, n. 156. Descritto da Fosca (1956, pag. 62): "Giovane donna in abito scollato, i cui capelli lievemente incipriati sono ornati con un mazzolino di fiori; sulle braccia ha uno scialle color pomodoro". Eseguito probabilmente a Londra verso il 1753-54.

158. PIERRE-PHILIPPE CANNAC. Saint-Légier sur Vevey, coll. Grand d'Hauteville

p/cr incollata su tl 83×64 1754 Triv. 96

Eseguito con tutta probabilità verso il 1754 a Lione, città in cui il barone Cannac passava regolarmente l'inverno — durante un soggiorno di Liotard presso la nipote Lavergne (si veda il n. 164). Per l'iconografia del personaggio si veda anche al n. 9.

159. CONTESSA ALICIA MARIA D'EGREMONT. Petworth, coll. Earl of Leconfield

p/cr 68,6×54 1754 Triv. 111

Alicia Maria Carpenter (1729-1794) era figlia di George, 2° barone Carpenter; nel 1750 sposò Charles, secondo Earl d'Egremont, di cui il proprietario attuale è il discendente. Il dipinto fu eseguito a Londra verso il 1754, durante il primo soggiorno inglese di Liotard. Per l'iconografia del personaggio si veda il ritratto di Gainsborough conservato nella stessa collezione.

Secondo Trivas (ms. MAH) nella collezione di Petworth si trova una copia (ol/tl, cm. 73×57,5) recante al verso la scritta: "Alicia Maria Carpenter Countess of Egremont Ps pinxt Petworth 1799 — face after Liotard".

160. PRESUNTO RITRATTO DI SIR EVERARD FAWKNER. Londra, Victoria and Albert Museum (inv. 500)

p/cr 39×33,6 1754 c. Til. 50 Triv. 118

Acquistato dal museo nel 1860. Liotard conobbe Everard Fawkner (1684-1758) quando questi era ambasciatore di Gran Bretagna a Costantinopoli. Ma come ha giustamente osservato Fosca (1956), tornando sulla datazione attorno al 1774 da lui avanzata nel 1928, il pastello in esame, trattato a mo' di busto antico, non poté essere eseguito che durante il primo soggiorno inglese dell'artista, cioè verso il 1754, stando all'età del

modello. Venne esposto alla Royal Academy di Londra nel 1773 e nel '74. (Si veda anche al n. 161).

Da note manoscritte conservate negli archivi del museo londinese risulta che una copia antica del pastello appartiene alla collezione dell'Earl of Radnor a Longford Castle (si veda al n. 50).

161. PRESUNTO RITRATTO DI MARY FAWKNER. Londra, coll. P. Samuel

p 73,6×58,8 1754 c. Triv. 119

Già nella collezione Waldegrave; venduto presso la Christie's a Londra, il 14 maggio 1920 (cat. n. 100); poi nella collezione del visconte Bearsted a Londra. L'identità dell'effigiata non è certa; al ritratto sono infatti stati dati due nomi; quello di una persona della famiglia Foley e quello di Lady Fawkner. Nessuno dei due risulta però storicamente giustificato. L'affermazione di Lady Manners (*New light on Liotard*, "C" 1933, pag. 301), secondo la quale si tratterebbe di un ritratto di Lady Fawkner eseguito a Costantinopoli tra il 1738 e il '42, è inaccettabile, poiché la nobildonna inglese si sposò solo nel 1747. Il ritratto fu esposto nel 1935 a Londra, al Burlington Fine Art Club (cat. n. 39) col titolo: "Ritratto di dama, probabilmente della famiglia Foley"; la data d'esecuzione non era precisata. Se si tratta di Lady Fawkner, deve essere stato dipinto in Inghilterra verso il 1754, come il ritratto del marito, Sir E. Fawkner (n. 160).

162. HENRY FOX, POI PRIMO LORD HOLLAND

p 1754 Triv. 125

Perduto. Noto attraverso due incisioni: quella (foto 162¹) di J. M. Ardell (Til., inc. 48) che reca la scritta: "Liotard pinxit 1754, Js Ms Ardell fecit — The righ Honourable Henry Fox Esqr, Secretary of State. From an original in the possession of the Honble Horace Walpole"; e quella di S. Harding. Era incluso nella vendita della collezione Walpole a Strawberry

164

165

166 [Tav. XXXIII]

167 [Tav. XXXII]

168 [Tav. XXXIV]

169

170

171

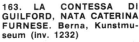

172

173 [Tav. XXXV]

Hill il 25 aprile 1842 (cat. n. 74). Menzionato da Horace Walpole (*A description of the Villa of Mr. Horace Walpole... at Strawberry-Hill...*, Strawberry-Hill 1784, ristampa 1964, pag. 50): "Henry Fox lord Holland di Liotard". Henry Fox (1705-1774) era un uomo politico inglese, sostenitore di Sir Robert Walpole, ministro dal 1746, segretario di Stato nel 1755, creato barone Holland nel 1763. Secondo Fosca (1956, pag. 59), il ritratto della collezione di H. Walpole sarebbe non già un pastello ma un disegno a matita; lo studioso sembra non aver avuto conoscenza dell'incisione, la cui leggenda indica chiaramente: "Liotard fecit" e non "delineavit".

163. LA CONTESSA DI GUILFORD, NATA CATERINA FURNESE. Berna, Kunstmuseum (inv. 1232)

p/pr 50 × 48,5 f d 1754
Triv. 147

Al verso, su una vecchia etichetta incollata sul pannello di protezione, è la scritta autografa: "Katherine Countess of Guilford Wife to Francis Earl of Guilford, one of the daughters Coheirs of Sr Robert Furness of Waldershare in Kent, Bart.: 1754 Liotard P". L'effigiata sposò dapprima l'Earl of Rockingham, poi, rimasta vedova, nel 1751 Francis North, primo Earl of Guilford; morì nel 1766. Il dipinto, eseguito a Londra dove Liotard era arrivato nel 1753, rimase nella famiglia North a Wroxton Abbey sino al 1933, quando fu acquistato da V. H. Langton Douglas; entrato nelle collezioni del museo di Berna nel 1933.

164. LA COLAZIONE DELLE SIGNORINE LAVERGNE. Londra, coll. Major R.J. Pinto

p 80 × 100 f d 1754
Triv. 159

È firmato e datato sul foglio di musica: "Liotard f. Lion 1754", ma sembra che tale indicazione sia sfuggita ai biografi dell'artista: infatti, Trivas (ms. MAH) data il pastello "verso il 1750" e Previtali (1966) al 1748, dubbiosamente; Tilanus

lo considera scomparso. Citato da Liotard nel *Traité* (règle IX, pag. 57). "Lo stesso lord [Bessborough] possiede inoltre un quadro che ho dipinto a pastello, raffigurante la colazione di una signora davanti a un tavolo, che con una mano porge una tazza di caffè-latte alla figlia e con l'altra regge il bricco del latte; le due giovani e tutti gli accessori hanno tutto il rilievo possibile; ne ho fatto una copia a olio, che ho presso di me" (si veda al n. 138). L'opera fece parte della collezione di William, secondo Earl of Bessborough e amico di Liotard. Tale indicazione si trova già nel "Museo Fiorentino" nel 1763. Si tratta probabilmente della "colazione" esposta nel 1774 alla Royal Academy di Londra. Ulteriori passaggi: vendita della collezione del terzo Earl of Bessborough, il 7 febbraio 1801 presso la Christie's (lotto n. 75); fu allora acquistata dal duca di Saint-Albans. Venduta nuovamente presso la Christie's il 19 marzo 1835 (lotto n. 51), a Edward Greene; passò nella collezione di Mrs. Golding Palmer a Stratford St. Mary; venduta il 28 luglio 1916 presso la Christie's (cat. n. 5) passò a Asher Wertheimer che la rivendette a Eugène Pinto nell'ottobre 1918. Secondo una tradizione non documentata, la giovane donna raffigurata è una figlia di François Lavergne, che aveva sposato Sarah Liotard, sorella dell'artista; la ragazzina è la nipote Clarence. Previtali (1966) ritiene che possa trattarsi di Mme Lavergne Liotard e della figlia, il che risulta impossibile data l'età della mo-

della che avrebbe avuto allora più di sessant'anni.

165. LA COLAZIONE DELLE SIGNORINE LAVERGNE

ol/tl 80 × 100 1754
Til. 111 Triv. 159 A

Già a Parigi nella collezione del barone Edmond de Rothschild. È una replica a olio dal pastello precedente (n. 164). Liotard scrive nel suo *Traité* (règle VII, pag. 48): "Nella mia raccolta di dipinti a Ginevra ho un quadro di mia composizione; rappresenta una dama che ha davanti un vassoio cinese, e che sta porgendo una tazza di caffè alla figlia, sulle tazze, sul vassoio e sulla caffettiera c'è spessore di colore, non però a tocco, per meglio esprimere la lucentezza di tali oggetti e per farli risaltare di più; ho pertanto l'ardire di credere che in questo quadro i differenti oggetti abbiano appieno il vigore e il risalto di cui la pittura è capace, dato che ciascuno di essi è estremamente rifinito e senza alcun tocco". Citato nella lettera scritta da Liotard il 4 giugno 1782 (BPU, Ms. fr. 354) tra i dipinti portati a Confignon; figurava nella vendita Liotard il 15 aprile 1774 (cat. n. 76; invenduto); è forse identificabile col n. 118 dell'inventario steso alla morte dell'artista, nel 1789; "Uno di Mlle Lavergne", 1530 *livres* (AEG, Jur. civ. F. n. 812). Appartenne alla collezione di Marie Anne Liotard, figlia minore del pittore e di I.E. Liotard-Crommelin, di Mlle A. M. Liotard ad Amsterdam; venduto dagli eredi di quest'ultima a Gauchez di Bru-

xelles, è stato acquistato dal barone E. de Rothschild a Parigi. Secondo R. Armstrong (Fosca 1956, pag. 64), nel 1956 apparteneva a James de Rothschild.

Nel Rijksmuseum dell'Aia si conserva la foto di una copia del dipinto, priva di indicazione sulla provenienza.

166. LA PRIMA COLAZIONE (DOMESTICA CHE SERVE A UNA GIOVANE UNA TAZZA DI CIOCCOLATA). Monaco, Alte Pinakothek (deposito permanente della Bayerische Hypotheken und Wechsel-Bank)

p 64,5 × 52 1754 Triv. 264

Dalla collezione di Lord Harrington venduto presso Christie's a Londra nel 1786; acquistato da Lord Sefton; collezione Earl of Sefton, Croxteth presso Liverpool; passato alla vendita Christie's a Londra, il 19 settembre 1973. Presenta analogie con la *Bella cioccolataia* (n. 76) (nella domestica a sinistra qualcuno ha voluto riconoscere la stessa modella del pastello di Dresda) e secondo Previtali (1966) è possibile che sia stato dipinto a Vienna "tra il 1743 e il 1745". Tale affermazione sembra però inesatta: la stesura stessa, la composizione, l'interpretazione dei valori pittorici, la sottigliezza del colore, permettono di accostare l'opera alla *Colazione delle signorine Lavergne* (n. 165), del 1754, e di collocarla nello stesso periodo; la stessa datazione viene fornita anche da Fosca (1956). La presenza del pastello nella collezione di Lord Harrington già prima del 1786

e il fatto che sia citato da Horace Walpole: "Una dama a colazione e la sua domestica" (*Anecdotes of Painting*, III, pag. 748) costituiscono argomenti a conferma di tale cronologia nonché dell'esecuzione del dipinto in Inghilterra. F. Davis (*The ubiquitous chocolate Girl*, "Country Life", 24 febbraio 1947) pensa a ragione che il pastello sia stato tagliato; lo stesso studioso, poi, confrontandolo col *Ritratto di Maria Giuseppina di Sassonia* (n. 118) di Liotard, sostiene trattarsi dello stesso personaggio.

167. SIMON LUTTREL OF LUTTRELSTOWN IN COSTUME ORIENTALE. Berna, Kunstmuseum (inv. 1402)

ol/tl 83 × 63 1754 Triv. 166

Proviene dalla famiglia Luttrel che lo vendette al museo di Berna nel 1934. Simon Luttrel of Luttrelstown (1713-1787) fu membro del parlamento; nel 1768 fu nominato barone Irnham, nel 1780 visconte Carlhampton e nel 1785 Earl of Carlhampton. Fu membro della "Society of Dilettanti". Il dipinto venne probabilmente eseguito a Londra verso il 1754 e non a Costantinopoli verso il 1740, come suppone Fosca (1956); la datazione al 1754 è confermata da Trivas (*London Society portrayed by Liotard*, "C" 1937, pag. 32). Liotard, sacrificando al gusto orientaleggiante del suo tempo, ha vestito il modello con uno degli splendidi costumi orientali che portava sempre con sé nei suoi bauli attraverso l'Europa.

168. PRESUNTO RITRATTO DI LADY CAROLINE RUSSEL, POI DUCHESSA DI MARLBOROUGH. Amsterdam, Rijksmuseum (inv. 1942)

p/pv 58 × 44,5 1754 c.
Til. 56 Triv. 169

Sul verso reca l'annotazione: "La duchesse de Marlborough dans sa jeunesse par Liotard". Citato nell'inventario dei beni di Liotard (1790) come n. 155; legato a J.E. Liotard-Crommelin, Amsterdam; legato da Mlle A. Liotard al museo di Amsterdam nel 1873 (*All the paintings of the Rijksmuseum in Amsterdam...*, Amsterdam 1976, pag. 793, n. A 241). La presunta effigiata, Lady Caroline Russel (nata poco dopo il 1737, morta nel 1811), figlia del quarto duca di Bedford, sposò George, quarto duca di Marlborough, nel 1762. Il ritratto venne eseguito a Londra verso il 1754.

169. WILLIAM PONSONBY, SECONDO EARL OF BESSBOROUGH. Welbeck Abbey (Ollerton), coll. duca di Portland

p/pr 62 × 49,5 1754
Til. 27 Triv. 78 a

Eseguito a Londra verso il 1754, al tempo del primo soggiorno inglese di Liotard, il pastello è trattato a imitazione di un cammeo e il personaggio raffigurato, amatore e collezionista di marmi antichi, è presentato come un senatore romano. Trivas (ms. MAH) segnala che, secondo il catalogo di Welbeck Abbey (1861), il pastello reca al verso una etichetta con l'indicazione:

"When H. R. H. The Princess Amelia Dyes, this Picture is to be given to the Duke of Portland" (Amelia, per cui si veda al n. 306, morì nel 1786). Per l'iconografia del personaggio si vedano anche i n. 48 e 170

174

175

177

177¹

176

178

179

180

181

182

183 [Tav. XXXVI]

184 [Tav. XXXVII]

170. WILLIAM PONSONBY, SECONDO EARL OF BESSBOROUGH. Amsterdam, Rijksmuseum (inv. 2935)

p/pv 60 × 48 1754 c.
Til. 27 Triv. 78.

Sul verso reca l'annotazione, di mano del figlio dell'artista: "Milord Bessborough ami de & peint par Liotard". Liotard, come fa in vari casi, esegue un secondo esemplare del ritratto, che conserva presso di sé. Citato nell'inventario steso alla morte di Liotard, nel 1789, al n. 190 (AEG, Jur. civ. F. n. 812); per successivi passaggi ereditari appartenne a M. Liotard, a J.E. Liotard-Crommelin, a Mlle M.A. Liotard di Amsterdam, che lo legò al museo nel 1873 (All the paintings of the Rijksmuseum in Amsterdam..., Amsterdam 1976, pag. 792, n. A 237). Per l'iconografia del personaggio si vedano anche i n. 48 e 169.

171. PRESUNTO RITRATTO DI EDWARD TUCKER

p/pr 65,5 × 50,5 1754 c.
Triv. 229

Già a Cham, vicino a Zoug, nella collezione R. Naville. Figurò in una vendita anonima della Christie's il 4 luglio 1930. (cat. n. 149); poi nella collezione Sauty a Losanna. L'effigiato, Edward Tucker, sposò nel 1764 Radigan Lisle; membro dell'"Hell Fire Club", era noto col nomignolo di "Hell Fire Jack". Il dipinto venne eseguito a Londra verso il 1754, al tempo del primo soggiorno di Liotard.

172. SCONOSCIUTA CHE SCRIVE VERSI

p 72,5 × 58,4 1754 c.
Triv. 262

Già nella collezione di Lord Ravensworth che fu venduta presso la Christie's di Londra l'8 aprile 1921, lotto 23. Sul foglio di carta si può leggere: "In thy right hand bring with thee / The mountain Nymph sweet Liberty". Eseguito probabilmente a Londra, verso il 1754.

173. SCONOSCIUTA CON PELLEGRINA BLU. Chatsworth, coll. duca di Devonshire (inv. 134)

p 57,6 × 48 1754 c.

Probabilmente eseguito a Londra verso il 1754, al tempo del primo soggiorno di Liotard in Inghilterra.

174. AUGUSTA, PRINCIPESSA DI GALLES. Windsor Castle, collezioni reali (inv. 1040)

p/cr 64,8 × 51,4 1754-55
Triv. 29

Augusta, principessa di Galles (1719-1792), era figlia del duca Federico II di Gotha-Altenburg; nel 1736 sposò Federico Luigi, principe di Galles. I ritratti di Augusta, principessa di Galles, e della sua famiglia, furono iniziati da Liotard nel 1754 e terminati probabilmente nel 1755. O. Millar (The Tudor and Early Georgian Pictures in the collection of her Majesty the Queen, London 1963, n. 578) cita la testimonianza di George Bubb Doddington che scriveva nel suo diario, in data 14 febbraio 1754, di essere in attesa della principessa Augusta "che stava posando per Leotardi [sic] per il ritratto. Solo Lady Augusta era con lei". Il 15 agosto 1755 Liotard inviava un conto alla principessa vedova: "Nota per S.A. Reale Mme la Principessa di Galles dei ritratti che le ha consegnato Mr Liotard / 4 ritratti a pastello con cornici e vetri Ghinee 8 / 3 ritratti in miniatura / per una grande cornice con vetro per il ritratto del principe defunto 5½" (Archivi di Windsor, W.R.A., Geo 55448).

175. FEDERICO LUIGI, PRINCIPE DI GALLES. Windsor Castle, collezioni reali (inv. 1039)

p/pv 67,9 × 55,2 1754-55
Triv. 28

Federico Luigi, principe di Galles (1707-1751) era figlio di Giorgio II d'Inghilterra e padre di Giorgio III; morì prima di salire al trono. Il pastello è un ritratto postumo eseguito da un dipinto databile al 1740-45 (Millar, n. 579; ma si veda anche n. 628). Secondo Trivas (Liotard's Portraits of Frederick Lewis, Prince of Wales, and His Family, "BM", 68, 1936, pag. 117), il ritratto in esame e quello della principessa Augusta (si veda qui di seguito) erano stati erroneamente attribuiti a G. Knapton.

176. LA PRINCIPESSA AUGUSTA. Windsor Castle, collezioni reali (inv. 2471)

p/pv 39,4 × 30,5 1754
Triv. 30

La principessa Augusta (1737-1813) era la figlia maggiore del principe di Galles Federico Luigi; nel 1764 sposò il duca Ch. W. F. di Brunswick-Wolfenbüttel. (Si veda anche Millar, n. 580.)

177. GIORGIO, PRINCIPE DI GALLES, FUTURO GIORGIO III. Windsor Castle, collezioni reali (inv. 2470)

p/pv 40,6 × 29,8 1754
Triv. 31

L'effigiato (1738-1820) era il figlio maggiore del principe di Galles; nel 1760 divenne re d'Inghilterra col nome di Giorgio III; nel 1761 sposò Sofia Carlotta di Mecklenburg-Strelitz (1744-1818). Secondo Millar (n. 481) il pastello di Liotard servì come modello a Reynolds per il ritratto del principe eseguito nel 1759 (Windsor, inv. 2531). Lo stesso Millar cita un'ulteriore versione conservata nella collezione del duca di Brunswick.

Una miniatura su smalto (cm. 5 × 4; foto 177¹), firmata e datata 1754, si trova nella collezione della regina d'Olanda.

178. EDOARDO AUGUSTO, DUCA DI YORK E ALBANY. Windsor Castle, collezioni reali (inv. 2473)

p/pv 48,3 × 31,1 1754
Triv. 32

Raffigura Edoardo duca di York (1739-1767), secondo figlio del principe di Galles. (Si veda anche Millar, n. 582.)

Ne esiste un'ulteriore versione nella collezione del duca di Brunswick. Un ritratto a olio (cm. 64,1 × 53,3), copia dell'originale di Liotard, è stato venduto alla Sotheby il 9 luglio 1947 (lotto n. 55) ed è conservato a Kew (Hampton Court, n. 1460. Millar, n. 589).

179. LA PRINCIPESSA ELISABETTA CAROLINA. Windsor Castle, collezioni reali (inv. 2472)

p/pv 39,4 × 30,2 1754
Triv. 33

L'effigiata (1740-1759) era la seconda figlia del principe di Galles. (Si veda anche Millar, n. 583.)

Nelle collezioni di Windsor esiste una copia di questo ritratto, con lievi varianti (pastello, cm. 38,1 × 30,5; Millar, n. 590).

180. GUGLIELMO ENRICO, DUCA DI GLOUCESTER E EDIMBURGO. Windsor Castle, collezioni reali (inv. 2477)

p/pv 40,3 × 31,1 1754
Triv. 34

L'effigiato (1743-1805) era il terzo figlio del principe di Galles. Il ritratto venne inciso al bulino (Til., inc. 29) con la seguente scritta: "Prince William Henry. Engraved from a painting by J.E. Liotard, according to the directions of the author and sold by him in Golden Square and at the Golden Head in Chandois Street, London". (Si veda anche Millar, n. 584.)

181. ENRICO FEDERICO, DUCA DI CUMBERLAND E SRATHEARN. Windsor Castle, collezioni reali (inv. 2476)

p/pv 40 × 30,5 1754
Triv. 35

L'effigiato (1745-1790) era il quarto figlio del principe di Galles. (Si veda anche Millar, n. 585.)

182. LA PRINCIPESSA LUISA ANNA. Windsor Castle, collezioni reali (inv. 2469)

p/pv 40 × 30,5 1754
Triv. 36

La principessa effigiata, terza figlia del principe di Galles, nacque nel 1748 e morì nel 1768. Inciso al bulino da R. Houston (Til., inc. 28). (Si veda anche Millar, n. 586.)

183. IL PRINCIPE FEDERICO GUGLIELMO. Windsor Castle, collezioni reali (inv. 2468)

p/pv 40,6 × 30,5 1754
Triv. 37

L'effigiato, quinto figlio del principe di Galles, nacque nel 1750 e morì nel 1765. (Si veda anche Millar, n. 587.)

184. LA PRINCIPESSA CAROLINA MATILDE. Windsor Castle, collezioni reali (inv. 2474)

p/pv 40,6 × 31,1 1754
Triv. 38

L'effigiata, quarta figlia del principe di Galles, nacque nel 1751 e morì regina di Danimarca nel 1813. (Si veda anche Millar, n. 588.)

185

186

187

188

189

190

191

192

193

193¹

194

194¹

185. IL TERZO EARL FITZWILLIAM. Peterborough, coll. Earl Fitzwilliam

p 63,5 × 50 1754-55
Triv. 121

Secondo Trivas (ms. MAH), nello schedario del defunto C. Hofstede de Groot, conservato al Centro di documentazione artistica dell'Aia, si trovava la seguente indicazione: "Ritratto di William primo conte Fitzwilliam. Pastello. Visto nel 1908 nella collezione dell'Earl Fitzwilliam, Milton Hall, Peterborough. Potrebbe essere di Liotard". L'indicazione è inesatta. In una comunicazione scritta (24 ottobre 1977), l'Earl Fitzwilliam ci ha cortesemente segnalato che il ritratto di un bambino di un anno circa, appartenente alla sua collezione, è sempre stato attribuito a Liotard. Dipinto nel 1748, ed erroneamente considerato il ritratto di Lady Charlotte Fitzwilliam, deve raffigurare in realtà il quarto Earl Fitzwilliam (1748-1833). L'attribuzione a Liotard non sembra sostenibile, per motivi sia stilistici sia cronologici, dal momento che l'artista ginevrino nel 1748 si trovava a Parigi. Invece può essere senz'altro restituito a Liotard il ritratto del terzo Earl Fitzwilliam (1719-1756), che veniva riferito sia pure dubbiosamente alla scuola inglese. Verosimilmente, dovette essere stato eseguito durante il primo soggiorno inglese, nel 1754-55.

186. SCONOSCIUTA CON GIACINTO. Ginevra, Musée d'Art et d'Histoire (inv. CR 88)

p/pr 63 × 49 1754
Til. 57 Triv. 263

Nella collezione G. Revilliod, Ginevra, dal 1860; fu legato al museo della città svizzera nel 1890. È affine — per stesura, tonalità cromatiche e composizione — al ritratto della contessa di Marlborough (n. 168). Probabilmente eseguito nello stesso periodo, cioè verso il 1754, in Inghilterra.

187. IL CONTE WILLEM BENTINCK. L'Aia, coll. J. Huyssen van Kattendyke

p/cr 58,5 × 48 f d 1755
Triv. 73

Willem Bentinck (1704-1774), uomo di stato olandese, creato primo conte Bentinck nel 1732, era il secondo figlio del primo Earl of Portland; sposò la contessa Carlotta Sofia van Aldenburg; fu diplomatico al servizio di Guglielmo IV, della reggente Anna, e di Guglielmo V. Il dipinto venne eseguito all'Aia.

Una copia a pastello (cm. 59,5 × 48) è nella collezione Aldenburg Bentinck, nel castello Middachten, De Steeg; catalogata come originale da Tilanus (1897), Fosca (1928) e Gielly (1935). Un'altra copia a olio (cm. 57,2 × 48,3) è stata venduta attraverso la Christie's a Londra il 29 marzo 1968 (lotto 38) e acquistata dal Rijksmuseum di Amsterdam (inv. A 4155); sul verso reca la scritta: "Honorable William Bentinck, died in 1774, married 1732 to Charlotte Sophie Countess Aldenburg" (All the paintings of the Rijksmuseum in Amster-

188. LUIGI, DUCA DI BRUNSWICK - WOLFENBÜTTEL. L'Aia, coll. Huyssen van Kattendyke

p 64,5 × 54 f d 1755
Triv. 91

Già nella collezione Bentinck, proviene da quella della baronessa H.F.S. Schimmelpennick van der Oye, nel castello Moersberg. Luigi, duca di Brunswick - Wolfenbüttel (1718-1788), nel 1749 entrò al servizio dei Paesi Bassi, sotto l'ascendente del conte Bentinck. Alla morte della principessa governatrice, nel 1759, divenne tutore dei ragazzi della famiglia reale, Guglielmo V e la principessa Carolina, ebbe il titolo di feldmaresciallo d'Austria delle Provincie Unite e del Sacro Romano Impero. Il pastello, eseguito all'Aia, fu commesso a Liotard dal duca di Brunswick al quale l'artista era stato presentato dal conte Willem Bentinck. Gielly (1935) lo considera scomparso e Trivas (ms. MAH) si limita a citare l'incisione di Houbraken eseguita nel 1759 dal presente ritratto (Til., inc. 31). Citato e riprodotto da A. Staring (Fransche Kunstenaars en hun Hollandsche Modellen in de 18de en in den aanvang van de 19de eeuw, Den Haag 1947).

189. JEAN-LOUIS MAISONNET. Ginevra, Musée d'Art et d'Histoire (inv. 1969-9)

p/pr montato su tv 47 × 45,6
f d 1755 Til. 54 Triv. 167

Già nelle collezioni Reuvens a Leida e C. Dapples a Firenze, passò per eredità alla signora E. Dapples a Firenze, che lo donò al museo ginevrino nel 1969. Come il pendant (n. 190), è stato dipinto a Delft nel 1755, quando Liotard soggiornò in casa del pastore Maisonnet, suo nipote, figlio di Louis Maisonnet e di Françoise Liotard, sua sorella.

190. MARIE ANNE MAISONNET. Ginevra, Musée d'Art et d'Histoire (inv. 1969-10)

p/pr 55 × 44,7 f d 1755
Til. 55 Triv. 168

Pendant del n. 189; stessa provenienza.

191. MARIA FREDERIKE VAN REEDE-ATHLONE, FUTURA CONTESSA VAN HEIDEN, A SETTE ANNI. L'Aia, coll. M. van Heiden Reinestein

p/pr 53,5 × 43 f d 1755-56
Til. 51 Triv. 192

Proviene dalla collezione di M. de Milly van Heiden a Zuidlaren. Frederike Maria van Reede (1748-1807) era figlia di Lady Athlone e sposò il conte S. P. A. von Heiden. Il pastello, uno dei più deliziosi ritratti di bambini dipinti da Liotard, iniziato alla fine del 1755 e terminato nel '56, fu eseguito all'Aia.

Una copia a pastello (cm. 60 × 43) con l'annotazione: "original par Liotard, copie par Freule von Lockhorst" è nella collezione Van Aldenburg Bentinck, nel castello di Amerongen, è citata da Baud-Bovy [1903] e Gielly (1936) la citano come originale.

192. LUISA ISABELLA HERMELINE VAN WASSENAAR VAN DUIVENVOORDE. Castello Amerongen (Utrecht), coll. van Aldenburg Bentinck

p/cr 61 × 50 f d 1756
Triv. 40

Già nella collezione della famiglia van Reede van Athlone; passato per eredità alla famiglia Bentinck. Luisa Isabella Hermeline van Wassenaar van Duivenvoorde sposò il barone van Reede che aveva ereditato il titolo inglese di Earl of Athlone. Il dipinto fu eseguito all'Aia nel 1756, su commissione di Lady Athlone.

193. HENDRICK BICKER. Amsterdam, Rijksmuseum (inv. 2936)

p/cr 53 × 44,5 1756
Til. 29 Triv. 81

Restò sempre nella collezione Bicker, con il pendant, n. 194; legato alla città di Amsterdam nel 1881 (All the Paintings of the Rijksmuseum in Amsterdam..., Amsterdam 1976, pag. 791, n. C 30 e C 31 per il pendant). Il ritratto di Hendrick Bicker (1722-1783), negoziante e banchiere di Amsterdam, e membro della ditta commerciale di Andries Pels & Zooen, fu eseguito ad Amsterdam nel 1756 al tempo del primo soggiorno di Liotard nella città olandese.

Nel Rijksmuseum di Amsterdam se ne trova una copia a olio (cm. 60 × 49; foto 193¹) di autore sconosciuto (All the paintings..., pag. 350, n. C 43 e C 44 per il pendant).

194. CLARA MAGDALENA BICKER, NATA DEDEL. Amsterdam, Rijksmuseum (inv. 2937)

p/pv 53 × 43,5 1756
Til. 30 Triv. 82

Pendant del n. 193; la provenienza è la stessa. Clara Magdalena Dedel (1727-1778) era la moglie di Hendrick Bicker.

Nel museo olandese se ne trova una copia a olio (cm. 60 × 49; foto 194¹) della stessa mano di quella citata al n. 193 (inv. 293).

195. PIETER VAN BLEISWIJK. Ginevra, Musée d'Art et d'Histoire (inv. 1911-33)

p/pr 59 × 47 f d 1756
Triv. 83

Già nella collezione Yske van Winskeum, è passato per la vendita G. C. Meyren presso de Roos ad Amsterdam, il 28 marzo 1911 (cat. n. 1171), dove è stato acquistato per il museo ginevrino. Pieter van Bleiswijk (1724-1790) fu radpensionaris dell'Olanda. In una lettera al figlio, datata da Ginevra il 1° aprile 1780 (BPU, Ms. fr. 354), Liotard scriveva: "A Delft c'è un signore al quale ho fatto il ritratto, la cui raccomandazione è molto potente per procurarti qualche buon posto nelle Indie o altrove. Si chiama signor di Blecwich e la raccomandazione di mio nipote e del signor Chais presso di lui può molto. Questo signor Blesswich [sic] gode della massima considerazione presso lo Stathouder e presso i cittadini più importanti dell'Aia e viene consultato a proposito di un'infinità di cose". Il presente pastello, così come il pendant, n. 196, fu eseguito a Delft in occasione del primo viaggio di

195

196 [Tav. XXXVIII]

197

197¹

198

199

200

201

202

203

203¹

204

Liotard in Olanda. È stato inciso a bulino da W. van Senus (Til., inc. 35).

Al Rijksmuseum di Amsterdam è conservata una miniatura (cm. 3,7 × 3) con lo stesso personaggio, attribuita a Liotard (*All the paintings of the Rijksmuseum in Amsterdam...*, Amsterdam 1976, pag. 760, n. A. 4336).

196. GEERTRUIDA ANTONIA VAN BLEISWIJCK. Ginevra, Musée d'Art et d'Histoire (inv. 1911-32)

p/pr 59 × 47 f d 1756 Triv. 84

Pendant del n. 195; stessa provenienza.

197. CHARLES CHAIS. L'Aia, coll. Fabius

p 1756

Charles Chais (Ginevra 1700 - L'Aia 1785), stabilito dal 1728 all'Aia come pastore, era un celebre predicatore e autore di trattati di teologia e di storia. Sostenne gli interessi di Ginevra presso il Gran Pensionario specie al momento dell'elaborazione del trattato di Vienna, nel 1736. Lo Chais era amico della famiglia Fargues. In una lettera datata il 30 settembre 1778, Madame Liotard, nata Fargues, incaricava il figlio maggiore di darle notizie "del Signor Chais e della sua famiglia" (BPU, Ms. fr. 355). Tilanus data il ritratto al 1756, sulla base di una scritta sull'incisione, eseguita da I. Houbraken (Til., inc. 37), che reca: "Charles Chais, né à Genève le 3 janvier 1701 et pasteur à La Haye depuis le 15e mai 1728. J. E. Liotard pinx. 1756. J. Houbraken fec. M.M. Rey excud".

Nel Gabinetto delle Stampe dell'Università di Leida è un disegno a matita nera e sanguigna su carta vergata (cm. 22,7 × 17,7; foto 197¹) con lo stesso personaggio visto però di tre quarti, verso sinistra. Il disegno reca in basso, a sinistra, la scritta non autografa: "J.E. Liotard pinx. 1756"; e a destra: "Charles Chais, Pasteur de l'Eglise Wallone à Luttinge 1760".

198. ANDRIES ADOLPH DEUTZ VAN ASSENDELFT. Bergen, coll. van Reenen

p/pr 53 × 43 f 1756 Til. 43 Triv. 108

Proviene come il *pendant*, n. 199, dalla collezione van Reenen di Alkmar. Eseguito ad Amsterdam durante il primo soggiorno di Liotard nella città olandese.

199. JACOBA MARGARETHA DEUTZ VAN ASSENDELFT, NATA BOREEL. Bergen, coll. van Reenen

p/pr 53 × 43 f d 1757 Til. 44 Triv. 109

Pendant del n. 198; stessa provenienza.

200. JOHANNA CATHARINA FAGEL. L'Aia, Gemeentemuseum (inv. C 525; deposito dal Dienst voor's Rijks Verspreide Kunstvoorwerpen, L'Aia)

p/pr 57 × 49,5 1756 Triv. 113

Già nella collezione Fagel al-l'Aia, da cui passò per legato alla città stessa. Lo stile del ritratto e l'abbigliamento dell'effigiata, specie la veste e la pettinatura, fanno pensare a una cronologia attorno al 1756, al tempo cioè del primo soggiorno di Liotard in Olanda. Il ritratto è citato e riprodotto come "Marie Suzanne Fagel" da Staring (*Fransche Kunstenaars en hun Hollandsche Modellen in de 18de en in den aanvang van de 19de eeuw*, Den Haag 1947) e da H.E. Van Gelder (*Nog een Portretje door Liotard*, "OH" 1948, pagg. 65-66).

Una copia a pastello (cm. 57 × 49,5) proveniente dalla famiglia van Tuyll van Serooskerken è nella collezione del castello di Zuylen.

201. IL SIGNOR MATHIS

p 53,5 × 42,5 f d 1756

Con il *pendant*, n. 202, si trovava nella collezione E. Darier a Ginevra, che l'aveva acquistato da una collezione olandese. Liotard eseguì questo ritratto, che raffigura lo zio dell'artista, e il suo *pendant*, ad Amsterdam; per un motivo rimasto ignoto li portò a Ginevra e li conservò nella propria collezione sino al 1778. Il 14 febbraio di quell'anno Liotard scriveva infatti da Vienna alla moglie: "Il ritratto di Mr. Maty [*sic*] è in terra nella stanza dei quadri di fiori; ci sono due ritratti: Mr. Maty e la moglie. Sono in terra con le superfici dipinte collocate l'una contro l'altra e senza intelaiatura, in modo che si potranno arrotolare su un bastone molto liscio e un po' più grosso di un mani-co di scopa, con della carta m... in mezzo". L'11 marzo 1778 l'artista aggiungeva: "a meno che i ritratti di Mr. e Mme Maty non siano sotto il letto dove dormivo, non so più dove possono essere. Sono senza intelaiatura, ecco perché li tengo per terra sul pavimento" (BPU, Ms. fr. 354). Il 24 marzo 1778, Madame Liotard annunciava al marito: "Ho trovato i ritratti di Mr. e Madame Maty non so dove avevo gli occhi, perché erano su un tavolo nel tuo studio" (BPU, Ms. fr. 354) e affermava che li avrebbe spediti a destinazione. Un frammento di lettera, incollato alla cornice del ritratto del signor Mathis e scritto in caratteri settecenteschi — probabilmente dalla signora Liotard — conferma la cosa. Nel frammento si legge infatti: "A Monsieur Liotard Peintre du Roy / chez Monsieur Fargues / sur le Raam Graft / Amsterdam".

202. MADAME MATHIS

p 52 × 43 f d 1756

Pendant del n. 201; stessa provenienza.

203. GUGLIELMO V, PRINCIPE D'ORANGE-NASSAU, BAMBINO

p 54 × 42 c. f d 1756 Til. 21 Triv. 181

Già a Nederhemert (Paesi Bassi) nella collezione del barone J.C. Wassenaar; proveniva dalla collezione van Nagell; andò distrutto nel 1940. Guglielmo V, principe d'Orange-Nassau (1748-1806), era figlio di Guglielmo IV e di Anna di Hannover. La madre e il tuto-re, il duca Luigi di Brunswick, esercitarono la reggenza fino a quando divenne maggiorenne, nel 1766; all'avvicinarsi dell'esercito francese, nel 1795, il principe lasciò il paese e fuggì in Inghilterra. Il pastello in esame, era stato eseguito durante il primo soggiorno di Liotard ad Amsterdam. Inciso (foto 203¹) da J. Houbraken nel 1759 (Til., inc. 30). Secondo una comunicazione di A. Staring, nel Gemeentemuseum dell'Aia si trovano delle copie a olio di questo ritratto e del suo *pendant* (n. 204), eseguite da T.P.C Haag (Cassel, 1737-L'Aia, 1812).

204. LA PRINCIPESSA CAROLINA D'ORANGE-NASSAU, BAMBINA

p 54 × 43 c. 1756 Til. 22 Triv. 182

Si trovava a Nederhemert (Paesi Bassi), nella collezione del barone J.C. Wassenaar; andò distrutto nel 1940. *Pendant* del n. 203; stessa provenienza. Carolina Guglielmina, principessa d'Orange-Nassau (1743-1787) era la sorella maggiore del principe Guglielmo V; nel 1760 sposò Carlo Cristiano, principe di Nassau-Weilburg.

205. JAN MAXIMILIEN VAN TUYLL VAN SEROOSKERKEN. Zurigo, coll. M. Naville

p/cr 60 × 50 f d 1756 Triv. 230

Già nella collezione van Tuyll van Serooskerken, van Reede-Ginkel; poi contessa Otto zu Solm-Windenfels a Potsdam; venduto assieme ai *pendant* n. 206, da Bollag a Zurigo, 16-17 giugno 1949 (cat. n. 50 e 60) e 12-13 marzo 1951 (n. 413-414). Jan van Tuyll van Serooskerken, signore di Westbrock e Vleuten (1710 o 1716-1762) fu generale in capo di cavalleria e aiutante del principe d'Orange. Sposò in prime nozze, nel 1739, Ursuline Christine Rainira van Reede e in seconde nozze Jeanne Elisabeth de Geer. Il dipinto venne eseguito ad Amsterdam.

È stato copiato più volte. Una copia a pastello (cm. 59,5 × 49) è nel castello di Zuylen, nella collezione proveniente dalla famiglia van Tuyll van Serooskerken; Trivas (ms. MAH) ritiene trattarsi di una replica. Una copia a olio su tela (cm. 60 × 48; Dienst Verspreite Rijkscollecties, n. C 1026) proviene dalla famiglia van Tuyll van Serooskerken nel castello Heeze. Un'altra copia, di H.D. Cuypers, a olio su tela (cm. 90 × 70), è conservata nella collezione del barone de Geer van Jutphaas a Maarn. Una copia di S. Caron, a olio su tela (cm. 59 × 49) nella collezione van Aldenburg Bentinck nel castello Amerongen. Nella stessa collezione è una miniatura su avorio (cm. 4 × 3,2) raffigurante lo stesso personaggio, eseguita dall'originale di Liotard (informazioni gentilmente fornite dallo Stichting iconographisch Bureau dell'Aia). Un'ulteriore versione del ritratto pure proveniente dalla famiglia Bentinck — con tutta probabilità una copia antica a olio (ovale, cm. 63,5 × 53,4) — è passata per una vendita della galleria Fi-

205

206

207

208

209

212

212¹

213 [Tav. XL]

215

216

217

219

schman a Londra nel febbraio 1960; si trova attualmente in una collezione privata a Zollikofen, presso Berna.

206. JOHANNA ELISABETH VAN TUYLL VAN SEROOSKERKEN, NATA DE GEER. Zurigo, coll. M. Naville

p/cr 60×50 f d 1756
Triv. 231

Pendant del n. 205; stessa provenienza.

207. GIOVANE SCONOSCIUTA IN ABITO AZZURRO. L'Aia, coll. de Milly van Heiden Reinestein

p 60×49,5 f d 1756
Triv. 270

Restaurato. La firma è parzialmente cancellata. Eseguito all'Aia: da indicazioni fornite dallo Stichting iconographisch Bureau dell'Aia sembra che l'effigiata sia Dorothea Sophie van Heiden.

208. RITRATTO DI DONNA. ... (Svizzera), coll. privata

p 62×48 f d 1756

Fondo leggermente logoro. Passato alla vendita della Galerie Charpentier a Parigi, il 9 maggio 1952 (cat. n. 95, ripr.) e presso Stuker, a Berna, il 23 novembre 1973 (cat. n. 516, ripr.). Il pastello è stato eseguito in Olanda, durante il primo soggiorno dell'artista in questo paese.

209. MARIE COGNARD, NATA BATAILHY ("LA DAME AUX DENTELLES"). Amster-

dam, **Rijksmuseum (inv. 2940)**

p/pr 56,5×45 1757
Til. 37 Triv. 101

Al verso reca una scritta di mano del figlio dell'artista: "Mad. Cognard Ayeule de Marie Fargues épouse de Jean Etienne Liotard qui l'a peint en 1757". In una lettera datata il 30 settembre 1788 da Ginevra e indirizzata al figlio maggiore, Madame Liotard scriveva: "Mi rincresce molto che il ritratto della mia defunta nonna si sciupi. Sarebbe meglio averlo qui e tuo papà lo riparerebbe; se la mia cara sorella ce lo volesse mandare ben confezionato, mi farebbe un gran piacere e pagheremmo volentieri le spese". (BPU, Ms. fr. 355). La sorella di Madame Liotard, Jeanne Fargues, non acconsentì alla richiesta e il ritratto rimase a Delft, alla morte della donna passò nella collezione di Liotard-Crommelin; nel 1873 fu legato al museo da Mlle A. M. Liotard (*All the paintings of the Rijksmuseum in Amsterdam...*, Amsterdam 1976, pag. 791, n. A 231).

210. ANNA MARIA DEDEL. Beverwijk, coll. G.S. Boreel

p 52,5×42 f d 1757

Eseguito ad Amsterdam, immediatamente prima della partenza di Liotard per Ginevra.

211. JEANNE FARGUES

p 1757 Triv. 114

Perduto. L'effigiata, Jeanne Fargues, era la sorella di Madame Liotard. Nel *post-scriptum* di una lettera indirizzata al figlio maggiore, allora ad Amsterdam, in data 18 novembre 1778, Madame Liotard scriveva: "A proposito, mentre finivo questa lettera, mio marito m'ha detto che voleva farmi un regalo [...] mi porta il ritratto di tua zia che ha trovato non so dove" (BPU, Ms. fr. 355). Il ritratto era stato probabilmente eseguito ad Amsterdam verso il 1757, immediatamente dopo il matrimonio dell'artista con Marie Fargues.

212. CHARLES SIMON FAVART

p/pr 70×55 f d 1757
Til. 46 Triv. 115

Già a Ginevra, nella collezione di Madame Lambotte; proviene, con il *pendant*, n. 213, dalla collezione Henri Pannier di Parigi, essenzialmente costituita da opere appartenute a Favart (P.—A. Lemoisne, *Les collections de MM. G. et H. Pannier*, "A" 1907, pagg. 10-29). Charles Simon Favart (1710-1792), autore drammatico che Voltaire chiamava "uno dei due conservatori delle grazie e dell'allegria", divenne direttore dell'Opéra-Comique e diede il suo nome al teatro costruito per gli attori della commedia italiana nel luogo in cui si trovavano i giardini dell'Hôtel Choiseul. Il dipinto fu eseguito a Parigi quando Liotard passò per la capitale francese prima di tornare a Ginevra. Inciso a bulino (foto 212¹) da C.A. Littret (Til., inc. 47) per l'edizione del teatro di Favart a Parigi, nel 1763.

213. MARIE JUSTINE BENOÎTE FAVART. Winterthur, Stiftung Oskar Reinhart

p/pr 70×55 f d 1757
Til. 47 Triv. 116

Pendant del n. 212; stessa provenienza. Appartenne poi alla collezione Kaganovitch, Parigi; acquistato da O. Reinhart nel 1935 (F. Zelger, *Stiftung Oskar Reinhart, Winterthur, I, Schweizer Maler des 18. und 19. Jahrhunderts*, Zürich 1977, pagg. 218-219, n. 101). L'effigiata, Marie Justine Benoîte Favart Duronceray (1727-1772), sposò Favart nel 1745. Fu una celebre attrice; nel 1749 P. Clément scrisse, nelle sue *Cinq années littéraires*: "ha la voce un po' falsa e il grido acuto, ma recita con garbo e danza in modo delizioso per essere un'attrice. Le manca un tratto personale ma ha una fisionomia propria, è garbata, ha espressione, nonché una certa aria sbarazzina che le ha guadagnato il cuore della platea".

Nella collezione H. Pannier si trovava una miniatura di Liotard raffigurante lo stesso personaggio nella veste di Rosalina, nel lavoro teatrale *Les Trois Sultanes* di Ch. S. Favart. Secondo Trivas (ms. MAH), due copie a olio (?) di questo ritratto e del suo *pendant* figurano alla vendita del conte C., all'Hôtel Drouot a Parigi, il 30 aprile 1898 (cat. n. 30 e 31).

214. MARIE JUSTINE BENOÎTE FAVART

ol/tl 71×58 1757

Si trovava un tempo a Parigi nella collezione del duca di Montesquiou; già nella collezione del conte de Guy, a Grasse; apparso alla vendita alla galleria Moos (cat. n. 101 bis) a Ginevra nel 1930 (*Vente aux enchères à Genève*, in *Die Kunst in der Schweiz*, n. 7-8, 1930, pagg. XVII-XVIII, ripr.). Considerato come "una versione pressoché immutata del pastello di Winterthur" da F. Zelger (*Stiftung Oskar Reinhart, Winterthur, I, Schweizer Maler des 18. und 19. Jahrhunderts*, Zürich 1977, pagg. 218-219, n. 101).

215. MARIE LIOTARD, NATA FARGUES

p/pr 43×40,5 f d 1757
Til. 100 Triv. 14

Si trovava un tempo a Parigi, nella collezione dell'antiquario M.R. Bottenwieser; era appartenuto dapprima alla collezione Fargues, poi a J.E. Liotard-Crommelin, a Mlle M.A. Liotard, a J.W.R e C.B. Tilanus, tutti ad Amsterdam; figurò alla vendita Tilanus, nella stessa città, il 23 ottobre 1934 (cat. n. 1040). Marie Liotard, nata Fargues (1728-1782), apparteneva a una famiglia di emigranti stabilitasi ad Amsterdam; il padre era un ricco commerciante. Il 13 agosto 1756 la donna sposò Liotard, più vecchio di lei di ventisei anni. Il dipinto, eseguito ad Amsterdam poco dopo il matrimonio, è citato in una lettera di Madame Liotard al figlio maggiore, scritta da Ginevra il 30 settembre 1778: "Il mio ritratto mi somigliava molto un tempo, ma tutto cambia e noi pure" (BPU, Ms. fr. 355). Per l'iconografia del personaggio si veda anche il n. 335.

216. JOACHIM RENDORP. Beverwijk, coll. H. Boreel

p 59×49 f d 1757
Triv. 195

Joachim Rendorp (1728-1792) sposò nel 1757 Wilhelmina Schuyt, figlia d'Albert Schuyt e di Anna Maria van der Graaff.

Una copia a olio del ritratto e del suo *pendant*, n. 217 eseguita da T. Regters (Dordrecht 1710 - Amsterdam 1768), si trova nel Rijksmuseum di Amsterdam (cm. 16×14,5; inv. 2013 a-b) (*All the paintings of the Rijksmuseum in Amsterdam...*, Amsterdam 1976, pag. 466, n. A 2420).

217. WILHELMINA HILDEGARDA RENDORP, NATA SCHUYT. Beverwijk, coll. H. Boreel

p 59×49 f d 1757
Triv. 196

Pendant del n. 216; stessa provenienza.

218. PIETER NICOLAAS RENDORP. Beverwijk, coll. G.S. Boreel

p 53×42 f d 1757

Eseguito ad Amsterdam immediatamente prima della partenza di Liotard per Ginevra. L'identificazione del personaggio risale a Staring che pubblicò il ritratto per la prima volta nel 1922 (*Het portret in Nederland 1730-1830*, "OH", pag. 74).

219. PRESUNTO RITRATTO DI UNA SIGNORA DELLA FAMIGLIA SAINT-POL

Exhibition Events

The Great Eastern Temple: Treasures of Japanese Buddhist Art from Tōdai-ji
Recorded Guide
An audio tour to the Tōdai-ji exhibition may be rented at the entrance to the exhibition or at the Michigan Avenue admission desk. $2.50 per person.

Public Lecture
September 5
12:15 Fullerton Hall

Films
Tuesdays and Saturdays
Through September 6
3:00 Price Auditorium
Torches of Tōdai-ji documents the religious festival, (the "Shunnie") held yearly at Tōdai-ji, and the creation of a new Kabuki dance based on the ceremony.

Natsu Matsuri: Summer Festival of Japanese Arts
Through September 7
Junior Museum
Consult the *Calendar* for daily events including art activities and craft demonstrations. A free self-guide to the exhibition is available at the Little Library.

The Unknown Mies van der Rohe and His Disciples of Modernism
Public Lectures
September 10 and 16
12:15 Ward Gallery

Ludwig Mies van der Rohe. Photo by Robert Damora.

Family Workshop: Architectural Adventures
September 27 at 1:00
September 28 at 2:00
Picnic Room

Teacher Workshop
September 23
4:30-6:30 Little Library
A gallery talk in the exhibition is followed by a discussion of Mies's influence on Chicago architecture. Register on p. 15. Call (312) 443-3914 to request the complete schedule of fall workshops.

Special Activities

Lloyd A. Fry Lecture Series
This free lecture series presents the results of research by noted scholars on various aspects of the Art Institute's collections.
Making Sense of Stieglitz's Serial Photographs
September 30
6:00 Fullerton Hall
Sarah Greenough, Department of Graphic Arts, National Gallery of Art, Washington, D.C.

English Silks: Eighteenth-Century Fashion in the Art Institute's Textile Collection
October 7
6:00 Price Auditorium
Nathalie Rothstein, Deputy Keeper, Department of Textile Furnishings and Dress, Victoria and Albert Museum, London.

Brancusi's Sculptures in the Collection of the Art Institute
October 14
6:00 Fullerton Hall
Sidney Geist, New York sculptor and critic.

Technique and Meaning in Constable's Last "Six Foot" Sketch: The Art Institute's Monumental Stoke-by-Nayland
October 28
6:00 Fullerton Hall
Charles S. Rhyne, Professor of Art History, Reed College, Portland, Oregon.

Multimedia Program
Continuous, Fullerton Hall
An Introduction to the Art Institute, a 12-minute slide program, introduces visitors to the museum's permanent collections and special exhibitions.

Mosaic   Sept/oct.1986

Jean Etienne Liotard
(Swiss, 1702-89)
Marthe Marie Tronchin,
1758/61   L'opera #228

The art of pastel portraiture reached its pinnacle in the 18th century with such artists as Boucher, La Tour, Chardin, and Rosalba Carriera practicing in this versatile medium. Jean Etienne Liotard was one of the most celebrated artists of this era and produced over 300 pastels. Early in his career, his failure to gain admission to the Paris Academy with an ambitious historical painting turned Liotard toward more naturalistic subjects, especially portraiture. He spent the next two decades living and traveling across the Continent to Asia Minor while he developed his realistic style and technique in both oil and pastel. Liotard returned to Paris in 1746 and achieved great success, receiving many commissions from royalty, nobility, and intellectuals throughout Europe for his highly realistic portraits in pastel—sometimes too realistic for the taste of his subjects and the Academy. In 1757, Liotard moved to Geneva, where his talent flourished. There he was able to work in a comfortable environment and with the most politically and intellectually influential individuals of the day—subjects that suited his style especially well. The Tronchin family were just such people, and Liotard produced at least eight portraits of family members, including the Art Institute's recent acquisition. This portrait of Marthe Marie Tronchin is a work typical of Liotard in its realistic detail and sumptuous pastel technique. Yet, it is also an unusual work for Liotard, in that it probes beyond the appearance of the sitter and reveals elements of her character as well. This portrait is the second work by the artist to enter the collection of the Art Institute, joining an early oil portrait, but it is the first to represent his mature style and work in pastel. This acquisition adds luster to the Art Institute's distinguished group of 18th-century pastels, making it one of the preeminent collections of works in that medium outside Europe. Liotard's portrait of Marthe Marie Tronchin was purchased through the Kate Buckingham Fund for the Clarence Buckingham Collection.

Jean Etienne Liotard (detail), Swiss. *Portrait of Marthe Marie Tronchin.* 1758/61. Pastel. The Art Institute of Chicago, Clarence Buckingham Collection.

p 54×43 f d 1757
Til. 66 Triv. 203

Già nella collezione di Mme
A.L. des Tombe-Boetzlaer ad
Abcoude (Paesi Bassi); pro-
viene dalla collezione A. des
Tombe all'Aia. Eseguito proba-
bilmente ad Amsterdam prima
della partenza di Liotard per
Ginevra.

220. FRANÇOIS TRON-CHIN. Ginevra, coll. L. Gi-vaudan

p/pr 37,5×46 f d 1757
Til. 78 Triv. 222

François Tronchin (1704-
1798), uomo politico e amatore d'arte illuminato, avrà un
ruolo fondamentale nella vita
pubblica e artistica di Ginevra.
A partire dal 1740 raccoglie
un'importante collezione di dipinti; nel 1765 ne pubblica il
catalogo e nel 1770 la vende a
Caterina II di Russia, ad eccezione delle opere di artisti ginevrini. Immediatamente dopo
mette insieme una seconda
raccolta e ne stende il catalogo che verrà pubblicato nel
1780. Nel 1788 Tronchin tiene
due conferenze davanti alla
Société des Arts a Ginevra di
cui era stato il fondatore, i temi
sono: "Des caractères consti-
tutifs qui distinguent les écoles
de peinture" e "De la conser-
vation des Tableaux". Muore
nel 1798 nella residenza che
era stata a suo tempo di Voltaire, "Les Délices". La sua
seconda collezione viene di-
spersa in una vendita all'asta
nel 1801. Commissionati al-
l'artista da François Tronchin,
col quale Liotard ebbe una re-
golare continuità di rapporti (si
veda anche ai n. 225, 226,
228, 236, 242), il pastello in e-
same e quello raffigurante la
moglie (n. 226) sono fra i primi
lavori eseguiti dall'artista al
suo ritorno a Ginevra nel 1757.
Profondamente conscio della
bellezza dei due quadri, che
sono tra le sue cose più splen-
dide, Liotard scriverà nel Traité (règle IX, pag. 58): "Monsieur Tronchin, Consigliere
della Repubblica di Ginevra, ha
una bellissima collezione di
quadri nella sua casa di campagna chiamata Les Delices;
ha due delle mie opere migliori: la prima è il suo ritratto a
mezza figura, mentre osserva
un Rembrandt posato su un
cavalletto [la Donna in un letto
della National Gallery di Edim-
burgo]; davanti a lui è un tavolo sul quale si vedono un libro,
strumenti di matematica e carte che indicano in suo gusto
per le arti, e soprattutto per
l'architettura. Questo quadro e
quello di sua moglie, dipinta in
veste di filatrice, entrambi a
pastello, hanno — credo — una
finitezza, uno splendore, un effetto, una verità e un rilievo
straordinari". Il ritratto di
François Tronchin figura nel
catalogo del 1765 al n. 95; è
rimasto in possesso della famiglia Tronchin sino al 1950,
data in cui è stato acquistato
dalla famiglia dell'attuale proprietario.

221. JEAN BERTRAND

p 68×55 1758 c.
Til. 25 Triv. 75

Si trovava un tempo, con il
pendant n. 222, a Ginevra nella
collezione Candolle-Kunkler;
andò distrutto in un incendio
nel 1897. L'effigiato, Jean Ber-

trand, signore di Coinsins e di
Genolier, aveva sposato Catherine Elisabeth du Rut; nel
1756 fu eletto membro del
Consiglio dei Duecento. Si
tratta con tutta probabilità di
un lavoro del periodo ginevrino, eseguito verso il 1758.

222. CATHERINE-ELISABETH BERTRAND, NATA BOISSIER

p 68×55 1758 c.
Til. 26 Triv. 76

Già nella collezione Candolle-
Kunkler a Ginevra, andò di-
strutto in un incendio nel 1897.
Pendant del n. 221.

223. AMI-JEAN DE LA RI-VE. Ginevra, Musée d'Art et d'Histoire (inv. 1936-7)

p/cr 80×60,5 1758
Til. 67 * Triv. 197

Su tutti e quattro i lati sono state aggiunte strisce di carta. Rimasto di proprietà della famiglia De La Rive, fu da questa
legato al museo di Ginevra nel
1936. Molto probabilmente il
dipinto venne commissionato
a Liotard nel 1758 dallo stesso
Ami-Jean De La Rive (1725-
1800), magistrato e consigliere a Ginevra.

224. ELISABETH SEIPPEL, NATA BOURGUET. Ginevra, coll. privata

p/cr 59×47,5 1758 c.

Molto consunto. È sempre rimasto nella famiglia dell'effigiata. Elisabeth Bourguet
(1712-1762) sposò nel 1738
Elie Seippel (1709-1760), li-
braio a Ginevra. Il ritratto fu e-
seguito nella città svizzera

verso il 1758, nello stesso momento dei n. 223, 225, 226.

225. ANNE TRONCHIN, NA-TA MOLENES. Ginevra, coll. L. Givaudan

p/pr inchiodato su tv
62×49,5 f d 1758
Til. 77 Triv. 226

Reca sul verso una scritta forse autografa: "Anne Molesnes
née a Lion le IX aoust 1684
baptisée à l'Eglise réformée de
St. Romain. Femme de Jean
Tronchin ancien Cons.er d'E-
tat, peinte par Mr Jean Etienne Liotard à Genève au mois
d'aoust 1758 agée de septan-
te quatre ans". Il ritratto, che
fu commissionato all'artista,
rimase di proprietà della famiglia Tronchin (per cui si veda
al n. 220) sino al 1950, quando
fu venduto all'attuale proprietario.

226. ANNE-MARIE TRON-CHIN, NATA FROMAGET. Gi-nevra, Fondation Jean-Louis Prevost

p/pr 68×55 f d 1758
Til. 79 Triv. 223

Menzionato nel Traité di Liotard (règle IX, pag. 58; si veda il testo citato al n. 220), fu
commesso all'artista da François Tronchin (si veda al n.
220) e figura nel catalogo a
stampa della sua prima collezione, nel 1765, al n. 98. È rimasto nella famiglia Tronchin
sino al 1959, quando è stato
acquistato dall'attuale proprietario. L'effigiata, originaria di
Saint-Quentin, sposò François
Tronchin a Parigi nel 1736.

227. PAESAGGIO. Amster-

dam, Rijksmuseum (inv. 2950)

p/pr 36×45 f 1758-60
Til. 91 Triv. 309

Reca in alto a sinistra la scritta a
matita nera: "d'après P. Potter
/ ajouté la figure / par J.E. Liotard". Si tratta della copia di un
paesaggio di P. Potter, appartenente alla collezione di Liotard,
firmato e datato "P. Potter
1647". Rispetto all'originale,
Liotard ha aggiunto a destra
una contadina che fila, copiata da Karel Dujardin. Secondo
un'indicazione fornita da H.
Gerson, l'originale è il n. 55 del
catalogo di Hofstede de Groot
e faceva parte un tempo della
collezione W. Heilgendorft a
Berlino; si trovava nella collezione L. Mandl a Wiesbaden,
nel 1911. Liotard deve avere
eseguito il pastello verso il
1758-60. Citato nella lettera di Liotard del 4 giugno 1782
tra i dipinti portati a Confignon:
"delle vacche, copia a pastello" (BPU, Ms. fr. 354). Si tratta
probabilmente del n. 120 del-
l'inventario steso alla morte
dell'artista, nel 1789: "una copia di Carle Dujardin di
Liotard, 204 fiorini" (AEG, Jur.
civ. F. n. 812). Appartenne alla collezione di Marianne Liotard, figlia del pittore, poi di J.-
E. Liotard-Crommelin e di Mlle
M.A. Liotard di Amsterdam,
che lo legò al museo cittadino

nel 1873 (All the paintings of
the Rijksmuseum in Amsterdam..., Amsterdam 1976, pag.
793, n. A 1196). Sul verso del
pastello l'artista ha schizzato il
ritratto incompiuto di uno sconosciuto (foto 227¹). Taciuto
da Tilanus (1897), Fosca
(1928) e Gielly (1935).

Nel museo di Ginevra è un
disegno di Liotard a sanguigna
e matita nera (cm. 18,5×17,5)
raffigurante "la pastora che fila", utilizzato dall'artista per la
figura situata nel paesaggio
(già in collezione Tilanus, Amsterdam, sino al 1934). Nella
vendita di lord Bessborough
presso la Christie's di Londra,
il 6 febbraio 1801, figurava "u-
na pastora col suo gregge,
smalto ben rifinito e molto curioso da Paulus Potter e K. du
Jardin, venduto a Doxmer"
(Tilanus, pag. 209). Si tratta
certamente del "paesaggio
con animali, da Potter, dipinto
a smalto", che figura, come n.
85, nel catalogo della collezione di Liotard (Parigi 1771), e
come n. 73 in quello della vendita organizzata a Londra il 15
aprile 1774.

228. MARTHE-MARIE TRON-CHIN, NATA DE CAUSSADE. Ginevra, coll. L. Givaudan

p/pr 61×47 1758-61
Triv. 227

Sul verso è la scritta, su una
vecchia etichetta: "Mme Tronchin née / de Caussade". Marthe-Marie Tronchin, nata Da-
lliès de Caussade, fu la seconda moglie del procuratore generale Jean-Robert Tronchin
(1710-1793), l'autore delle
Lettres écrites de la campagne, che ebbe un ruolo fonda-

109

220 [Tav. XXXIX]   221   222   223 [Tav. XLI]

224   225 [Tav. XLII]   226 [Tav. XLIII]   228 [Tav. XLIV]

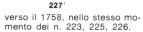

227   227¹   229¹   230

231

232

233 [Tav. XLV]

234

235

236

237

238

239

240

110

mentale nella condanna dell'*Emile* e del *Contrat Social* di Rousseau; il loro matrimonio avvenne nel 1717. Il pastello, che fa gruppo con i n. 220, 225, 226, di cui condivide la provenienza, fu dipinto a Ginevra tra il 1758 e il '61 o, al più tardi, tra il 1763 e il '69.

229. GASPARD JOLY

ol/tl 100 × 60 1758-62
Til. 113 Triv. 155

Si trovava un tempo nella collezione del conte di Riencourt a Parigi. Gaspard Joly, nato nel 1718, fu sindaco della repubblica di Ginevra nel 1780 e nel 1784; medico, è autore della *Lettre sur l'inoculation de la petite vérole*, scritta nel 1751. Il ritratto è stato probabilmente eseguito a Ginevra tra il 1758 e il '62, nello stesso periodo del gruppo di ritratti della famiglia Tronchin (n. 220, 225, 226, 228).

Il disegno preparatorio (lapis nero con tocchi di bianco su carta azzurra, cm 87 × 56,3; foto 229[1]), proveniente dalla collezione Tilanus di Amsterdam, si trova nel museo di Ginevra (inv. 1934-29).

230. PHILIBERT CRAMER. Ginevra, coll. Ph. Rochette

p/pr 62 × 53 1758-65 c.

È sempre rimasto nella famiglia dei discendenti dell'effigiato. Philibert Cramer (Ginevra 1727-1779), consigliere nel 1767, tesoriere generale nel 1770, fu a più riprese inviato straordinario della repubblica di Ginevra, fra l'altro a Parigi e a Chambéry. Fu amico intimo di Voltaire, in casa del quale partecipò a recite teatrali. Il pastello presenta estesi restauri, il che rende difficile l'attribuzione. Con tutta probabilità fu eseguito a Ginevra tra il 1758 e il '65, nello stesso periodo della maggior parte dei ritratti "ginevrini".

231. JEAN-ANTOINE GUAINIER-GAUTIER. Ginevra, Musée d'Art et d'Histoire (inv. 1941-10)

p/pr 64,5 × 53 1758-65
Til. 67

Molto consunto. È sempre sta-

to conservato nella famiglia del sindaco Guainier-Gautier, passando per via di parentela acquisita, al cognato Jacques-Claude Claparède; il museo di Ginevra l'ha acquistato nel 1941 dagli eredi Claparède. L'effigiato, Jean-Antoine Guainier-Gautier (1716-1801) fu sindaco della Repubblica di Ginevra nel 1772, nel 1776 e nel 1780; fu inviato a Chambery per conferire col duca di Savoia. Il dipinto venne eseguito con tutta probabilità a Ginevra tra il 1758 e il '65 e non verso il 1744 come ritiene Baud-Bovy (1903). In questo ritratto Liotard ha curiosamente fatto indossare al modello un abito "alla turca". L'attribuzione è stata messa in dubbio da Trivas (ms. MAH).

232. JEAN DE VASSEROT

p/pr 61 × 48 1758-65
Til. 83 Triv. 234

Già nella collezione di Mme Henri Martin-Horngacher a Ginevra; proviene dalla collezione E. Horngacher a Perroy. L'effigiato, barone Jean de Vasserot de Châteauvieux, fu signore di Dardagny, Châteauvieux e Confignon, e membro del consiglio dei Duecento della repubblica di Ginevra; morì nel 1778. Il ritratto, eseguito a Ginevra, probabilmente tra il 1758 e il '65, è sempre rimasto nella famiglia dell'effigiato, la cui figlia, Marie-Renée Catherine Vasserot, sposò Jean-Philippe Horngacher.

233. MADAME D'EPINAY. Ginevra, Musée d'Art et d'Histoire (inv. 1826-7)

p/pr 68 × 54 1759 c.
Til. 45 Triv. 112

Legato al museo nel 1826 dai discendenti di Théodore Tronchin. Louise Florence Pétronille de Tardieu d'Esclavelle de Lalive d'Epinay (Valenciennes, 1726-Parigi, 1783), amica del letterato Grimm, fu una delle più eminenti figure di donne di lettere del XVIII secolo. Recatasi a Ginevra nel 1757 per consultare il dottor Tronchin, concluse in quella città una vita tranquilla, apprezzando l'ambiente ginevrino e in modo tutto particolare

quello "dei Tronchins e delle Tronchines" secondo una espressione di Voltaire. Il pastello in esame fu commesso a Liotard tra il 1757 e il 1759 dall'effigiata, che lo offrì al dottor Tronchin nel 1759 come ringraziamento delle cure che questi le aveva prestato. Il ritratto, uno dei capolavori di Liotard, farà dire a Ingres: "Non so se c'è un ritratto più bello di quello in Italia". È stato litografato da François Poggi e Henri Baron.

Ne esistono diverse copie: un pastello di Charles Escot (1834-1902), Museo di Versailles; un pastello di Marie Vignier, collezione privata, Amsterdam; una miniatura su avorio, di Nellie F. Bean (Boston, fine XIX secolo), Ginevra, Musée d'Art e d'Histoire.

234. JEAN SARASIN. Ginevra, Musée d'Art et d'Histoire (inv. 1865-5)

p/pr 67 × 52 f d 1759
Til. 68 Triv. 206

Per via ereditaria passò alla collezione Théodore Claparède, un discendente della quale, David Claparède, lo legò al museo di Ginevra nel 1865. Jean Sarasin (1722-1798) sposò nel 1752 Marie-Jeanne Liotard, figlia di Jean-Antoine Liotard; fu uditore nel 1758, consigliere nel 1767 e sindaco nel 1773. Il pastello, datato da Fosca (1956) "tra il 1757 e il '62", è firmato e datato dall'artista da Jean Sarasin probabilmente nello stesso momento del ritratto della moglie, Marie Anne Sarasin nata Liotard (n. 235).

Tronchin citoien Conseiller d'Etat / né à Genève le 5 mai 1672 qui repond au / 15 stile nouveau peint à Genève par Monsʳ. / Jean Etienne Liotard au mois de juin 1759 agé / de quatre vingt sept ans, et trois mois. No 38".

Si registra una copia a olio, anch'essa proveniente dalla collezione Tronchin e recante al verso la scritta: "Jean Tronchin ancien conseiller d'Etat, ne le ... mai 1672. Peint au mois de juillet 1759"; è conservato in una collezione ginevrina.

237. DAVID CLAPARÈDE

p 46 × 38 1760 c. Til. 36

Al verso reca la scritta: "David Claparède, allié Gallatin". Già nella collezione F. Chenevière a Ginevra; è sempre rimasto nella famiglia dell'effigiato. David Claparède (1727-1801) fu pastore e professore di teologia, poi rettore dell'accademia di Ginevra; è autore di un gran numero di testi teologici e delle *Considérations sur les miracles de l'Evangile*, pubblicate nel 1765 in risposta alle opposte argomentazioni di Jean-Jacques Rousseau. Il pastello, commesso dall'effigiato verso il 1760, appartiene alla serie dei ritratti "ginevrini" eseguiti da Liotard tra il 1757 e il '62.

238. JEAN-JACQUES HORNGACHER. Ginevra, coll. Mme E. Horngacher

p/pr 58,5 × 48 1760 c.
Til. 52 Triv. 152

È sempre rimasto nella famiglia dell'effigiato. Jean-Jacques Horngacher (1695-1778), signore di Plongeon, fu banchiere ad Amsterdam sotto il nome di Horneca, che mantenne anche al ritorno a Ginevra. Sul verso è una scritta, in caratteri ottocenteschi: "peint en 1750"; in realtà il ritratto deve essere stato eseguito a Ginevra tra il 1757 e il 1762; appartiene allo stesso momento dei n. 239-243. Tilanus (1897) e Fosca (1928) lo datano "verso il 1760".

235. MARIE JEANNE SARASIN, NATA LIOTARD. Ginevra, Musée d'Art et d'Histoire (inv. 1940-20; in deposito dalla fondazione Gottfried Keller, Berna)

p/pr 40 × 30,5 1759
Til. 69 Triv. 207

Proveniente dalla stessa collezione del n. 234, fu acquistato nel 1940 dalla fondazione Gottfried Keller di Berna e depositato al museo di Ginevra. Baud-Bovy (1903) data questo ritratto "verso il 1757" e Gielly [1935] "1758". Deve essere stato eseguito contemporaneamente a quello di Jean Sarasin, cioè nel 1759.

236. JEAN TRONCHIN. Ginevra, coll. X. Givaudan

p/cr 65 × 52 1759
Til. 76 Triv. 225

Ritoccato e ingrandito, forse da una mano diversa. Per la provenienza, si vedano i n. 220, 225, 226, 228, appartenenti alla stessa serie; acquistato dalla famiglia dell'attuale proprietario nel 1950. Jean Tronchin (1672-1761), figlio di Louis Tronchin, fu pastore a Lione, poi professore di teologia all'accademia di Ginevra. Nel 1708 fu nominato uditore; esercitò le funzioni di procuratore generale dal 1718 al 1723 e quelle di consigliere dal 1730 al 1734. Il ritratto venne eseguito a Ginevra nel 1759; la cronologia è confermata da una scritta in caratteri settecenteschi nel verso: "Jean

Liotard raffigurò lo stesso personaggio in un disegno (Ginevra, coll. privata).

239. ISAAC LOUIS DE THELLUSSON. Winterthur, Stiftung Oskar Reinhart

p/pr 70 × 58 f d 1760
Til. 74 Triv. 218

Proviene, con il *pendant*, n. 240, dalla collezione H. Faesch, poi A. Faesch-Micheli, e Mme Faesch-de Beaumont a Ginevra; O. Reinhart lo acquistò nella stessa città, nel 1935, da R. Dunki (F. Zelger, *Stiftung Oskar Reinhart*, I, *Schweizer Maler des 18. und 19. Jahrhunderts*, Zürich 1977, pagg. 221, 223, n. 102). Isaac Louis de Thellusson (1727-1790), signore di La Garra, figlio del finanziere e uomo politico parigino che si era stabilito a Ginevra e aveva acquistato la proprietà di cui sopra. Thellusson era capitano dell'armata francese; nel 1772 divenne consigliere della Repubblica di Ginevra e nel 1777 generale d'artiglieria; sposò in seconde nozze Julie Ployard di Marsiglia, che gli sopravvisse trent'anni (per l'iconografia di Thellusson si veda G. Girod de l'Ain, *Les Thellusson et les artistes*, "G", IV, 1956, pag. 127). Il pastello fu eseguito a

241

242

243

244 [Tav. XLVI]

246 [Tav. XLVII]

247

248

249

250

251

252

111

Ginevra allo stesso momento dei n. 238-243.

Un'altra versione e il suo *pendant* (ambedue già nella collezione Micheli a Landecy), non firmati, non datati e molto più deboli, citati da Tilanus (n. 74) furono esposti a Ginevra nel 1886 e considerate copie antiche da Trivas (ms. MAH). Un secondo ritratto dello stesso Isaac de Thellusson, assai vicino all'esemplare della collezione Micheli, già nella collezione Favre-Micheli a Merlinge, e conservato nella collezione Salmanowitz a Ginevra.

240. JULIE DE THELLUSSON, NATA PLOYARD. Winterthur, Stiftung Oskar Reinhart

p/pr 71 × 58 f d 1760
Til. 75 Triv. 219

Pendant del 239; stessa provenienza (F. Zelger, *Stiftung Oskar Reinhart, I, Schweizer Maler des 18. und 19. Jahrhunderts*, Zürich 1977, pagg. 222, 224, n. 103). Marie-Julie Thellusson (Marsiglia 1740 - Ginevra 1820), allevata a Marsiglia, sposò Isaac-Louis de Thellusson nel 1760; era figlia di Jean-Louis Ployard, cittadino ginevrino che aveva fondato un'importante azienda commerciale a Marsiglia; nella stessa città ricoprì la carica di console generale di Danimarca e di Norvegia.

241. CATHERINE TRONCHIN. Bois d'Ely (Crassier), coll. de Loriol

p/cr 50,5 × 41 1760-61

Catherine Tronchin, nata nel 1730 e figlia di Pierre Tronchin, sposò a Lavigny, nel 1765, Rodolphe de Loriol, luogotenente-colonnello al servizio di Berna. Il pastello, pesantemente ritoccato, venne eseguito a Ginevra, nello stesso momento degli altri ritratti della famiglia Tronchin, verso il 1760-61.

242. HENRIETTE TRONCHIN. Parigi, coll. Mme A.-M. François-Poncet

p/cr 39 × 30,5 1760-61 (o 1763-69) Til. 77 Triv. 224

Stessa provenienza dei n. 220, 225, 226, 228, 236. Henriette François Tronchin era figlia di Louis Tronchin, professore e pastore della chiesa di Waldkirch. Il dipinto fu eseguito a Ginevra nello stesso periodo degli altri ritratti della famiglia Tronchin, verso il 1760-61, prima della partenza di Liotard per Vienna, o immediatamente dopo, tra il 1763 e il 1769. La datazione è ardua: l'effigiata dimostra una trentina d'anni ma la sua data di nascita è incerta: 1734 secondo Galiffe (*Généalogie genevoise*, II, pag. 863) o 1744 (Trivas, ms. MAH).

243. EVE MESTREZAT-SIX

p/pr 60 × 47,5 1761
Til. 70 Triv. 173

Già nella collezione A. Roux a Ginevra. Henriette-Eve Six (1727-1794), sposa di Jacob Mestrezat, era originaria di Amsterdam e apparteneva alla famiglia dei Six, un membro della quale, un secolo prima, era stato amico e cliente di Rembrandt. Il ritratto fu ese-

guito a Ginevra verso il 1761 ed è sempre stato conservato presso i discendenti dell'effigiata.

244. LA SIGNORA NECKER. Vienna, Schönbrunn (inv. AC 55012)

p/cr incollata su tl 85,5 × 104,7 1761 Triv. 180

Suzanne Curchod (1739-1804), futura signora Necker, era nata nei dintorni di Losanna, guadagnava da vivere facendo l'istitutrice; nel 1759 fu assunta da Mme Larrivée de Vermenoux (per cui si veda ai n. 263 e 264) perché si occupasse dei figli. Quando quest'ultima lasciò Ginevra per Parigi, portò con sé Mlle Curchod. Necker, che aspirava alla mano di Mme, si innamorò della giovane e la sposò nel 1764; la giovane donna tenne uno dei salotti letterari più brillanti del tempo. Mme de Vermenoux, fu madrina della figlia dei Necker, Germaine, la futura Mme de Staël. Il dipinto in esame fu eseguito a Ginevra verso il 1761; Liotard lo portò con sé a Vienna e l'imperatrice Maria Teresa lo comprò nel 1762, senza conoscere il nome dell'effigiata. Nel 1777, Liotard, di ritorno a Vienna per l'ultima volta, chiederà all'imperatrice l'autorizzazione a copiarlo (n. 318). Maria Teresa cita il ritratto in una lettera datata 2 febbraio 1780, indirizzata al conte Mercy-Argenteau: "potrete far sapere a Mme Necker che il pittore Liotard, di Ginevra, si trovava qui molti anni fa; ho voluto esaminare i suoi quadri, tra i quali rimasi colpita soprattutto da uno

che rappresentava una graziosa giovane con un libro in mano, in un atteggiamento molto interessante. Mi sono attaccata a questo quadro e l'ho comprato: è il ritratto di Madame Necker, che guardo ancora molte volte con piacere. Quando Liotard è stato qui l'ultima volta, si è mostrato dispiaciuto di non essere più in possesso del quadro, e mi ha chiesto di poterlo copiare; gli ho accordato il permesso, ma ho tenuto l'originale" (citato da Trivas).

245. MARIA TERESA D'AUSTRIA

p/cr 79 × 61 f d 1762 Triv. 50

Già nella collezione Gardiol a Ginevra; fece parte della collezione del barone von Mecklenburg sino al 1872, quando fu venduto al signor Keranda, a Vienna. Il ritratto fu eseguito a Vienna durante il secondo soggiorno di Liotard in questa città. Per l'iconografia del personaggio si vedano anche i n. 58, 59, 61, 63-66, 246-250, 267.

Una copia (pastello, cm. 86 × 68) con l'aggiunta di un velo nero attorno alla testa, è nella Bundessammlung alter Stilmöbel a Vienna (inv. n. 2252-SB). Un'altra (miniatura a olio) si trova nel palazzo di Schönbrunn.

246. MARIA TERESA D'AUSTRIA. Ginevra, Musée d'Art et d'Histoire (inv. 1839-10)

p/pr 86 × 68 1762
Til. 4 Triv. 51

Una striscia di circa 3 cm. è stata aggiunta lungo il lato in-

feriore. Il ritratto fu offerto dall'imperatrice Maria Teresa a Salles, gioielliere e banchiere a Ginevra; nel 1839 i discendenti di questi lo legarono al museo cittadino. A proposito di questo pastello Flaubert scriverà, dopo una visita al museo, nel 1845: "Maria Teresa (pastello), donna tra i 45 e 48 anni, fresca, carni un po' molli, ancora rosee, cascanti, l'occhio umido e buono; espressione troppo complessa per essere descritta; cosa mirabile come intensità" (*Notes de voyage*, I, Paris 1910). Il ritratto è forse quello che figurava, come n. 27, nel catalogo della collezione dipinti di Liotard (Parigi 1771): "L'imperatrice Regina. Pastello. Di Liotard, 1762. Alt. 22½, largh. 18½". Inciso da L. Buisson nel 1882 (Til., inc. 18).

247. L'IMPERATRICE MARIA TERESA

p/cr foderata di seta 85,5 × 65,5 1762 Triv. 51 a

Già nel museo dei principi Lubomirski a Lvov; proviene dalla collezione del principe W. Kaunitz. Replica del n. 246, del quale è probabilmente coeva. Sulla tavoletta di protezione si trova un sigillo in cera, e una scritta in caratteri settecenteschi: "Portrait de S Se Mté L'Impératrice Reine peint par J. E. Liotard 1763, N. 257". È molto probabile che tale iscrizione sia di mano del proprietario del pastello che ne venne forse in possesso nel 1763.

248. MARIA TERESA D'AUSTRIA. Amsterdam, Rijksmuseum (inv. 2929)

p/pr 59 × 47,5 1762
Til. 4 Triv. 51 b

Il viso è fortemente restaurato. Al verso è una scritta di mano del figlio maggiore dell'artista: "Marie-Thérèse D'Autriche, Impératrice Reine de Hongrie & de Bohême, peinte d'après nature par Liotard". Il pastello, proveniente dalla collezione del pittore, figurava nell'inventario steso alla sua morte, al n. 198: "Busto dell'imperatrice Maria Teresa 204 livres" (AEG, Jur. civ. F. n. 812). Fece quindi parte della collezione di Liotard-Crommelin, figlio maggiore dell'artista; nel 1873 fu legato al museo di Amsterdam da Mlle E. A. Liotard (*All the paintings of the Rijksmuseum in Amsterdam ...*, Amsterdam 1976, pag. 792, n. A230).

249. MARIA TERESA D'AUSTRIA. Ginevra, coll. B. Naef

p/pr 40 × 33 1762

Proviene da una vecchia famiglia di Basilea ed è stato acquistato nel mercato d'arte a Monaco. Si tratta forse di uno schizzo o di un abbozzo preparatorio della testa per il n. 248.

250. MARIA TERESA D'AUSTRIA. Vienna, Albertina (inv. n. 35.466)

p/pr montato su telaio 111,3 × 79,5 1762

Fu eseguito, assieme al *pendant* (n. 251), nel 1762, durante il secondo soggiorno di Liotard a Vienna. Alla morte di Maria Teresa, nel 1780, i due ritratti divennero di proprietà del principe Alberto, dopo il 1798 conservati nel palazzo imperiale sino al 1921. Furono quindi venduti in Svizzera dal principe imperiale Federico; dopo essere stati in una collezione privata svizzera fino al 1967, furono messi in vendita presso Kornfeld e Klipstein a Berna, dove li acquistò il museo dell'Albertina.

Uno studio preparatorio per il ritratto in esame si trova in una collezione privata viennese (Catalogo della mostra "200 Jahre Albertina Herzog Albert von Sachsen-Teschen und seine Kunstsammlung", Vienna, Albertina, 12 mag-

253

254

256

257

259 [Tav. XLVIII]

260 [Tav. IL]

260¹

260 bis

261

262¹

263 [Tav. L]

264

gio - 28 settembre 1969, n. 25).

251. FRANCESCO I D'AUSTRIA. Vienna, Albertina (inv. 35.467)

p/pr montato su telaio 111,5 × 79,5 1762

Pendant del n. 250; stessa provenienza. Per l'iconografia del personaggio si vedano anche i n. 60, 62, 67, 252.

252. FRANCESCO I D'AUSTRIA NELL'UNIFORME DEL REGGIMENTO CROATO. Vienna, Hofburg (inv. 5B 2253)

p/pr 83,5 × 66,5 1762
Triv. 55

Non catalogato da Tilanus (1897). Eseguito al tempo del secondo soggiorno di Liotard a Vienna, nel 1762. Secondo Trivas (ms. MAH) gli abiti potrebbero essere di mano diversa. Inciso da J. Schmutzer (Til., inc. n. 21 e 22) con la scritta: "nach dem Leben gezeichnet von Liodart [*sic*] 1762 und auf allerhöchsten Befehl in Kupfer gegraben von Jacob Schmuzer 1769".

253. L'ARCIDUCA GIUSEPPE, FUTURO IMPERATORE GIUSEPPE II D'AUSTRIA. Neuwaldegg (Vienna), coll. principe di Schwarzenberg

p 74 × 58 f d 1762 Triv. 58

Fece parte della collezione viennese di P. von Galvagni, venduta nel 1869 (cat. n. 53). L'arciduca Giuseppe (1741-1790) era il figlio maggiore di Maria Teresa e di Francesco I: alla morte del padre, nel 1765, divenne coreggente e fu elet-

to imperatore. Il ritratto venne eseguito a Vienna, durante il secondo soggiorno di Liotard a corte. Per l'iconografia del personaggio si vedano anche i n. 254, 255, 321.

254. L'ARCIDUCA GIUSEPPE, FUTURO IMPERATORE GIUSEPPE II D'AUSTRIA

p/cr 74 × 56 f d 1762
Triv. 58 a

Replica esatta del n. 253. Già nella collezione Gardiol a Ginevra; proveniente da una collezione austriaca, fece parte di quella del conte Bille Brahe Selby a Steengaard (Danimarca) e passò nella vendita Winke e Magnussen a Copenaghen il 20 ottobre 1938 (cat. n. 28).

255. L'ARCIDUCA GIUSEPPE, FUTURO IMPERATORE GIUSEPPE II D'AUSTRIA

p 53 × 41 1762 c. Triv. 59

Già a Neuwaldegg (Vienna), nella collezione del principe Schwarzenberg. Trivas dà la seguente descrizione del pastello: "Busto. Uniforme azzurra con risvolti rossi. Ordine di Santo Stefano con nastro bianco e azzurro a fascia".

256. IL CONTE WENZEL ANTON KAUNITZ, PRINCIPE VON KAUNITZ RITTBERG

p 60 × 48 1762 Triv. 156

Già nella collezione Kaunitz a Slavkov, in Moravia (Austerlitz), poi, per eredità, ai conti Palfy (prima del 1939). Si tratta forse della commissione citata da Fanti nella sua *Descri-*

zione completa di tutto ciò che ritrovasi nella galleria di pittura e scultura di S. A. Giuseppe Wenceslao... di Liechtenstein... (Vienna 1768): "Ebbe subito la grazia d'aver udienza dalla sovrana [Maria Teresa d'Austria], che gli ordinò un nuovo suo ritratto; questo compito ebbe la sorte di farne degli altri, non solo per l'augustissima casa, ma altresì per altri gran Signore come [...] per lo principe Kaunitz" (*Blätter für Gemäldekunde*, a cura di Th. Frimmel, II serie, maggio 1907). Per l'iconografia del personaggio si veda anche il n. 139.

La collezione Kaunitz conservava, in passato nel gruppo di ritratti in piedi dipinti per decorare, verso il 1770, una sala della residenza dei Kaunitz, un ritratto a olio dello stesso personaggio e dello stesso tipo iconografico. Tale ritratto non è di Liotard, ma vi si riconosce la testa del ritratto a pastello dell'artista ginevrino, che sembra accordarsi abbastanza male con il resto del corpo, avvolto nel mantello dell'ordine del Toson d'oro (indicazioni cortesemente fornite da Boris Lossky, 1960).

257. IL CONTE WENZEL ANTON KAUNITZ, PRINCIPE VON KAUNITZ RITTBERG. Duillier (Svizzera), coll. Rolf Trembley

p/pr 58 × 47 1762

Replica del n. 256, con leggere varianti nel trattamento del viso. Proviene dalla famiglia Kaunitz; entrò per eredità nella collezione della famiglia Karoly; presentato alla vendita Stu-

258. JOSEPH WENZEL VON LIECHTENSTEIN

p 1762 c.

Si trovava nella collezione Liechtenstein, dove è citato da Fanti (1768); l'autore indica che, oltre ai ritratti per Maria Teresa, Liotard ne eseguì per altri personaggi importanti, "come lo Principe Wenceslao di Liechtenstein, che in oggi trovasi nella sua Galleria". Dopo la prima guerra mondiale, si è purtroppo perduta ogni traccia del dipinto (comunicazione del conservatore delle collezioni del principe di Liechtenstein, Vaduz, 14 dicembre 1977).

259. IL SIGNOR LIOTARD DE PLAINPALAIS. Ginevra, Musée d'Art e d'Histoire (inv. 1865-2)

p/pr 64 × 55 1762
Til. 107 Triv. 162

Passato per via ereditaria e di parentela nella collezione di Théodore Claparède; nel 1865 David Claparède lo legò al mu-

ker, a Berna, il 9 marzo 1951 (cat. n. 2131, fig. 2), venne acquistato dall'attuale proprietario. Il pastello reca sul verso un'etichetta con la scritta ottocentesca: "Portrait de Son Alt Mgr. le Prince Venceslas de Kaunitz Rietberg. Peint à Vienne par Liotard en 1767". La data è inesatta, poiché nel 1767 Liotard si trovava a Ginevra, avendo lasciato Vienna prima del 29 novembre 1762, data in cui l'imperatrice Maria Teresa gli scrive per informarlo che accetta di essere la madrina di sua figlia.

seo. Liotard de Plainpalais era un cugino dell'artista. Il dipinto, non datato dai biografi di Liotard, fu eseguito a Ginevra, con tutta probabilità verso il 1762 o al più tardi nel '75, come il ritratto di Sarasin-Liotard.

260. LORD JOHN MOUNT STUART, POI PRIMO MARCHESE DI BUTE ...(Gran Bretagna), coll. privata

p 90 × 47 c. f d 1763
Triv. 93

Reca in alto a destra la scritta: "A Genéve / par J. Etienne Liotard / 1763". L'effigiato (1744-1814) era il primo figlio del terzo Earl of Bute. Il ritratto fu commesso dal terzo Earl of Bute, allora primo ministro: "Ho fatto per milord conte di Bute il ritratto di suo figlio milord Mont Stuart; la figura intera, dipinta a pastello, è rifinita molto gradevolmente cosi come gli accessori, il personaggio è in piedi, a fianco della specchiera del camino, al prospetto del quale è appoggiato; la figura e tutti gli accessori sono estremamente rifiniti e suo padre fu cosi contento del lavoro che mi fece dare il doppio del compenso pattuito" (*Traite...*, regle IX, pag. 58). Eseguito (come attesta la scritta) nel 1763 a Ginevra, dove, fra gli stranieri di rango che si recavano a vedere la collezione di Liotard (J. F. Reiffenstein la visitò nell'estate 1761), si trovava lord Mount Stuart. Il ritratto passò per eredità all'attuale proprietario, dal momento che il secondo Earl Harrowby aveva sposato, nel 1823, una figlia del primo marchese di Bute. E erroneamente datato da Baud-Bovy (1903) e da Fosca (1956) al secondo soggiorno di Liotard in Inghilterra, cioè al 1772-74. Inciso alla maniera nera da J.R. Smith (Til., inc. 62) nel 1774.

Un disegno preparatorio (pietra nera e gesso bianco, con tocchi di sanguigna su carta azzurra, cm. 90 × 47,6; foto 260¹), già nella collezione Tilanus ad Amsterdam, è conservato ora nel museo di Ginevra (inv. 1934-27).

260 bis. LORD JOHN MOUNT STUART, POI PRIMO MARCHESE DI BUTE. Londra, coll. Earl Harrowby

p 84 × 72

Dato a Frances, seconda contessa di Harrowby, da M. Louis Pictet, che la aveva ricevuto dalla marchesa di Bute. Ritratto a mezzo busto; la testa appare identica a quella del ritratto a figura intera presso il caminetto (n. 260).

261. PIERRE MUSSARD. Ginevra, Musée d'Art et d'Histoire (inv. 1894-1)

p/pr 53,5 × 40 1763
Til. 62 Triv. 177

Proveniente dalla collezione Humbert-Guigonat di Ginevra, fu acquistato dal museo nel 1894. Pierre Mussard (1690-1767), illustre magistrato, fu nominato professore onorario di diritto naturale e pubblico nel 1719; entrato nel Consiglio dei Duecento nel 1721, fu consigliere nel 1735, e segretario di Stato dal 1738 al '49; ne

1750, al ritorno da una missione a Parigi, fu promosso alla carica di sindaco che occupò anche negli anni 1754, 1758 e 1762. È a questo austero magistrato che Montesquieu affidò il manoscritto dell'*Esprit des lois* per darlo alla stampa. Il pastello, datato "tra il 1757 e il 1762" da Fosca (1956), ed eseguito a Ginevra, fu offerto dall'artista a Pierre Mussard nel 1763 come ringraziamento per aver tenuto a battesimo sua figlia Marie Thérèse, il 9 febbraio dello stesso anno, in nome dell'imperatrice Maria Teresa, madrina della piccola. A questo proposito Liotard scriverà a François Tronchin il 19 maggio 1778: "Credete, caro compare, che ho osato dire all'Imperatrice che aveva dimenticato di dare un attestato di bontà a Mr. Mussard, defunto sindaco, che portò [al battesimo] mia figlia Thérèse in nome dell'Imperatrice ..." (BPU, archivi Tronchin 191). Il ritratto venne inciso da L. Buisson nel 1882 (Til., inc. 61).

262. IL DOTTOR THÉODORE TRONCHIN

p 1763 Til. 81 Triv. 228

Già nella collezione Martin in Svizzera. Théodore Tronchin (1709-1781), celebre medico, studiò a Cambridge e a Leyda, dove conseguì il dottorato. Esercitò la professione, prima ad Amsterdam, poi — dal 1754 — a Ginevra, dove fu nominato professore onorario di medicina all'accademia. Noto per le sue campagne in favore della vaccinazione antivaiolosa (nel 1756 vaccinò i figli del duca d'Orléans), divenne un medico "alla moda"; i registri delle sue consultazioni mostrano chiaramente quanto la sua clientela fosse numerosa, scelta e letterata. Nel 1766 divenne primo medico del duca d'Orléans. Il pastello in esame, perduto, ci è noto attraverso un'incisione alla maniera nera (foto 262¹) di J. Watson (Til., inc. 65) recante la scritta: "Theodorus Tronchin, medicinae et anatomiae in academia Genevensi Professor. Liotard pinxit 1763 et J. Watson excudit ex archetypa Tabella penes Comitissam Stanhope".

Un disegno di Liotard con lo stesso personaggio, nello stesso atteggiamento, già nella collezione Tronchin de Bessinge, è attualmente in una collezione privata. Tilanus (1897) cita al n. 80 del suo catalogo un ritratto di Théodore Tronchin di proprietà della Société des Arts di Ginevra, che in realtà è opera di Maurice Quentin de la Tour.

263. ANNE-GERMAINE LARRIVÉE DE VERMENOUX. Ginevra, coll. X. Givaudan

p/pr 120 × 95 f d 1764
Til. 84 Triv. 236

Sul cartiglio la scritta: "Anne Germaine de VERMENOUX donné par elle / à Th. TRONCHIN / J.E. LIOTARD pinxit". Anne-Marie Germaine Larrivée-Girardot de Vermenoux (1740-1783) è raffigurata nell'atto di chinarsi verso il busto di Esculapio. L'effigiata commise il ritratto a Liotard nel 1764 per offrirlo, come ringraziamento, al dottor Théodore Tronchin che l'aveva curata e guarita. Giovane e ricca vedo-

265

269

271

va, era arrivata a Ginevra nel 1758 per consultare il celebre medico e vi restò sino al 1764, frequentando alcune famiglie ginevrine, specie i Tronchin e i Turrettini, scelta come sua terra di Bière ai piedi del Giura. Al momento di lasciare Ginevra aveva portato con sé una giovane istitutrice, Suzanne Curchod (per cui si veda al n. 244), che conoscerà Jacques Necker, frequentatore del salotto Vermenoux e lo sposerà nel 1764. Il pastello è erroneamente datato "1766" da Trivas (ms. MAH), che aggiunge: "è un ritratto eseguito a memoria, dopo la partenza di Madame de Vermenoux". Rimase nella famiglia Tronchin sino al 1950, quando fu acquistato dalla famiglia dell'attuale proprietario.

264. ANNE-GERMAINE LARRIVÉE DE VERMENOUX

p/pr 59 × 50,5 1764 c.
Triv. 235

Già nella collezione E. Odier a Ginevra; fece parte della collezione Moultou e successivamente della collezione Nicole. Eseguito a Ginevra, come conferma la lettera in mano dell'effigiata, nello stesso momento del n. 263.

265. JEAN-LOUIS BUISSON-BOISSIER

p 62,5 × 49 1764 c.
Til. 33 Triv. 92

Già nella collezione G. Naville, poi in quella di R. Naville a Ginevra. Fa parte del gruppo di ritratti "ginevrini" eseguiti verso il 1764; venne dipinto nel mo-

268

270

273

mento stesso in cui Jean-Louis Buisson (1731-1805) veniva nominato membro del Consiglio dei Duecento. Datato "1770" da Tilanus (1897).

266. VOLTAIRE

p (?) 1765

Figura nel catalogo della collezione di dipinti di Liotard (Parigi 1771), come n. 98: "Il ritratto del signor di Voltaire, disegnato dal vero nel 1765". Mancano altre notizie.

267. MARIA TERESA D'AUSTRIA IN ABITI DA LUTTO

p 54 × 42 1765 Triv. 52

Già nella collezione del principe Schwarzenberg, a Neuwaldegg (Vienna). "Busto, con un velo nero; un doppio giro di perle al collo" (ms. Trivas).

268. JEAN-ABRAHAM HALDIMAND. Ginevra, coll. privata

p/seta 65 × 52 f d 1766
Triv. 148

Firmato e datato: "1766 / Par Liotard / Turin". Jean-Abraham Haldimand si era stabilito a Torino verso il 1745, come banchiere; era fratello di Frédéric Haldimand, generale al servizio dei Paesi Bassi e dell'Inghilterra. Il pastello, di cui è ignota la provenienza, è l'unica prova di un viaggio a Torino fatto dall'artista; viaggio di cui non conosciamo né lo scopo né la durata.

269. AUTORITRATTO CON BERRETTO ROSSO. Ginevra, Musée d'Art et d'Histoire (inv.

1976-334; deposito della fondazione Gottfried Keller, Berna)

lapis nero, matite colorate/pv
12 × 10 1765-67
Til. 71 Triv. 7

Si trovava nella collezione dell'artista; per via ereditaria passò alla figlia Marie Thérèse, poi a J. E. Liotard-Crommelin, a Mlle M. A. Liotard, a J. W. R. e infine a J. E. Tilanus di Amsterdam, sino al 1934. Fece quindi parte della collezione Ch. E. Dunlop a New York; fu venduto presso la Sotheby Parke Bernett, nella stessa città, il 4 dicembre 1975, e ancora presso Baskett and Day a Londra il 16-30 marzo 1976 (cat. n. 1); acquistato dalla fondazione Gottfried Keller di Berna, è in deposito al museo di Ginevra. Datato "intorno al 1765" da Tilanus (1897), "1765" da Baud-Bovy (1903) e Trivas ("RAAM" 1936, pag. 158) e 1767 da Fosca (1956), il ritratto è uno studio dal vero eseguito a Ginevra tra il 1765 e il '67, e impiegato come modello dall'artista per le repliche a pastello registrate qui di seguito (n. 270-273). Giova notare che può essere stato utilizzato da Liotard anche qualche anno più tardi, per l'*Autoritratto sorridente* (n. 280). Per l'iconografia del personaggio si vedano anche i n. 7, 8, 27, 72-74, 102-104, 269-274, 280, 281, 334.

Al medesimo modello si collegano anche due smalti di Liotard: uno a Vienna, Hofburg, l'altro già a Londra, collezione T. H. Cobb.

270. AUTORITRATTO CON BERRETTO ROSSO. Ginevra, coll. G. Salmanowitz

p/pr 43,5 × 37,5 1768
Til. 99 Triv. 8

Eseguito nel 1768, figurava come n. 25 nel catalogo della collezione di dipinti di Liotard (Parigi 1771): "Ritratto di Liotard dipinto da lui stesso nel 1768. Alt. 16, largh. 14½". È direttamente ispirato allo studio n. 269. Regalato dall'artista a Sam Voute di Amsterdam, come conferma la lettera di Madame Liotard al figlio maggiore scritta l'11 novembre 1778: "Ho dimenticato — credo — nella mia ultima, di parlarti del ritratto che tuo padre regalò a Mr Voute; è quello che è nella sala, a pastello. Un busto, puoi scegliere di dare quello che vorrai..." (BPU, Ms. fr. 355). Il dipinto ha fatto parte della collezione J.W.R. e C.B. Tilanus di Amsterdam, ed è stato acquistato da Laurent Rehfous a Ginevra nel 1934.

271. AUTORITRATTO CON BERRETTO ROSSO. Ginevra, Bibliothèque Publique et Universitaire

p/pr 63 × 52 1768 c.
Til. 99 Triv. 8 c

Già nella collezione Odier-Lecointe a Ginevra, fu legato al Musée Rath di Ginevra nel 1827. Nel 1843 è stato oggetto di uno scambio con l'*Autoritratto con barba* (n. 103) tra il museo e la biblioteca. È ispirato allo studio n. 269. Datato verso il 1767 da Gielly (1935) e al 1767 da Fosca (1956).

272. AUTORITRATTO CON BERRETTO ROSSO

p 1768 c. Til. 99 Triv. 8 b

Già a Vevey, nella collezione Dapples. Proviene dalla collezione torinese di John Defernex, discendente dell'artista; la figlia minore di questi, Marie Anne Françoise, aveva infatti sposato Moïse Defernex nel 1797. Per via ereditaria il dipinto passò alla famiglia Dapples di Firenze e del cantone di Vaud. Eseguito con tutta probabilità dallo studio n. 269. Menzionato da Fosca (1928) che riprende l'indicazione di Tilanus: "Liotard verso i 65 anni".

273. AUTORITRATTO CON BERRETTO ROSSO. Ginevra, coll. B. Naef

p/pr 50 × 41 1770 c.
Triv. 8 a

Proviene dalla collezione J.-J. Sellon di Ginevra: "n. 160. Il ritratto di questo maestro a pastello" (*Catalogue complet de la galerie des tableaux du comte de Sellon*, manoscritto autografo, probabilmente verso il 1795; Ginevra, archivi MAH, n. 36). Per via ereditaria passò alla collezione Revil-

274 [Tav. LI]

liod-de Muralt, poi Manderot-Revilliod, dalla quale l'acquisto è tornato alla famiglia dell'attuale proprietario. Il ritratto appare ispirato allo studio n. 269, ma Liotard sembra un po' più vecchio; il ritratto deve quindi essere stato eseguito più tardi. Non è menzionato da Tilanus (1897).

274. VEDUTA DI GINEVRA DALLA CASA DELL'ARTISTA. Amsterdam, Rijksmuseum (inv. 2949)

p e guazzo/pv 45 × 58
1765-70 Til. 90 Triv. 308

Era nella collezione dell'artista e figura nell'inventario steso alla sua morte, nel 1789, al n. 152: "Il solo paesaggio dell'autore col suo ritratto, 510 fiorini". (AEG, Jur. civ. F. n. 812). Successivamente, nella collezione J.-D. Liotard (1790), poi J.E. Liotard-Crommelin, e Mlle A.M. Liotard di Amsterdam che lo lasciò in legato al museo della città nel 1873 (*All the paintings of the Rijksmuseum in Amsterdam...*, Amsterdam 1976, pag. 793, n. A 1197). Sul verso reca l'annotazione, di mano del figlio maggiore: "Vue de Genève du Cabinet peinte par Liotard". L'11 ottobre 1758 Liotard aveva acquistato dagli eredi di Georges-Louis d'Aubigné una casa "sita sulla rue Saint-Antoine abbellita da un giardino". È a questa casa che l'artista dipingerà la veduta di Ginevra sulle Casematte di Saint-Antoine in primo piano, con le "Tranchées" e la catena del Monte Bianco. A sinistra è il ritratto del pittore, che funge da firma. Unico paesaggio nell'o-

275

277 [Tav. LIII]

277'

pera dell'artista — se si eccettua la copia da Potter (n. 227) — uno dei più stupefacenti tra quelli eseguiti nel corso del XVIII secolo — può essere datato verso il 1765 con riferimento all'autoritratto che vi appare, in diretto rapporto con il prototipo nel suo berretto rosso (n. 269). Datato "verso il 1775 o 1778" da Trivas (ms. MAH), 1755 da Fosca (1956), verso il 1765 da Baud-Povy (1903). Secondo A.M. Cetto (in Huggler, *Schweizer Malerei und Zeichnungen in 17. und 18. Jahrhundert*, Basel 1944, pag. 59) "il pastello deve essere stato dipinto prima del 1776 perché quell'anno fu costruito un bastione sull'osservatorio". Secondo M. Sandoz (*Essai sur l'évolution du paysage de montagne consécutive à la "découverte" des "Glacières" du Faucigny*, "G", XIX, 1971, pag. 204), potrebbe essere stato eseguito sia verso il 1778-80, sia già nel 1760-62. Citato da Liotard tra i quadri più preziosi portati a Confignon, nella lettera scritta il 4 giugno 1782 al figlio maggiore: "Il paesaggio dei Ghiacciai, pastello".

275. JEAN-JACQUES ROUSSEAU

p 14 × 15,5 1765-70

Già in collezione privata a Roma. Liotard manifestò il desiderio di ritrarre Rousseau già nel 1765; è lo stesso Rousseau a fare allusione al fatto a più riprese nella sua corrispondenza. Cosi, il 15 aprile 1765 scrive a Yvernois, parlando di Liotard: "I grandi talenti esigono dei riguardi. Non dico che

mi troverà nello stato d'animo di lasciarmi ritrarre, ma dico che avrà modo di essere contento dell'accoglienza che gli farò". D'altra parte in una lettera molto curiosa indirizzata a Rousseau, nella quale Liotard difende con veemenza le proprie teorie estetiche, c'è un'aggiunta in data 2 settembre 1765: "... quanto a me, preferisco, signore, venire a vedervi da solo; voi mi rimandate tale onore al mese di ottobre. Sarei stato veramente felice se ciò fosse avvenuto in questo mese, ma pazienza; porterò quanto mi occorre e vi pregherò di concedermi qualche momento per cogliere il vostro aspetto..." (citazione da Trivas). Frammenti di corrispondenza citati da Tilanus (1897) e Fosca (1956) provano che Rousseau attendeva l'artista a Motier già alla fine d'ottobre, ma la precipitosa partenza dello stesso Rousseau annullò il progetto. Il ritratto fu eseguito più tardi; Rousseau scrive infatti a Rey il 26 luglio 1770: "Non sono per niente del parere di quelli che vi hanno fatto notare che il mio ritratto eseguito da Liotard era perfettamente somigliante"; e il 9 settembre dello stesso anno aggiungeva: "Poiché volevate incidere un mio ritratto — progetto che, d'altra parte, non è mai stato di mio gusto — ho pensato che era meglio che mi faceste somigliante piuttosto che alterato; è per questo che ho preferito M. de La Tour in quanto incapace di prestarsi alle manovre che hanno guidato il pennello di Ramsay e le matite di Liotard" (Bosscha, *Lettres inédites de J.-J. Rousseau à M. Rey*, Paris 1873). La data d'esecuzione del ritratto resta sconosciuta: l'esistenza dell'opera diviene infatti certa solo nel 1770 e nel 1771 figura nel catalogo della collezione di dipinti di Liotard, come n. 49: "il ritratto di Jean-Jacques Rousseau, pastello. Alt. 5½, largh. 6". Nel 1773 un ritratto di Rousseau viene messo in vendita a Londra dallo stesso Liotard (cat. n. 41; invenduto), poi presso la Christie's, il 16 aprile 1774 (cat. n. 35; invenduto). Il 4 giugno 1782 Liotard, in una lettera indirizzata al figlio maggiore, segnala un ritratto di Rousseau tra i suoi quadri più preziosi portati a Confignon (BPU, Ms. fr. 354). Fosca [1956] indica "che nel 1786 un ritratto di Rousseau datato al 1765 e proveniente dalla collezione dell'artista fu venduto per 290 fr.". L'autore si riferisce probabilmente al pastello che verrà pubblicato nel 1964 da W. Hugelshofer (*Ein Portrat von Jean-Jacques Rousseau, gemalt von Jean-Etienne Liotard*, "PT" 1964, pagg. 91-95). In realtà il ritratto non è datato e la cronologia sarebbe confermata soltanto da un'indicazione non documentata di Tilanus (1897 pag. 208), che cita sotto il 1765, fra le opere scomparse, "J.J. Rousseau venduto da Liotard nel 1786 a 290 fr. a uno sconosciuto". Il pastello si trova inserito in un piccolo mobile-biblioteca ornato di bronzi (alt. cm. 76; largh. cm. 51; prof. cm. 11), destinato all'edizione completa in 32 volumi delle opere di Rousseau pubblicate nel 1784. Secondo Hugelshofer il mobile sarebbe

stato ordinato dalla principessa Isabella Lubomirska, ammiratrice di Rousseau, che acquistò il ritratto nel 1786 a Ginevra, attraverso un "uomo di paglia", per la somma di 290.10 *livres*; questo, nel caso che si identifichi il pastello con quello che figura nel libro dei conti del figlio maggiore dell'artista, J.E. Liotard, nella successione paterna (collezione privata): "1786, 15 décembre, le Portrait de J.J. Rousseau... livres 240.10". La principessa Lubomirska che era rifugiata a Vienna, fece ritorno in Polonia dopo il Congresso di Vienna; il ritratto restò a Cracovia sino alla seconda guerra mondiale, prima di passare in una collezione romana. Secondo Trivas (ms. MAH), che non sembra essere stato a conoscenza del pastello in esame, Liotard avrebbe ritratto Rousseau a Lione nel 1770; tale affermazione viene però fornita senza alcuna spiegazione. L'autenticità del ritratto della collezione romana non sembra dover essere messa in dubbio; si ignora però se si tratti veramente del pastello che si trovava nella collezione dell'artista: solo un documento inconfutabile permetterebbe di affermarlo.

276. GUALTHERUS PETRUS CRAEYVANGER

p 51 × 46 f d 1768

Perduto; già nella collezione van Limburg Stirum a Olst.

277. JEAN-ETIENNE LIOTARD A COLAZIONE. Ginevra, coll. Th. Naville

ol/tl 63 × 70 1770 Triv. 16

Jean-Etienne Liotard (1758-1822), figlio maggiore dell'artista, manifestò un gusto sicuro per la letteratura; è a lui che dobbiamo la maggior parte delle informazioni sulla vita del padre. I genitori lo avevano destinato al commercio; partito per l'Olanda nel 1778, rientrò a Ginevra nel 1784 occupandosi della gestione dei beni paterni e cimentandosi in diverse iniziative, senza successo. Negli intrighi e nei processi

283

285

che si svilupparono attorno alla successione del pittore, Jean-Etienne svolse un ruolo poco simpatico. Nel 1793 sposò ad Amsterdam una ricca ereditiera, Johanna Suzanna Crommelin e da allora in poi si fece chiamare Liotard-Crommelin. Il ritratto in esame fu a lungo ritenuto un lavoro di Chardin; D. Baud-Bovy (*Portrait du fils aîné de l'artiste par J.E. Liotard*, in *Nos Anciens et leurs oeuvres*, Genève 1913, pagg. 127 e segg.) fu il primo a restituirlo a Liotard. Liotard figlio scriverà da Amsterdam alla madre, il 1° dicembre 1778, parlando di questa composizione: "Sono veramente offeso che papà non abbia acconsentito a mandarmi il Ritratto su carta azzurra, perché è cosi bello che lo avrei appeso volentieri nella mia camera" (BPU, Ms fr. 355). Il dipinto eseguito verso il 1770, figurò nel catalogo della collezione di Liotard (Parigi 1771), come n. 55: "Il ritratto del figlio di Liotard che si fa pane e burro. Alt. 23½, largh. 26" e nella vendita Liotard a Londra nel 1773 (cat. n. 14; invenduto); nel 1774 fu esposto alla Royal Academy (cat. n. 159). Per l'iconografia del personaggio si vedano anche i n. 278, 315, 359.

Un disegno preparatorio proveniente dalla collezione Tilanus di Amsterdam (sanguigna e gesso bianco, tocchi di matita nera su carta azzurra cm. 47 × 57,5; foto 277'), si trova nella collezione Mrs. J.H. Hirsch a Londra.

278. JEAN-ETIENNE LIOTARD. Ginevra, Musée d'Art et d'Histoire (inv. 1949-20)

p/cr 33 × 26 1770 c.

Acquistato dal museo ginevrino nel 1949. A giudicare dall'età dell'effigiato (nato nel 1758), deve essere stato eseguito a Ginevra verso il 1770, prima del secondo soggiorno di Liotard a Parigi. Ignorato da Tilanus e Trivas.

279. WILLIAM CONSTABLE. Burton Constable (Yorkshire), coll. J. Chichester-Constable

284 [Tav. LIV]

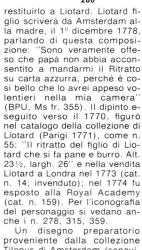

286

p/cr 73,7 × 60,3 1770

Ignorato da tutti i biografi di Liotard, è apparso per la prima volta alla mostra "William Constable as Patron", alla Ferens Gallery, Kingston-upon-Hull, nel 1970 ed è stato pubblicato da Brinsley Ford nel 1964 (*William Constable, an Enlightened Yorkshire Patron*, "A", 99, pag. 408 segg.). William Constable (1721-1791) era figlio di Cuthbert Tunstall, membro di una vecchia famiglia del Nord; suo padre prese il nome di Constable nel 1718 quando ereditò dallo zio, il visconte Dunbar, la proprietà di Burton Constable nello Yorkshire. Suo principale interesse sembra essere stato l'abbellimento di tale proprietà e la formazione di un'impressionante raccolta di opere d'arte. Un inventario manoscritto del 1791 conservato negli archivi della famiglia Constable, indica che il ritratto sarebbe stato eseguito a Ginevra nel 1770; il modello indossa abiti armeni molto simili a quelli di Rousseau nel ritratto di Allan Ramsay (Edimburgo, National Gallery), dipinto nel 1766. Secondo una tradizione, il costume sarebbe appartenuto allo stesso Rousseau, al quale Constable era legato da amicizia; del resto i due si incontrarono nel maggio 1770 a Lione, dove Constable fu invitato dal filosofo, scrittore e musicista francese a una rappresentazione privata della sua opera *Pigmalione*. Da Lione, Constable andò a Ferney per incontrarsi con Voltaire ed è assai probabile che sia giunto sino a Ginevra, dove Liotard gli fece il ritratto.

280. AUTORITRATTO SORRIDENTE. Ginevra, Musée d'Art et d'Histoire (inv. 1893-9)

ol/tl 84 × 74 1770 c.

Til. 155 Triv. 10

Appartenne alla collezione della figlia dell'artista, Marie-Thérèse Bassompierre, di J.E. Liotard-Crommelin e dei suoi eredi. Nel 1873 passò nella collezione Taets van Amerongen a Utrecht, venduta ad Amsterdam nel 1892 (cat. n. 19); ivi la acquistò il museo di Ginevra. Secondo Tilanus (1897) sarebbe stato eseguito verso il 1775; tale datazione è ripresa da Baud-Bovy (1902) mentre Trivas ("RAAM" 1936, pag. 160) lo data "verso il 1770-73" e Fosca (1958) "1773", che è lo stesso anno in cui il dipinto fu messo all'asta nella vendita organizzata da Liotard a Londra. In realtà deve essere stato dipinto verso il 1770, dal momento che figura già come n. 50, nel catalogo della collezione di Liotard (Parigi 1771): "Il ritratto di Liotard, sorridente. Dipinto da lui stesso. Alt. 34, largh. 27". Rimasto invenduto; l'artista lo espose l'anno successivo alla Royal Academy, sempre a Londra (cat. n. 158). Il lavoro restò nella collezione dell'artista ed è menzionato in una lettera di Liotard datata 4 giugno 1782 (PBU, Ms. fr. 354) tra i dipinti fatti portare a Confignon. Nell'inventario steso alla morte del pittore, nel 1789, figura al n. 172 (AEG, Jur. civ. F. n. 812). Per l'iconografia del personaggio si vedano anche i n. 7, 8, 27, 72-74, 102-104, 269-274, 280, 281, 334.

281. AUTORITRATTO CON LA MANO AL MENTO. Ginevra, Musée d'Art et d'Histoire (inv. 1925-5)

p/pr incollata su tl   63 × 52
1770-73   Til. 99   Triv. 9

Proviene dalla collezione Ashley Ponsonby di Londra, discendente di Lord Bessborough, dalla quale passò in quella di Claude A. C. Ponsonby, venduto all'asta il 28 marzo 1908, lotto 7; acquistato dal museo di Ginevra nel 1925 presso Colnaghi a Londra. Tilanus (1897) identifica erroneamente questo ritratto con una delle repliche derivanti dal n. 269 e lo data di conseguenza "verso il 1765", Gielly (1935) al 1775, Fosca (1956) al 1773. Il pastello è stato eseguito da Liotard verosimilmente tra il 1770 e il '73, data in cui veniva esposto come n. 176 alla Royal Academy; qui lo vedeva Horace Walpole che notava in proposito nella sua copia del catalogo: "very bold". Riferendosi al pastello in esame Liotard dirà: "Il mio ritratto a pastello che ho lasciato a Londra, in casa di Milord conte di Bessborough, ha più ombra che toni chiari, ed ha tutto il rilievo, il chiaro-scuro e l'effetto possibile: da me se ne può vedere il disegno, che ha lo stesso effetto; ci se ne può convincere esaminando la mia incisione, che non ha la stessa luminosità del disegno" (Traité..., règle IX, pag. 57). L'incisione alla maniera nera eseguita da Liotard (Til., inc. 8), è datata da Tilanus al 1781. Il pastello in esame fu copiato a ricamo, sotto la direzione del pittore, da una certa signorina Thomasset che conobbe Liotard a Londra (62 × 48,5; Vevey, Musée Jenisch).

Non esiste uno studio preparatorio (Ginevra, Musée d'Art et d'Histoire, inv. 1960-32; carboncino con tocchi di gesso bianco e sanguigna su carta azzurra, cm. 48,8 × 35,9; foto 281[1]), proveniente dalla collezione A. von Lanna.

282. MARIA ANTONIETTA,

FUTURA REGINA DI FRANCIA

p 1771 c.   Triv. 140

Perduto. Verso la fine del 1770, Liotard lasciò Ginevra su richiesta dell'imperatrice Maria Teresa per andare a Parigi per dipingere il ritratto di Maria Antonietta che nel mese di maggio aveva sposato il delfino di Francia. Maria Teresa scriveva in effetti alla figlia, il 1° novembre 1770: "Spero che mi sarà inviato un buon ritratto, e soprattutto che sia di mano di Liotard, che va appositamente a Parigi per farmelo avere. Vi prego di dargli il tempo di farlo bene". Il 2 dicembre, la sovrana aggiunge: "Attendo il quadro di Liotard con grande premura, ma nell'abbigliamento che vi è proprio, non in negligé né in abiti maschili, perché mi piace vedervi nel ruolo che vi compete". Il 17 agosto 1771 scrive ancora da Schönbrunn: "Ho ricevuto il vostro ritratto a pastello, molto somigliante, è la mia delizia, e di tutta la famiglia. È nello studio in cui lavoro" (Arneth e Geoffroy, Correspondance secrète entre Marie-Thérèse et Marie-Antoinette, I, Paris 1874, pagg. 85, 105, 196). Secondo Tilanus (cat. n. 10) il ritratto (cm. 88 × 71) sarebbe stato conservato nel castello imperiale di Laxenburg in Austria; ma tali dati non sono affatto documentati.

Lo stesso Tilanus cita anche (cat. n. 9) il ritratto del museo di Weimar; indipendentemente dalla datazione erronea "circa 1762" (Maria Antonietta che era nata nel 1755, avrebbe avuto sette anni), tale attribuzione sembra assai poco convincente per ragioni puramente estetiche e stilistiche. Contestata da Trivas (ms. MAH), così come l'opera in esame.

283. "TROMPE L'OEIL". New York, coll. Mrs. R. Heinemann

ol/seta   24,2 × 31,7   f d   1771

Già nella collezione di Vitale Bloch a Parigi; venduto all'asta presso la Sotheby di Londra il 2 marzo 1957. Si tratta di due grisailles raffiguranti Venere e Cupido e di due ritratti su una tavola di legno: quello di sinistra reca la scritta, in basso a sinistra: "coeffure Turque"; quello di destra, in basso a destra: "coeffure de Ulm". È possibile l'identificazione con la deceptio visus inclusa nella vendita organizzata da Liotard a Londra nel 1773 col n. 51 (invenduto).

284. NATURA MORTA CON TOMBOLA. Caracas, coll. J. L. e B. Plaza

p   36 × 46   1771-73 c.

Già nelle collezioni J. Cailleux e V. Bloch a Parigi. Eseguito con tutta probabilità a Londra nello stesso momento dei trompe-l'oeil n. 283-286.

285. GRAPPOLO D'UVA SU UNA FETTA DI PANE. Algeri, Musée des Beaux-Arts

p   (?)   1771-73

Con tutta probabilità è uno dei trompe-l'oeil eseguiti dall'artista a Londra verso il 1771-73. Citato e riprodotto da V. Bloch (The Still-life paintings by Jean-Etienne Liotard, in "Etu-

278

279

287[1]

280

281 [Tav. LII]

281[1]

288

289

290

des d'art français offertes à Charles Sterling", Paris 1975, pag. 307 segg.).

286. GRAPPOLI D'UVA SU UNA TAVOLA DI ABETE. Vienna, Kunsthistorisches Museum (inv. 1843)

p/pr incollata su tl   41 × 32,5
1771-74   Til. 92   Triv. 310

Esposto nel 1892 al Kunsthistorisches Museum di Vienna; portato al museo del Belvedere verso il 1920. Liotard dipinse una serie di trompe-l'oeil durante il suo secondo soggiorno a Londra nel 1771-74. L'opera in esame è tra quelle menzionate dall'artista nel suo Traité (règle XX, pag. 93): "Ho dipinto a pastello dei grappoli d'uva appesi a un chiodo su una tavola di abete. Le immagini hanno ingannato due persone: la prima è stata una signora che, vedendoli, è uscita in un'esclamazione, dicendo: "Ah! che bello scherzo. Le dico che non capisco quello che intendeva dire: allora si avvicina di più, si ricrede e arrossisce del suo errore, confessandomi di aver creduto che avessi appeso i due grappoli d'uva a una tavola di abete e li avessi messi appositamente entro una cornice, sotto un vetro; il che le aveva fatto dire entrando: Ah! che bello scherzo. Qualche giorno dopo, è venuta a casa mia una giovanetta di 13 o 14 anni: entrata nella stanza si è accorta che non era che un dipinto solo quando è stata portata di mano degli oggetti". Nel 1789, il trompe-l'oeil è menzionato nell'inventario steso alla morte dell'artista, al n. 146: "un quadro di

uva a grappoli appesi", 51 fiorini (AEG, Jur. civ. F. n. 812).

287. RITRATTO DI BAMBINA CON UNA STATUINA DI PORCELLANA

p/pr   68 × 58   f d   1772
Til. 17   Triv. 287

Già a Berlino, nell'Hohenzollern Museum; secondo una comunicazione scritta di J. F. von Stranz della Generalverwaltung des vormals regierenden Preussischen Königshauses, il pastello era ancora citato nell'inventario del 1854 della residenza di Berlino (lettera dell'11 novembre 1977). Erroneamente datato "verso il 1769" da Fosca (1928) e Gielly (1935). Varie ipotesi sono state avanzate sull'identità dell'effigiato: per Tilanus si tratta della principessa Federica Carlotta Ulrica Caterina di Prussia (1767-1820), mentre il catalogo manoscritto dell'Hohenzollern Museum — citato da Trivas (ms. MAH) — reca: "ritratto del principe ereditario Guglielmo d'Orange", il futuro re Guglielmo I d'Olanda (1772-1843). D'altra parte, nel museo di Ginevra si trova un disegno a sanguigna, matita nera e gesso bianco su carta azzurro-grigia (cm. 61,7 × 51,8; foto 287[1]) che deve essere stato preparatorio per il pastello in esame. Il disegno reca, in alto a sinistra, una iscrizione di mano del figlio maggiore: "J. E. Liotard fils du peintre". Tutte queste indicazioni vengono smentite dalle date: la principessa di Prussia aveva infatti cinque anni nel 1772, ed era quindi molto più grande della bambina raffigu-

rata nel ritratto; il principe d'Orange aveva allora tutt'al più qualche mese, mentre il figlio del pittore aveva a quell'epoca quattordici anni.

288. ANNA ELISABETH VAN TUYLL VAN SEROOSKERKEN. Zuylen, castello

p   67,5 × 55   1772-73
Triv. 194

Proviene dalla famiglia van Tuyll van Serooskerken. Anna Elisabeth van Tuyll van Serooskerken (1745-1819), aveva sposato il conte van Reede, quinto conte d'Athlone. Questi, appartenente a una famiglia originaria dell'Olanda, entrò al servizio del re d'Inghilterra e nel 1772 fu nominato ambasciatore di Gran Bretagna nelle Province Unite. Il ritratto fu eseguito in Olanda, probabilmente verso il 1772, e non in Inghilterra come suggerisce Fosca (1956). La cronologia è confermata da una lettera di Madame de Charrière, cugina dell'effigiata, al fratello, scritta l'8 gennaio 1772, nella quale si afferma: "Madame d'Athlone si fa ritrarre da Liotard e io avrò questo ritratto" (Ph. Godet, Madame de Charrière et ses amis, Paris 1906, pag. 118, ripr.).

289. ANNA ELISABETH CHRISTINE VAN TUYLL VAN SEROOSKERKEN. Amerongen (Utrecht), coll. conte van Aldenburg Bentinck

p   63 × 50 c.   1772-73
Triv. 194

Replica del n. 288. Già nella collezione del barone van Reede van Athlone nel castello di

291

293

294

295

297

301

302

Amerongen, proviene per discendenza dalla famiglia van Tuyll van Serooskerken. Citato da Baud-Bovy (1903) come "la moglie del figlio di lady Asklove", errore ripreso da Gielly (1935). Menzionato da Godet (*Madame de Charrière et ses amis*, 1906, pag. 194, ripr.).

290. CAROLINA URSULA VAN TUYLL VAN SEROOS-KERKEN, NATA VAN RAND-WYCK. L'Aia, Dienst voor's Rijks Kunstvoorwepen (inv. C 1053)

p/cr 60 × 46   1772-73
Triv. 232

Già nella collezione della famiglia van Tuyll van Serooskerken, nel castello Heeze. Carolina Ursula van Randwyck (1741-1823) sposò nel 1772 Reinoud Diderick, signore di Heeze e Leende, figlio di Jan Maximiliaan van Tuyll van Serooskerken. L'esistenza di questo pastello è stata comunicata a N. Trivas da A. Staring. Eseguito durante il secondo soggiorno di Liotard a Vienna nel 1772-73.

291. FREDERICK CHRISTIAN REINHARD VAN REE-DE-ATHLONE. Amerongen (Utrecht), coll. van Aldenburg Bentinck

p/cr 44,5 × 32,5 1773 Triv. 193

Già nella collezione del barone van Reede van Athlone, poi del conte Goddard van Aldenburg van Bentinck, nel castello di Amerongen. Frederick Christian Reinhard, barone van Reede (1743-1808) era figlio di lady Athlone-van Wasse-

naar e fratello della contessa Heiden; sposò la figlia minore del barone van Tuyll van Serooskerken, la cui sorella era Madame de Charrière, detta "Bella di Zuylen". Secondo una tradizione, confermata da una scritta nel verso del pastello, il dipinto sarebbe stato iniziato nel 1771 da Madame de Charrière nata van Tuyll van Serooskerken e completato da Liotard nel 1773, in occasione del suo ultimo soggiorno in Olanda. Citato da Baud-Bovy (1903) come "il figlio di lady Asclove", errore ripreso da Gielly (1935). Fosca, in una nota [1956, pag. 102, nota 1], indica che il ritratto, esposto alla mostra "Cornelis Troost e il suo tempo", tenutasi nel museo Boymans a Rotterdam, nel 1946, era datato nel catalogo "1771"; in realtà il testo in questione lo indicava iniziato nel 1771 e compiuto nel '73.

Una copia (olio su tela, cm. 58 × 46) è conservata nella collezione di Lord Reay, nel castello Ophemert (Olanda).

292. LORD FREDERICK PONSONBY, POI TERZO EARL OF BESSBOROUGH. Stansted Park (Hants). coll. Earl of Bessborough

p/pr 62 × 49,3 1773
Til. 28 Triv. 79

Frederick Ponsonby (1758-1843), visconte Duncannon all'epoca dell'esecuzione di questo ritratto, terzo Earl di Bessborough nel 1793, sposò lady Henrietta Spencer, una delle donne più brillanti del suo tempo. Il pastello, dipinto a Londra verso il 1773, fu espo-

sto nello stesso anno alla Royal Academy (cat. n. 176).

Secondo Trivas ne esisteva una copia nella collezione di Sir A. Ponsonby, considerata come originale da Tilanus 1897) e Fosca (1928) e Gielly (1935).

293. JAMES HAMILTON, EARL OF CLAN BRASSIL

p 63,5 × 50,7 f d 1773
Triv. 89

Reca in alto a destra, la scritta, di altra mano: "James Earl of Clanbrassil". Il 16 maggio 1928 fu incluso nella vendita S. B. Hog presso la Sotheby di Londra e acquistato da Newton; da allora è considerato come scomparso. James Hamilton, quarto Earl di Clan Brassil (1729-1798), ereditò il titolo alla morte del padre nel 1758; divenne membro della "Society of Dilettanti". Si tratta forse del ritratto molto maldestramente ritoccato e restaurato — ciò che rende molto ardua l'attribuzione — appartenente alla galleria Pardo a Parigi.

294. JAMES HAMILTON, EARL OF CLAN BRASSIL. ... (Svizzera), coll. privata

p 77 × 59,5 f d 1774

Proviene, con il *pendant*, n. 295, dalla collezione dell'Earl of Roden. Fu venduto presso la Sotheby di Londra il 3 marzo 1957 (lotto 176) e acquistato da Feilchenfeldt; passò poi in una collezione privata svizzera. Ignoto a tutti i biografi di Liotard.

295. LADY CLAN BRAS-SIL. ... (Svizzera), coll. privata

p 77 × 59,5 f d 1774

Pendant del n. 294; stessa provenienza. Venne acquistato da Speelman alla vendita Sotheby del 3 marzo 1957 (lotto 177); passò quindi nella collezione Jean Marchig di Ginevra. L'effigiata (1743-1813) sposò Clan Brassil nel 1774.

296. MARIE ANNE FRANÇOISE LIOTARD CON UNA BAMBOLA. Vienna, Schönbrunn (inv. AC 55017)

p/pr 46 × 51,5 1773
Triv. 22

Già nella collezione del castello di Miramare (presso Trieste), un tempo proprietà della casa imperiale d'Austria. Marie Anne Françoise Liotard, detta Marianne, figlia cadetta del pittore, nacque a Ginevra nel 1767; nel 1797 sposò un negoziante ginevrino, Moïse De Fernex. Il ritratto fu eseguito molto probabilmente a Ginevra, immediatamente prima della partenza di Liotard per l'Inghilterra. Trivas (ms. MAH) cita un frammento del *Journal* del figlio dell'artista nel quale è citato un madrigale di un certo Boccioni indirizzato a Liotard in occasione del ritratto della figlia minore, con l'aggiunta di una nota esplicativa: "Col dito fa segno di stare in silenzio perché la bambola dorme".

297. FRANCIS OWEN. Londra, coll. lord Harlech

ol/tl 177 × 101 f d 1773

Francis Owen (1747-1774), secondo figlio di William Owen (da cui discende l'attuale proprietario), fu per un breve periodo membro del parlamento. È raffigurato con un abbigliamento "alla Van Dyke". Il ritratto fu eseguito a Londra nel 1773 (J.L. Nevinson, *Vandyke dress*, "C", novembre 1964, pag. 167), che lo riproduce, e non già nel 1775 come supponeva Fosca (1956), sia pure con una certa esitazione.

298. TROMPE-L'OEIL CON DUE CILIEGE E FOGLIE ATTACCATE A UN CHIODO

p (?) 1773 c. Triv. 311

Perduto. Figurò assieme ad altre due opere nella vendita pubblica organizzata da Liotard a Londra nel 1773 sotto il titolo di *deceptio visus*. Secondo Trivas (*Les natures mortes de Liotard*, "GBA" 1936, XV, pag. 307) un amatore pagò allora 31,10 *livres* per "due ciliege e un grappolo d'uva attaccato a un chiodo".

299. TROMPE-L'OEIL

ol 1773 c. Triv. 313

Perduto. Figurò alla vendita organizzata da Liotard a Londra nel 1773 (cat. n. 51; invenduto).

300. IL DOTTOR THOMSON

p 1773 (?) Triv. 220

Perduto. Esposto alla Royal Academy di Londra nel 1773 (cat. n. 176). Citato da Manners (*New Light on Liotard*, "C" 1933, pag. 300), che menziona l'espressione di Walpole riportata da Graves: "Il dottor Thompson, mirabile".

301. LA SIGNORINA LA-VERGNE ("LA BELLE LISEU-

SE"). Melbury (Dorchester), coll. Earl of Ilchester

p 1773 c.

Composizione simile a quella del museo di Amsterdam (n. 91): molto diversi i lineamenti dell'effigiata. Si tratta forse del pastello apparso come *Giovane donna di Lione che legge una lettera* nella vendita pubblica che lo stesso Liotard organizzò a Londra nel 1773 (cat. n. 18), e che fu aggiudicato per un prezzo molto alto. Figurava nel catalogo della collezione Henry Stephen, terzo Earl of Ilchester, nel 1883. A partire dalla seconda metà del XIX secolo venne considerato il ritratto della duchessa di Kingston, il cui matrimonio segreto, assieme alla condotta leggera e al processo per bigamia, avevano fatto scalpore nelle cronache londinesi del XVIII secolo; tale identificazione non è però documentata in alcun modo.

302. LA SIGNORINA LA-VERGNE ("LA BELLE LISEU-SE"). Basilea, Öffentliche Kunstsammlung (coll. Bacho-fen-Burckhardt, n. 1124)

p/pr 59 × 48 1774 c.
Triv. 158 b

Entrato nella sede attuale nel 1920, col legato della collezione J.J. Bachofen-Burckhardt. Incoraggiato dall'alta quotazione raggiunta nel 1773 dalla replica della "*Belle Liseuse*" (n. 301), Liotard ne fece una copia che mise nella vendita organizzata presso la Christie's il 16 aprile 1774 (cat. n. 52). È possibile che tale copia sia identificabile col dipinto di Basilea. Il tema deriva direttamente dal prototipo di Amsterdam (n. 91), rispetto al quale il viso è però molto diverso. Secondo Trivas (ms. MAH) si tratterebbe di una replica fatta sull'incisione di Purcell.

303. LADY ANN SOMER-SET, FUTURA CONTESSA DI NORTHAMPTON. Badmington, coll. duca di Beaufort

p 60,3 × 45,1 1772-74

Molto consunto. Ann Somerset, figlia del quarto duca di Beaufort, nacque poco dopo il 1740 e sposò nel 1759 il settimo Earl of Northampton. Il pastello venne eseguito in Inghilterra durante il secondo soggiorno di Liotard, tra il 1773 e il '74. È citato come dipinto a olio da Fosca (1956, pag. 64). La stessa collezione conserva un altro ritratto dell'effigiata, dipinto da Thomas Hudson.

304. LA PRINCIPESSA A-MELIA D'INGHILTERRA

p 1774 Til. 20 Triv. 27

Si trovava nell'intera collezione dell'Earl of Bessborough a Londra. L'effigiata (1711-1786) era figlia di re Giorgio III. Eseguito a Londra nel 1774, al tempo del secondo soggiorno di Liotard in Inghilterra, il pastello in esame venne commesso all'artista da William, secondo Earl of Bessborough, amico della principessa. Secondo Tilanus (1897) si tratta di un "profilo a pastello, disegnato da un quadro a olio che la principessa regalò al conte W. Bessborough nel gennaio 1774". Citato da Trivas (*London Society portrayed by Liotard*, "C"

303

306

307

308

309

310

311

311'

313 [Tav. LV]

314

117

315

316

316'

317 [Tav. LVI]

1937, pag. 33), il quale afferma che nel 1897 il ritratto si trovava ancora nel castello di Bessborough, a Pilton, Kilkenny.

305. IL GENERALE CHOLMONDELEY

p (?) 1774 c. Triv. 98

Perduto. Esposto alla Royal Academy di Londra nel 1774 (cat. n. 176). Un *Ritratto d'uomo* (pastello, cm 61 × 49) datato 1774 e proveniente dal castello Cholmondeley, Chester (Inghilterra), è passato per una vendita presso Fischer a Lucerna, il 20 giugno 1953 (cat. n. 2020).

306. WILLIAM BRABAZON PONSONBY, PRIMO LORD PONSONBY

p incollato su tl 62,5 × 49,5 f d 1774

Un tempo nella collezione della viscontessa Vignier in Francia; passato per una vendita al Palais Galliéra a Parigi il 2 giugno 1970. William Brabazon Ponsonby (1744-1806), uomo politico, era fratello di George Ponsonby e nipote del secondo Earl di Bessborough, l'amico e protettore di Liotard; figlio primogenito di John Ponsonby, "speaker" della Camera d'Irlanda, venne creato primo Lord Ponsonby nel 1806. Il dipinto fu eseguito a Londra, durante il secondo soggiorno dell'artista nella capitale inglese. È probabilmente identificabile col pastello della collezione Claude A. C. Ponsonby venduto alla Christie's di Londra il 28 marzo 1908 (acquistato da Böhler).

307. DAVID GARRICK. Londra, Drury Lane Theatre

p 84,5 × 68 1774 c.

La data "1776" indicata sul cartiglio del quadro sembra difficilmente accettabile poiché Liotard aveva lasciato l'Inghilterra già nel 1774. Il ritratto deve essere stato eseguito a Londra verso il 1773-74. Per l'iconografia del personaggio si veda anche al n. 136.

308. HONOURABLE HENRIETTA PHIPPS, POI VISCONTESSA DILLON. Mulgrave Castle, coll. marchese di Normanby

p 61 × 48,2 f d 1774

Proviene direttamente dalla famiglia dell'effigiata. Henrietta Phipps (1757-1782), era figlia del primo lord Mulgrave; nel 1776 sposò il 12° visconte Dillon. Il dipinto fu eseguito a Londra nel 1774, durante il secondo soggiorno di Liotard. La stessa collezione conserva il ritratto dipinto da Gainsborough nel 1784 di Lady Henrietta e della cugina, Lady Erne.

309. GEORGE PONSONBY. Stansted Park (Hants), coll. Earl of Bessborough

p 62 × 49,5 1774 c. Triv. 190

George Ponsonby (1755-1817) era il terzo figlio di John Ponsonby, "speaker" della Camera d'Irlanda, e fratello di Lord William Brabazon Ponsonby (si veda al n. 306). Nel 1806 fu nominato Lord Cancelliere d'Irlanda.

310. RITRATTO DI SCONOSCIUTO. Ginevra, coll. privata

p/cr incollata su tl 64 × 50,5 f d 1774

Già nella collezione A. Martinet a Ginevra. Il viso è stato ritoccato. Il ritratto venne eseguito a Londra nel secondo soggiorno inglese di Liotard.

311. VENERE CALLIPIGIA

p/cr 58 × 46 f d 1774 Til. 85 Triv. 296

Proviene dalla collezione Neynens; successivamente, fu acquistato dal ministro Carlin a un'esposizione tenutasi nel museo di Berna nel 1893; quindi, nella collezione I. Carlin, Berna (1957). Il 14 novembre 1959 è passato per una vendita presso la casa Stuker di Berna (cat. n. 1352). Il pastello fu eseguito a Londra, durante il secondo soggiorno di Liotard nella città inglese. Inciso da Liotard alla maniera nera (foto 311') nel 1780, con la scritta: "N. VI. La Vénus aux belles fesses. Dessiné d'après la statue de plâtre moulée sur l'antique, par J. E. Liotard et gravé par lui-même" (Til., inc. 14). Giova notare che un gesso con la Venere callipigia si trovava nella collezione Duval a Ginevra e non è da escludere che sia stato questo l'esemplare usato come modello da Liotard.

312. VENERE CALLIPIGIA

p grisaille 68 × 46 1774 Til. 85 Triv. 296 a

Secondo Trivas, nella collezione del pittore esisteva una replica della *Venere callipigia*, passata nella collezione di Tilanus ad Amsterdam nel 1897. Tale opera non figura però nell'inventario steso alla morte del pittore, nel 1789. Una *Venere callipigia*, della quale non viene indicata l'ubicazione, è citata da Fosca (1956) nel capitolo dedicato ai lavori eseguiti in Italia prima della partenza dell'artista per l'Oriente.

313. MARC LIOTARD DE LA SERVETTE. Ginevra, Musée d'Art et d'Histoire (inv. 1865-4)

p/cr 65 × 53 f d 1775 Til. 108 Triv. 163

Firmato a sinistra, all'altezza del mento: "J. E. Liotard a 73 ans a peint ce portrait / en 1775" e sulla lettera: "A Monsieur / Monsieur M^rc Liotard à Genève". Il ritratto fu commissionato all'artista assieme al *pendant* (n. 314) dal nipote, Marc Liotard. L'effigiato sposò Marianne Sarasin nel 1768 dopo essere stato banchiere a Londra, si ritirò nella città natale dove acquistò una proprietà alla Servette. Il pastello passò quindi, per via ereditaria e di parentela, nella collezione di Th. Claparède; nel 1865 fu legato al museo ginevrino da D. Claparède.

Ne è conservata una copia nella collezione Du Pasquier a Losanna.

314. MARIANNE LIOTARD, NATA SARASIN. Ginevra, Musée d'Art et d'Histoire (inv. 1865-3)

p/cr 64 × 55 1775 Til. 109 Triv. 164

Pendant del n. 313; stessa provenienza. Per l'iconografia del personaggio si veda anche il n. 331.

315. JEAN-ETIENNE LIOTARD. Ginevra, Musée d'Art et d'Histoire (inv. 1934-28)

p/cr 30,5 × 23 1777 Til. 102 Triv. 17

Dalla collezione del pittore, passò per via ereditaria a J.E. Liotard-Crommelin, a Mlle M.A. Liotard ad Amsterdam, a J.W.R. e C.B. Tilanus ad Amsterdam; apparso alla vendita Tilanus, Amsterdam, 23 ottobre 1934 (cat. n. 1); offerto al museo di Ginevra dalla Società degli Amici del museo nel 1934. L'effigiato è il figlio maggiore del pittore, come precisa la scritta su un'etichetta di mano di I.W.R. Tilanus: "Portrait de Liotard, fils aîné du peintre, en uniforme autrichien militaire ou costume de cour; séjour à Vienne, 1777". Datato al 1778 da Tilanus (1897), il ritratto venne iniziato a Vienna nel 1777, durante il soggiorno che Liotard figlio fece in questa città per accompagnarvi il padre. Egli stesso noterà infatti nel *Journal* (IV, pag. 102), in data 28 novembre 1777: "Mi sono alzato tardi; papà lavora molto alla mia testa" e il 3 dicembre riferisce di una visita di Madame di Gutemberg, segretaria dell'imperatrice "che veniva a vedere il mio ritratto" (citazioni da Trivas). Per l'iconografia del personaggio si vedano anche i n. 277, 278, 359.

La testa è stata copiata in un disegno da Jean-Etienne Liotard figlio (Ginevra, coll. G. Salmanowitz).

316. ANDRÉ NAVILLE. Ginevra, coll. M. Naville

p/pr 58 × 45 1777 Til. 63 Triv. 178

Con il *pendant* (n. 317), è sempre stato di proprietà della famiglia Naville. Reca al verso una scritta, in caratteri del XVIII secolo: "André Naville fils de Jean David né le 4 juin 1709 marié le 23 février 1749 à Suzanne fille de Noble Philipe [sic] Des Arts Seig^r premier Syndic de cette République peint en aoust 1777 par Monsr Jean Etienne Liotard âgé pour lors de 75 ans".

Un disegno preparatorio (lapis nero e gesso bianco su carta azzurra, cm. 53 × 42,7;

321

322

323

324

325¹

326

327

332

333¹

334¹

335

foto 316¹) è conservato nella stessa famiglia (già in collezione R. Naville, Cham, nei pressi di Zurigo). Una copia a pastello, eseguita nel 1856, si trovava un tempo nella collezione di R. Naville a Ginevra; è considerata una replica da Tilanus (n. 93).

317. SUZANNE NAVILLE-DES-ARTS. Ginevra, coll. M. Naville
p/pr 58 × 45 1777
Til. 64 Triv. 179

Pendant del n. 316: stessa provenienza. Sul verso è una scritta, in caratteri settecenteschi: "Suzanne Des Arts née le 21 mars 1727 fille de Noble Philipe [*sic*] Des Arts Seigneur, premier Syndic de cette République mariée le 23 février 1719 a André Naville & peinte en Avril 1777 par Mons.r Jean Etienne Liotard âgé pour lui de 75 ans".

Una copia eseguita nel 1856, un tempo nella collezione R. Naville, è stata ritenuta una replica da Tilanus (n. 64).

318. LA SIGNORA NECKER
p 85,5 × 105 (?) 1777-78
Triv. 180 a

Replica del n. 244. È uno dei rari pastelli che Liotard "copiò" più di quindici anni dopo la prima versione. Fin dal suo arrivo a Vienna nel 1777, l'artista fece chiedere all'imperatrice l'autorizzazione a fare una copia del ritratto della signora Necker da lui destinata al ministro. Parlando del ritratto del 1761, Liotard scrisse a François Tronchin, da Vienna, il 19 settembre 1777: "Il ritratto di Mme Necker lo trovo mirabile nella figura e soprattutto negli accessori ma non sono altrettanto contento della testa, non è abbastanza bella; le ombre del viso sono un po' troppo forti e in una parola farò tutto quello che potrò per abbellirlo senza alterare la somiglianza" (BPU, archivi Tronchin 191). L'artista scriveva alla moglie da Vienna, in data 9 novembre 1777: "Tornerò dalla contessa di Guttemberg per pregarla di chiedere all'imperatrice il permesso di copiare il ritratto di Mme Necker", e il 10 dicembre 1777: "a tempo per-

so faccio la copia di Mme Necker che mi prenderà molto tempo"; e il 7 febbraio 1778 aggiungeva: "Il ritratto-copia di Mme Necker procede, ma c'è ancora molto da fare per portarlo a termine. Ho finito la parte superiore della figura, la frutta, la scodella, il bicchiere e il vino; la tavola è quasi fatta; dovrò ancora finire la parte bassa dell'abito, la mano e il libro (BPU, Ms. fr. 354), e il 19 maggio affermava: "tutti quelli che sono venuti da me ammirano Mme Necker" (BPU, Ms. fr. 354). Il pittore lasciò Vienna per rientrare a Ginevra senza passare per Parigi e il dipinto fu inviato direttamente da Vienna a Parigi senza che Necker abbia effettivamente manifestato il desiderio di acquistarlo, come indica chiaramente Liotard nella lettera inviata a François Tronchin, a Vienna, il 14 febbraio 1778: "Conto di mandare la copia di Mme Necker pura e semplice" (Archivi Tronchin 191). D'altra parte Madame Liotard scrisse al figlio maggiore, il 18 settembre 1778: "Mr Necker ha comunicato a papà di aver ricevuto il suo quadro con una lettera molto gentile e vi ha allegato un biglietto di 25 luigi nf. come pagamento, che è molto modesto" e in un'altra lettera — non datata — aggiunge: "Saremmo stati vittime del nostro amor proprio se non avessimo accettato i 25 luigi offerti da Mr Necker; non aveva domandato il quadro, e tuo padre gli ha risposto in modo che si rendesse conto quanto poco era contento di un compenso così modesto" (BPU, Mr. fr. 355).

319. IL GENERALE J. BECHARD
p (?) 1778 Triv. 71

Il generale Johann von Bechard (1728-1788) fu nominato Generale in capo e direttore dell'Accademia degli ingegneri a Vienna nel 1778. Nel *Journal* del figlio di Liotard (IV, pag. 44) si legge, in data 10 febbraio 1778, da Vienna: "[...] ci facemmo condurre dal generale Pechard [*sic*] che ci aveva invitato a pranzo. Mio papà passò parte del tempo [...] a correggere un ritratto che la giovane aveva fatto allo zio e riuscì ad ottenere una somiglianza che li incantò". Il ritratto in esame è il n. 320, entrambi perduti, sembrano far parte delle rare "collaborazioni" che l'artista accettò.

320. LA SIGNORA BECHARD
p (?) 1778 Triv. 72

Liotard figlio annota nel *Journal* [V, pag. 59]: "Vienna 25 febbraio 1778: Andammo a colazione dal generale Bechard con la vettura che egli stesso ci faveva mandato. Mio papà lavorò a correggere il ritratto di sua moglie, fatto dalla maggiore delle nipoti". Si veda anche al n. 319.

321. GIUSEPPE II D'AUSTRIA. Amsterdam, Rijksmuseum (inv. 2930)
p/cr 60 × 48 1778
Til. 7 Triv. 60

Incompiuto. Fece parte della collezione dell'artista, lo si trova infatti citato nell'inventario steso alla sua morte, nel 1789, al n. 123 (AEG, Jur. civ. F. n.

812); successivamente passò alla figlia Marie Thérèse, poi a J.E. Liotard-Crommelin, nel 1885 è stato legato al museo di Amsterdam da Mme Tilanus-Liotard. È il *pendant* del n. 322 (*All the paintings of the Rijksmuseum in Amsterdam...*, Amsterdam 1976, pag. 791, n. A 1198). Annotato sul verso, da Liotard figlio: "Joseph II Empereur des Romains, Roi d'Hongrie & de Boheme fils aîné de Marie-Thérèse et de François 2 en 1776-7. Esquisse d'après nature par J. Et. Liotard". Tilanus (1897) lo ritiene eseguito a Vienna nel 1777 e Trivas (ms. MAH) nel 1778; quest'ultima datazione è confermata da due lettere di Liotard alla moglie; il 7 febbraio 1778 l'artista scriveva infatti: "Ho avuto una seconda seduta dall'imperatore e sto finendo gli abiti dei tre ritratti che ho fatto", e il 14 febbraio dello stesso anno: "Ho finito il disegno dell'Imperatore e l'abbigliamento che mi hanno dato solo i giorni scorsi ne faccio una copia a pastello che gli farò vedere tra qualche giorno..." (BPU, Ms. fr. 354). Per l'iconografia del personaggio si vedano anche i n. 253-255.

Nel museo di Ginevra è un disegno tratto da questo pastello (matita nera, quadrettato a sanguigna, cm. 39,1 × 25,2), utilizzato dall'artista per un'incisione eseguita con rotella dentata (Til., inc. 10).

322. FERDINANDO, ARCIDUCA D'AUSTRIA. Amsterdam, Rijksmuseum (inv. 2931)
p/cr azzurra 66 × 48 1778
Til. 8 Triv. 62

Incompiuto. *Pendant* del n. 321; stessa provenienza. Sul verso è una scritta di mano dal figlio dell'artista: "Maximilien d'Autriche, Coadjuteur de Treves, Cologne & Munster &, 3e fils de Marie-Therese & François D. de Lorrain, Empereur en 1776-77. Esquisse d'après nature par J. Et. Liotard". Sulla base di tale scritta, confusa ed erronea, i biografi di Liotard, Tilanus (1897), Fosca (1928), Gielly (1935), hanno identificato l'effigiato come Massimiliano; indicazione sbagliata, ripresa nel catalogo del museo di Amsterdam (ed. 1960). Il terzo figlio dell'imperatore fu infatti Ferdinando e non Massimiliano; questi, l'altra parte, non divenne mai imperatore. Liotard aveva fatto il ritratto di Massimiliano, nonché di Ferdinando e di Giuseppe; il 2 maggio 1778 vendette questi tre disegni a Maria Teresa e iniziò "un pastello con due mani dell'arciduca Ferdinando" (Lettera dell'artista alla moglie, 2 maggio 1778; BPU, Ms. fr. 355). Il pittore lasciò Vienna il 5 giugno 1778 ed è quindi possibile che il pastello non sia stato terminato; Liotard portò il ritratto a Ginevra dove lo tenne nella propria collezione sino alla morte. Nell'inventario del 1790 figurava come "Ferdinando, stimato ¼ luigi — al figlio maggiore del pittore". Per l'iconografia del personaggio, si confronti il disegno raffigurante l'arciduca Ferdinando (sanguigna e lapis nero, cm. 32 × 24,6; Ginevra, Musée d'Art et d'Histoire) eseguito da Liotard nel 1762.

323. JACQUES PAUL. Ginevra, coll. G. Salmanowitz
p/cr Triv. 184

Proviene dalla collezione di H.L. Coulin, Nyon, discendente dell'effigiato; il 2 dicembre 1932 apparve a una vendita presso Moos a Ginevra (n. 236) e fu acquistato da A. Martinet. Jacques Paul (1733-1796), meccanico e inventore di fama, direttore degli impianti idraulici di Ginevra, è forse il "Monsieur Paul" presso il quale fu sistemato Daniel Liotard, figlio cadetto del pittore, al quale allude Madame Liotard in una lettera al figlio maggiore in data 30 settembre 1778 (BPU, Ms. fr. 355). Il dipinto fu eseguito a Ginevra verso il 1778.

324. JEAN-DANIEL LIOTARD. Ginevra, coll. G. Salmanowitz
p/cr 28 × 21 1779
Til. 104 Triv. 21

Dalla collezione del pittore, passò per via ereditaria a J.E. Liotard-Crommelin, a Mlle M.A. Liotard ad Amsterdam, a J.W.R. e C.B. Tilanus ad Amsterdam; fu acquistato da L. Rehfous nel 1933. Jean Daniel Liotard (1764-?), figlio cadetto del pittore, fece l'apprendistato nel commercio a Ginevra, presso M. Paul, poi ad Aarau e a Vevey; lavorò in Olanda e in Danimarca. In un contratto stipulato a Ginevra il 5 piovoso anno VII, per la vendita di una casa, è detto "Maître des forges a Martigny en Valais". Il ritratto è datato "verso il 1775" da Tilanus (1897), Fosca (1928) e Gielly (1935); "1775" da Baud-Bovy (1903);

Trivas (ms. MAH) propone "verso il 1779", il che sembra esatto vista l'età del modello, nato nel 1764.

325. MARIE JEANNE BASSOMPIERRE CHE GIOCA AGLI SCACCHI CON UN ABATE

p 42×50 c. 1779 c.

Perduto. Figura nell'inventario steso alla morte dell'artista, nel 1789, al n. 151: "Una dama che gioca agli scacchi" (AEG, Jur. civ. F. n. 812); passò quindi alla collezione dell'effigiata. Marie Jeanne, nata Liotard (Ginevra 1761-1813), figlia maggiore dell'artista; sposò nel 1782 lo stampatore François de Bassompierre originario di Liegi. Gli sposi acquistarono una campagna a Begnins dove nel 1786 andò ad abitare assieme a loro Liotard. In due rarissimi opuscoli Bassompierre racconta la storia del suo matrimonio e gli intrighi dell'eredità Liotard. In una lettera di Liotard al figlio maggiore, scritta da Confignon il 4 giugno 1782 (BPU, Ms. fr. 354), il dipinto è annoverato tra i quadri più preziosi che si trovano a Confignon: "la dama che gioca agli scacchi con un abate" (BPU, Ms. fr. 355).

Ne esiste un disegno preparatorio (tre matite su carta azzurra, cm. 42,2 × 50,5; Basilea, coll. privata; foto 325[1]) recante la scritta, probabilmente di mano del figlio maggiore dell'artista: "ma soeur Mariette".

326. MARIE JEANNE BASSOMPIERRE. Ginevra, coll. G. Salmanowitz

p/cr 22,5×17,5 1780
Til. 105 Triv. 20

Dalla collezione dell'artista, passò per via ereditaria a J.E. Liotard-Crommelin, a Mlle M.A. Liotard ad Amsterdam, a J.W.R. e C.B. Tilanus ad Amsterdam; incluso nella vendita Tilanus, nella stessa città, il 23 ottobre 1934. L'effigiata è la figlia maggiore del pittore. Il ritratto fu eseguito a Ginevra verso il 1780.

327. PIERRE FAVRE. Ginevra, villa La Grange (proprietà della città di Ginevra)

p/cr 22×17,5 1780
Til. 49 Triv. 117

Sul retro del cartone dell'incorniciatura è la scritta autografa: "Monsieur Pierre Favre agé de 85 / peint par J.E. Liotard agé de 77½ / 1780". Restaurato nel 1930. Già nella collezione W. Favre; legato alla città di Ginevra nel 1918. In una lettera datata da Ginevra 17 marzo 1780, Madame Liotard scriveva al figlio maggiore: [Liotard] ha cominciato oggi in piccolo formato il ritratto di profilo di Mr de Tourne Rilliet e quello del nostro buon vicino Mr Favre, che ha 84 anni ed è sano di corpo e di spirito come un uomo di 40. È uno dei piccoli ritratti da 2 luigi, ma la cosa diverte tuo papà" (BPU, Ms. fr 355).

328. IL SIGNOR DE TOURNE-RILLIET

p 1780 Triv. 221

Perduto. Citato in una lettera di Madame Liotard al figlio maggiore, il 17 marzo 1780:

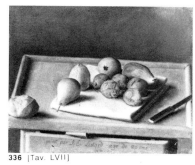

336 [Tav. LVII]

337

341 [Tav. LVIII]

342 [Tav. LIX]

343

344 [Tav. LXII]

345

346

347

"[Liotard] ha cominciato oggi il ritratto di Mr Tourne Rilliet in formato piccolo, di profilo" (BPU, Ms. fr. 355). Il pastello doveva avere le stesse dimensioni del ritratto di Pierre Favre (n. 327).

329. L'AMORE E UNA NINFA

p 1781

Perduto. Copia da Watteau, citata in una lettera indirizzata da Liotard a François Tronchin da Lione, l'8 luglio 1781: "Sto copiando un bozzetto di Watteau raffigurante l'Amore che cinge con una ghirlanda di fiori una ninfa vista di prospetto; l'Amore è di schiena, con le braccia tese; la ninfa accoglie i fiori con gioia. Lo copio a pastello e faccio degli studi dal vero per farne un quadro compiuto" (BPU, archivi Tronchin 191).

330. LA SIGNORA MILANAIS

p 1781 c. Triv. 174

Perduto. Liotard pagò il costo della stampa del Traité, pubblicato a Lione nel 1781, facendo il ritratto della direttrice della stamperia reale, la signora Milanais. In una lettera indirizzata a François Tronchin il 10 luglio 1781, l'artista affermava infatti: "il trattato non mi costerà niente per la stampa; per questo faccio il ritratto di Madame Milanais che è la direttrice della stamperia reale di qui. Ho già fatto il disegno che è molto somigliante e del quale ne sono molto contenti. Le ho fatto chiedere quanto mi costerà la stampa e mi ha fatto dire che non mi costerà niente se volessi farle il ritratto; il che ho accettato ben volentieri. È una donna di qualità, con una fisionomia vivace, fine e molto gradevole" (BPU, archivi Tronchin 191).

331. MARIANNE LIOTARD, NATA SARASIN

p 36×32 1780-82
Til. 109 Triv. 165

Già nella collezione Dapples a Vevey; proviene dalla collezione E. Humbert, Ginevra. Citata da Tilanus (1897) come "un po' più anziana [che nel ritratto n. 314]; cuffia e scialletto in leggero tessuto bianco; capelli incipriati; abito azzurro". Per l'iconografia del personaggio si veda anche il n. 314.

332. JEANNE-LOUISE MARTIN-SALES

p 53×46 1781-82 Triv. 170

Già nella collezione L. Cramer a Pressy (Ginevra). L'effigiata era la moglie di Jean-Antonine Martin-Sales (1759-1829), castellano di Peney e membro del Consiglio Rappresentativo di Ginevra. Eseguito a Ginevra verso il 1781-82.

333. UNA DELLE FIGLIE DEL PITTORE NELL'ATTO DI OFFRIRE DELLE PESCHE

p 67×52 1782 c.
Til. 106 Triv. 23

Già nella collezione Vignier (1897) a Le Havre. Tilanus (1897) ne dà la seguente descrizione: "Giovinetta che offre delle pesche su un vassoio, col braccio sinistro rialzato verso il viso e il gomito destro appoggiato sul tavolo. Pettinatura molto alta e incipriata. Abito azzurro, corsetto con scollatura quadrata, ornato con grandi nastri bianchi e ricoperto con uno scialletto"; secondo lo studioso il pastello sarebbe stato eseguito verso il 1782. In una lettera di Charles Vignier indirizzata a un certo signor Adert a Le Havre, il 5 giugno 1880, questi descrive le opere di Liotard di cui è proprietario: "[...] infine un grande pastello che conoscete, con la mia prozia che offre delle pesche" (B. Naef, Où se trouve aujourd'hui le dernier autoportrait de Liotard?, "Musées de Genève", marzo 1975, pagg. 15-18). Nel documento citato ne è uno schizzo tratto dal dipinto, disegnato a memoria (foto 333[1]).

334. AUTORITRATTO DETTO "CON LA BARBA NUOVA"

ol/tl 60×40 1783
Til. 116 Triv. 11

Già nella collezione Vignier a Le Havre. La tela è scomparsa; ci è noto solo lo studio preparatorio (foto 334[1]) già nella collezione Trivas (carboncino con tocchi di gesso bianco su carta azzurra, cm. 54 × 43; Til. 72), ora nella collezione B. Naef, Ginevra. Il proprietario del disegno ha segnalato in un articolo (Où se trouve aujourd'hui le dernier autoportrait de Liotard?, "Musées de Genève", marzo 1975, pagg. 15-18) una lettera di Ch. Vignier a un certo signor Adert, datata da Le Havre il 5 giugno 1880, nella quale viene descritto il ritratto perduto, e riprodotto uno schizzo: "un ritratto a olio raffigurante Liotard in costume turco, seduto, nell'atto di disegnare, 60/40". È descritto nelle carte Charles Vignier (n. 2) consegnate al museo di Ginevra da Tilanus: "Ritratto di J.E. Liotard dipinto a olio di lui stesso. Con una vestaglia scura, babbucce di lana bianca, pantaloni rossi, occhiali, seduto a disegnare su una tavoletta piuttosto grande. Grande barba e capelli bianchi". Fosca data il disegno al 1785, mentre Trivas lo colloca verso il 1783. Per l'iconografia del personaggio si vedano anche i n. 7, 8, 27, 72-74, 102-104, 269-274, 280, 281.

335. MARIE LIOTARD, NATA FARGUES

p/t 30×22 1783
Til. 101 Triv. 15

Già a Elspeet (Paesi Bassi), nella collezione C. Tilanus; proviene dalla collezione Sam Voute ad Amsterdam; quindi J.W.R. e C.B. Tilanus, pure ad Amsterdam; apparve alla vendita Tilanus del 23 ottobre 1934, come n. 1041. È stato arbitrariamente datato "1768" da Tilanus (1897), seguito più tardi da Gielly (1935). Questo ritratto postumo è stato realizzato a Ginevra nel 1783: dopo la morte della moglie, Liotard aveva in effetti promesso di mandare un ritratto della defunta al nipote Sam Voute ad Amsterdam. L'artista scrisse infatti al figlio maggiore da Ginevra, il 25 aprile 1783: "[...]

contavo di mandare a Mr. Voute il ritratto di mia moglie con gli altri disegni. Le mie figlie mi hanno pregato di non farne nulla, perché è il ritratto più somigliante che ci sia della defunta loro madre. Lo sto copiando a pastello e fra quindici giorni sarà pronto per essere mandato a Mr. Voute e gli farà più piacere averlo a pastello che a disegno, il bianco è ingiallito nel disegno" [BPU, Ms. fr. 355]. Il 7 novembre 1783 aggiungeva: "[...] a proposito di Mr. Voute, sono più di due

dicare la mia età di 80 anni". L'opera è citata nell'inventario dopo la morte dell'artista nel 1789, al n. 147: "pere e prugne su un tovagliolo" (AEG, Jur. civ. F. n. 812).

337. GRAPPOLO D'UVA. Ginevra, coll. G. Salmanowitz
ol/tl applicata su tv 11 × 16,5 1782 c. Triv. 318
Figurava nell'inventario steso alla morte del pittore, nel 1789, al n. 143: "Un quadro con dell'uva" (AEG, Jur. civ. F. n. 812); passò quindi, per via

339. TRE PESCHE-NOCI SU UN PIATTINO, E UN COLTELLO
p 1782 Triv. 317
Perduto. Probabilmente firmato e datato come il n. 336 (si veda), sulla base della lettera di Liotard del 24 settembre 1782. Si tratta probabilmente di una delle due nature morte mandate a Caterina II (si veda al n. 338).

340. ALBICOCCHE
p (?) 1782 Triv. 315

p/tl 32,5 × 36 f d 1783
Til. 92 Triv. 323
Firmato e datato a sinistra, sulla lettera: "J. E. Liotard âge de 80 ½". Pendant del n. 341; stessa provenienza. Acquistata da L. Rehfous a Ginevra nel 1934.

343. MELE E COLOQUINTI-DE. Ginevra, Musée d'Art et d'Histoire (inv. 1897-9)
p/pr 33 × 37 f d 1783
Til. 92 Triv. 324
Firmato e datato in alto a de-

nevra; acquistata da Laurent Rehfous nel 1938. La composizione appare accostabile a quella della natura morta su un tavolo del museo di Ginevra, n. 336. Databile intorno allo stesso momento.

346. MELE. Winterthur, Stiftung Oskar Reinhart
ol/cr montata su tl 48,5 × 37 1783 c.
Proviene dalle collezioni Rothmann, Block, e Langton Douglas a Londra; acquistata da Oskar Reinhart nel 1938. Secondo Franz Zelger (Stiftung Oskar Reinhart, I, Schweizer Maler des 18. und 19. Jahrhunderts, Zürich 1977, pag. 232, n. 108), l'attribuzione è contestata da Trivas che riconosce come autentiche solo le nature morte eseguite a pastello (a suo parere, le sole firmate e datate) e che si stupisce del formato dell'opera (lettera di Trivas a O. Reinhart, da Amsterdam, 3 giugno 1938, conservata negli archivi della fondazione Reinhart). Tuttavia, giova notare da un lato che la natura morta con servizio da tè, eseguita a olio (n. 352), è firmata; e dall'altro, che la composizione, stilisticamente vicina a un'altra opera a olio di Liotard conservata nella collezione Salmanowitz (n. 347), e il modo di rendere gli oggetti raffigurati, la semplicità della stesura, permettono di attribuire l'opera in esame a Liotard.

350 [Tav. LX]

351 [Tav. LXI]

352

365

366

367

mesi che ho consegnato a un tale di cui non mi viene in mente il nome e vorrei consegnarlo perché glielo consegnasse. È a pastello con le due mani, copiato con tutta la cura possibile, dal disegno di famiglia, 1 piede di altezza, 9 di larghezza". Per l'iconografia del personaggio si veda anche il n. 215.

336. PERE, FICHI, PRUGNE, UN PANINO E UN COLTELLO SU UN TAVOLO. Ginevra, Musée d'Art et d'Histoire (inv. 1897-10)
p/pr 33 × 37 f 1782
Til. 92 Triv. 314
Firmato in basso sul cassetto: "peint par J. E. Liotard âgé de 80 ans". Già nella collezione Charles de Lor a Ginevra, nel 1886; acquistato dal museo ginevrino nel 1897. È probabilmente una delle due nature morte che nel 1790 passarono dalla collezione del pittore a quella della figlia maggiore Marie Jeanne Bassompierre a Ginevra. "Da un mese e mezzo ho dipinto quattro quadri di frutta [...]" — scriveva Liotard al figlio maggiore Jean-Etienne il 24 settembre 1782 (BPU, Ms. fr. 354) — "questi quattro quadri hanno una freschezza e una vivacità maggiori e gli oggetti vi appaiono più netti sul fondo, più emergenti e a rilievo rispetto a quelli di Van Huisum ma non sono altrettanto rifiniti. Quando non avevo che 30 anni non li avrei fatti altrettanto bene, in quanto ora ho più mestiere di quello che non avevo allora. Li hanno trovati così belli che mi hanno obbligato a mettervi il nome e anche a in-

ereditaria, a Jean-Daniel Liotard, a J.W.R. e C.B. Tilanus ad Amsterdam; alla vendita Tilanus, nel 1934; acquistato da L. Rehfous di Ginevra nel 1958. Con tutta probabilità si tratta della natura morta menzionata dall'artista nella lettera indirizzata al figlio maggiore Jean-Etienne da Ginevra, il 24 settembre 1782 (si veda al n. 336), in cui precisa: "Conto di fare un quadro con dell'uva" (BPU, Ms. fr. 354).

338. PESCHE, PERE "BON CHRESTIEN", UNA PERA RUGGINE, UNA TORCIA E UNA CHIAVE
p 1782 Triv. 316
Perduto. Citato nella lettera di Liotard al figlio maggiore, scritta da Ginevra il 24 settembre 1782 (si veda al n. 336): "Da un mese e mezzo ho fatto quattro quadri di frutta [...] il terzo, con pesche, pere 'bon chrestien', una pera ruggine, una torcia e una chiave"; l'artista aggiungeva: "sono deciso a mandarne due all'Imperatrice di Russia" (BPU, Ms. fr. 354). È probabile che la natura morta in esame sia una delle opere mandate a Caterina II; secondo Trivas (Les natures mortes de Liotard, 1897, pag. 46), che cita una lettera di Liotard a M. Hennin, questi pastelli non sarebbero mai arrivati a destinazione: "Oserei pregarvi, Signore, di una grazia: di far giungere questo biglietto all'ambasciatore di Russia, affinché scriva alla Sovrana chiedendole se l'Imperatrice ha ricevuto i miei quadri e la mia lettera. Temo infatti che siano andati perduti" (BPU, Ms. fr. 355).

342. PESCHE, OCCHIALI E LETTERA SIGILLATA. Ginevra, coll. G. Salmanowitz

Perduto. "Da un mese e mezzo ha fatto quattro quadri di frutta. In uno vi sono delle albicocche", scriveva Liotard nella lettera indirizzata al figlio maggiore che si trovava ad Amsterdam, il 24 settembre 1782 (si veda al n. 336). Menzionato nell'inventario postumo del 1789 (cat. n. 141): "un piatto d'albicocche, 102 fiorini" (AEG, Jur. civ. F. n. 812). Dalla collezione del pittore, alla sua morte, passò al figlio cadetto, Jean Daniel.

341. ALBICOCCHE, CILIEGIA E FOGLIA. Ginevra, coll. G. Salmanowitz
p/tl 32,5 × 36 f d 1783
Til. 92 Triv. 322
Firmato e datato in basso: "par J. E. Liotard a 80 ½ 1783". Già nella collezione dell'artista, è menzionato nell'inventario steso alla sua morte nel 1789, al n. 142: "Un piatto d'albicocche, 102 fiorini" (AEG, Jur. civ. F. n. 812). La natura morta in esame e la successiva (n. 342) appartenevano alla collezione Tilanus a Koster nell'Africa del sud, dove le scopri Trivas (Les natures mortes de Liotard, "GBA", XV, 1936, pagg. 309-310). I due pastelli sono citati da Liotard in un post-scriptum alla lettera scritta al figlio maggiore il 15 agosto 1783: "Ho dipinto delle albicocche, e sto per fare un pendant con delle pesche" (BPU, Ms. fr. 354).

stra: "par J. E. Liotard âge de 80 ½ 1783". Già nella collezione Ch. De Lor a Ginevra, nel 1886; stessa provenienza del n. 336. Citato nell'inventario del 1789, al n. 140: "Un piatto di mele, 153 fiorini" (AEG, Jur. civ. F. n. 812). Pendant del "piatto di pesche e melone", n. 344, che presenta la stessa disposizione tranne che nella collocazione della coloquintide.

344. PESCHE E PICCOLO MELONE. Winterthur, Stiftung Oskar Reinhart
p/cr incollata su tl 31,5 × 35,5 f d 1783
Til. 92 Triv. 325
Firmato e datato in alto a destra: "par J. E. Liotard a 81 1783". Menzionato nell'inventario steso alla morte del pittore, nel 1789, al n. 139: "Un piatto di pesche ecc. di Liotard, 153 fiorini" (AEG, Jur. civ. F. n. 812). Per via ereditaria è successivamente passato a J. E. Liotard-Crommelin, a Mlle M. A. Liotard, a J.W.R. Tilanus di Amsterdam, quindi alla collezione P. Cassirer, Amsterdam; acquistato da O. Reinhart nel 1957 (F. Zelger, Stiftung Oskar Reinhart, I, Schweizer Maler des 18. und 19. Jahrhunderts, Zürich 1977, pagg. 225-226, n. 104). Da accostare, per la composizione, alla natura morta del museo di Ginevra (n. 343).

345. BICCHIERE D'ACQUA CON MELA E COLTELLO. Ginevra, coll. G. Salmanowitz
ol/tl 24 × 32,5 1783 c.
Già nella collezione Ador a Gi-

347. PESCHE E PRUGNE IN UN PIATTO DI MAIOLICA. Ginevra, coll. G. Salmanowitz
ol/tl incollata su tv 25 × 30 1783
Provenienza sconosciuta: acquistata da Laurent Rehfous a Ginevra nel 1933. Da avvicinare alla natura morta della fondazione Reinhart (n. 346). Talvolta viene erroneamente attribuita a Jean-Baptiste Chardin.

348. FRUTTA
p 1783 Triv. 319
Perduto. Già nella collezione del conte de Vergennes. Il 15 agosto 1783 Liotard scriveva da Ginevra al figlio maggiore: "Sai che ho mandato al conte de Vergennes due quadri di frutta. A sua volta mi ha mandato un piccolo servizio da tè della più bella porcellana possibile e del gusto più aggiornato con una lettera della massima gentilezza. La lettera che gli ho inviato assieme ai quadri era estremamente lusinghiera ma senza adulazione, ed è stata trovata stupenda" (BPU, Ms. fr. 354).

349. FRUTTA
p 1783 Triv. 320
Già nella collezione del conte de Vergennes. Pendant del n. 348 (si veda).

350. SERVIZIO DA COLAZIONE. Parigi, coll. H. Stuart de Clèves
ol/tv 27 × 34 1783
Da accostare ai n. 351-352; con tutta probabilità eseguito nello stesso momento, cioè verso il 1783. Pubblicato per la prima volta da Michel Farè (La nature morte en France: son

357

358

359

368 [Tav. LXIV]

363

364 [Tav. LXIII]

histoire et son évolution du XVIIe au XXe siècle, Genève 1962, II, fig. 399).

351. SERVIZIO DA TÈ IN PORCELLANA CINESE. Ginevra, coll. Mme A. Dunand

ol/tl incollata su tv 38 × 51 1783 Triv. 312

Già nella collezione F.B. Gutmann ad Heemstede, presso Haarlem. Apparsa all'esposizione "Het Stilleven", organizzata dalla galleria Goudstikker ad Amsterdam nel 1933 (cat. n. 195, ripr.), e in quella del museo Boymans a Rotterdam nel 1938. Appartenne alle gallerie David Weil (1939), Fischer di Lucerna (1954) e Chichio Haller di Zurigo, dove fu acquistata dai Firmenich di Ginevra; passò per eredità all'attuale proprietaria. Venne dipinto a Ginevra verso il 1783, nello stesso momento dei n. 350 e 352. Trivas (lettera indirizzata a Baud-Bovy, da Amsterdam, 25 gennaio 1939), pensa la natura morta in esame potrebbe essere identificata con il trompe-l'oeil ("deceptio visus"), che figura come n. 15 nella vendita Liotard a Londra nel 1773 (BPU, carte Baud-Bovy); non fornisce peraltro alcun argomento per sostenere tale supposizione.

352. SERVIZIO DA TÈ. Zurigo, coll. privata

ol/tl 30 × 64 f d 1783

Pubblicato da M. Farè (La vie silencieuse en France. La nature morte au XVIIe siècle, Fribourg 1977, pag. 207). Secondo lo studioso, il servizio

da tè raffigurato potrebbe essere quello che fu offerto all'artista dal conte de Vergennes nel 1783 in cambio di due quadri di fiori (n. 348 e 349). Da accostare alla natura morta della collezione ginevrina (n. 351).

353. FRUTTA

p (?) 1783-86

Perduto. Apparteneva alla collezione dell'artista. Citato nell'inventario postumo del 1789, al n. 202: "un quadro di frutta non finito, 12.9 fiorini" (AEG, Jur. civ. F. n. 812.).

354. BRIGNOLES

p (?) 1783-86

Perduto. Era nella collezione dell'artista; citato nell'inventario postumo del 1789, al n. 144: "un quadro di brignoles 102 fiorini" (AEG, Jur. civ. F. n. 812).

355. MELE

p (?) 1783-86

Perduto. Apparteneva alla collezione dell'artista. Menzionato nell'inventario steso alla morte di Liotard, nel 1789, al n. 148: "un [quadro] di mele, 51 fiorini" (AEG, Jur. civ. f. n. 812).

356. PRUGNE

p (?) 1783-86

Perduto. Era nella collezione dell'artista. Menzionato nell'inventario postumo, del 1798, al n. 145: "uno di prugne 102 fiorini" (AEG, Jur. civ. F. n. 812).

357. JEAN-ETIENNE LIOTARD. Ginevra, coll. G. Salmanowitz

p/pr 44 × 35,5 1784 Til. 103 Triv. 18

Già nella collezione del pittore, da cui passò per via ereditaria a J.E. Liotard-Crommelin, a Mlle M.A. Liotard ad Amsterdam; a J.W.R. e C.B. Tilanus ad Amsterdam; acquistato da L. Rehfous a Ginevra nel 1934. L'effigiato è il figlio maggiore dell'artista. Il ritratto fu eseguito a Ginevra, alla fine del 1784 o all'inizio del 1785, in occasione del ritorno a Ginevra di Jean-Etienne Liotard figlio che lavorava allora ad Amsterdam. Per l'iconografia del personaggio si vedano anche i n. 277, 278, 315.

Una replica in miniatura su smalto, cm. 5 × 4, è conservata nella stessa raccolta.

358. LOUISE MARGUERITE PREVOST, NATA MARCET. Ginevra, Fondation J.-L. Prevost (inv. 1975-73; In deposito al Musée d'Art et d'Histoire, Ginevra)

p/cr 36 × 31 1785 Til. 58 Triv. 191

Apparteneva alla collezione di Mme E. Pictet-Prevost, Ginevra. Louise Marguerite Marcet (1752-1788) fu la prima moglie di Pierre Prevost (1751-1839), professore di filosofia a Ginevra. Sul verso è l'annotazione: "Louise Marguerite Marcet peint en aoust 1785 par J. Etienne Liotard agé de 83 ans 1/2 mort en 1790 [sic]", e ancora: "Peinte de 33 ans aoust 1785". Pastello eseguito a Ginevra nello stesso anno del ritratto di Jean-Louis Sales (n. 359).

359. JEAN-LOUIS SALES. Ginevra, Société des Arts (inv. n. 65)

p/pr 49 × 37,7 f d 1785 Til. 71 Triv. 204

Firmato e datato: "Peint par J.E. Liotard agé de 83 1785". L'effigiato, Jean-Louis Sales (1716-1794), fu consigliere a Ginevra nel 1768, sindaco nel 1770 e nel 1774. Aveva sposato Marie Hamilton, figlia di Georges Hamilton e di Marguerite Vasserot de Vincy. Il pastello, commesso dallo stesso Sales a Liotard, rimase nella famiglia di questi sino al 1872, data in cui veniva legato da Salles de Gallatin alla Société des Arts di Ginevra (J. Crosnier, La Société des Arts et ses collections, Genève 1910, pag. 116).

Una copia a pastello su pergamena (cm. 47,5 × 37,5), recante in basso a destra una firma sospetta e appena leggibile: "J.E. Liota... en 17..." si trovava in passato nella collezione F. Boissier a Ginevra e apparve nella stessa città all'esposizione Liotard del 1925. Gielly (1935) la cita come un originale.

360. LA SIGNORINA DE LA CORBIÈRE

p (?) 1786 c. Triv. 102

In una lettera indirizzata al figlio maggiore e datata da Nyon il 10 febbraio 1786 Liotard scriveva: "Conto, per divertirmi, di fare il ritratto di Mlle de la Corbière che ha recitato in modo tanto splendido

otto o dieci giorni fa a Nion..." (BPU, Ms. fr. 354). E possibile che in realtà il ritratto non sia mai stato eseguito.

361. FIORE

p (?) 1783-86

Perduto. Era nella collezione dell'artista. Uno dei quadri di fiori menzionati nell'inventario steso alla morte del pittore, nel 1789, ai n. 181-184 (AEG, Jur. civ. F. n. 812); due di essi sono nella collezione G. Salmanowitz a Ginevra (n. 363 e 364).

362. FIORE

p (?) 1783-86

Perduto. Uno dei quadri di fiori menzionati nell'inventario steso alla morte dell'artista nel 1789 (si veda anche al n. 361).

363. IL GIGLIO. Ginevra, coll. G. Salmanowitz

p/cr 39,5 × 33 f d 1786 Til. 92 Triv. 330

Fece parte della collezione dell'artista da cui pervenne a Tilanus; acquistato da L. Rehfous nel 1933. Dipinto a Begnins, nella campagna valdese dove Liotard si era ritirato in casa della figlia e del genero Bassompierre. Il 18 luglio 1786 l'artista scriveva al figlio maggiore: "Se domenica viene il signor Roux, dagli due colori che troverai nella scatola che è sotto il mio letto, dove sono dei colori e delle ampolline d'olio. Nel fondo troverai dell'orpimento giunchiglia... Ne ho bisogno per dipingere un fiore". (BPU, Ms. fr. 354). Il 21 luglio Liotard aggiunge: "uno dei due colori mi è andato benissimo per un fiore di giunchiglia e per colorare un giglio che ho dipinto in un quadro dove c'è questo fiore di giunchiglia e dei gelsomini in un bichier d'acqua posato su una tavola d'abete. Sul bordo c'è una viola del pensiero." È uno dei quadri di fiori (assieme ai n. 361, 362 e 364) citati nell'inventario steso alla morte del pittore ai n. 181-184 senza altra precisazione (AEG, Jur. civ. F. n. 812).

364. ROSA, PAPAVERO E FIORDALISO. Ginevra, coll. G. Salmanowitz

p/cr 36,3 × 32,5 1786 Til. 92 Triv. 331

Come il n. 363 (si veda), fece parte della collezione dell'artista; acquistato da L. Rehfous nel 1935. Dipinto nello stesso momento del Giglio (n. 363) a Begnins durante l'estate 1786. La rosa è descritta come un garofano da Trivas ("GBA" 1936, pag. 310), poiché un ri-

tocco aveva modificato in passato l'aspetto del fiore.

365. PIATTO DI PESCHE. ...(Francia), coll. privata

p 23,5 × 31,5 f d 1786

Firmato e datato sul bordo del tavolo: "par J.E. Liotard 1786". Pubblicato per la prima volta da M. Farè assieme al pendant n. 366 (La vie silencieuse en France. La nature morte au XVIIle siècle, Fribourg 1977, pag. 209).

366. PIATTO DI PERE, PRUGNE E NOCI. ... (Francia), coll. privata

p 32,5 × 31,5 1786

Al verso è una scritta di mano del figlio maggiore dell'artista: "peint par mon père à Begnin en 1786 J.E.L.". Pubblicato con il pendant, n. 365, per la prima volta da M. Farè (La vie silencieuse en France La nature morte au XVIIle siècle, Fribourg 1977, pag. 208).

367. PIATTO CON PERE, PRUGNE, NOCI. Winterthur, Stiftung Oskar Reinhart

p/pr montata su tl 24 × 34,5 1786 Til. 92

Già nella collezione De Lor a Ginevra. Venduto a Ginevra nel 1941 da R. Dunki a O. Reinhart (F. Zelger, Stiftung Oskar Reinhart, I, Schweizer Maler des 18. und 19. Jahrhunderts, Zürich 1977, pag. 230, n. 107). Molto vicino alla natura morta n. 366; forse dello stesso anno, 1786.

368. RODOLPHE COTEAU. Ginevra, Musée d'Art et d'Histoire (inv. 1974-13)

p/cr 40,5 × 34 f d 1788 Til. 38 Triv. 104

Rimasto in proprietà della famiglia dell'effigiato sino al 1965, quando fu messo in vendita Stuker a Berna, il 13 novembre (cat. n. 1552); passato alla vendita Fischer, 27 novembre 1970 (cat. n. 2545), acquistato dal museo di Ginevra ad Amsterdam nel 1974. Si tratta dell'ultimo ritratto di Liotard che conosciamo; eseguito a Ginevra nel 1788, rappresenta Rodolphe Coteau (1702-1796?), armatore a Marsiglia, che il 10 novembre 1741 sposò Anne Vigner di Ginevra e si stabilì nella stessa città nel 1750, e non già Alexandre Alloard come suggerìva Trivas. In effetti, un'iscrizione nel verso del pastello indicava, prima di un restauro del 1913: "Mr Rd Coteau / peint par J.E. Liotard agé de 86 ans 1788". Fu commesso all'artista dallo stesso Coteau.

121

Opere citate dalle fonti

Si elencano qui di seguito — raggruppate per tema e in ordine alfabetico — quelle opere per le quali le fonti non forniscono riferimenti sufficienti a consentirne l'inserimento nella sequenza cronologica del catalogo.

377[1]

369. PRESUNTO RITRATTO DI CATERINA II DI RUSSIA

p   39 × 31   Til. 14   Triv. 200

"Busto di profilo rivolto a destra; testa di prospetto, sguardo rivolto verso lo spettatore. Vestito rosso robbia, scollatura a punta; le spalle coperte con uno scialletto di pizzo nero. Una collana con quattro fili di perle attorno al collo. I capelli incipriati coperti da un berrettino" (descrizione da Tilanus). Un ritratto di Caterina II — senza alcun dato sulla tecnica e sulle dimensioni — figurava nella vendita di Lord Bessborough presso la Christie's di Londra il 5 febbraio 1801 (cat. n. 10). Secondo Tilanus (1897, pag. 209) tale opera sarebbe stata venduta al duca di Saint Albans. Se l'identificazione del personaggio è esatta, il ritratto non poté essere realizzato che da un altro ritratto o da una stampa.

370. IL CONTE DI CLERMONT

p   Triv. 100

Faceva parte della collezione del pittore; citata nell'inventario steso alla sua morte, nel 1789, al n. 135: "Ritratto del conte di Clermont, pastello" (AEG, Jur. civ. F. n. 812). Alla morte di Liotard fu legato alla figlia Marie Anne Bassompierre-Liotard.

371. HENRY, LORD CORNBURY AND HYDE

p   (ol ?)   Triv. 103

H. Walpole vide questo ritratto: "Nella casa di Lord Royston in St James's square, al primo piano, c'era Henry, Lord Cornbury and Hyde, l'ultimo di tale discendenza, by Liotard" (*Journal of visits to country seats*, in "Walpole Society", XVI, pag. 23). Considerato "scomparso" da Lady Manners (*New Light on Liotard*, "C" 1933, pag. 297), che cita il testo di Walpole.

372. LA SIGNORINA DE LA CROIX

p   46 × 37,8

Già nella collezione François Tronchin a Ginevra: "È una certa signorina De la Croix, giovane e bella, vista di profilo; i capelli a trecce fissati sul capo con un nastro azzurro; sulle spalle ha un panneggio di raso che trattiene con una mano al seno. La testa è molto bella, di una tonalità fresca, vera e vigorosa." (F. Tronchin, *François Tronchin, catalogue de mes tableaux*, Genève 1765, n. 99); citato nel catalogo (pag. 144) della seconda collezione F. Tronchin, nel 1780; alla vendita parigina del 2 germinale anno IX, 23 marzo 1801 (cat. n. 93) risulta venduto a Boisel.

373. LA SIGNORINA GAUCHER IN COSTUME TURCO, SEDUTA

p   (?)   Triv. 144

Ritenuto scomparso da Tilanus (1897, pag. 209) e Trivas. Si trovava nella collezione di Lord Harrington, venduta nel 1786. Citato da F. Walpole (*Anecdotes of Painting in England*, 1762-71, III, ed. London 1876, pag. 28): "Mademoiselle Gaucher, signora di W. Anne, Earl of Albemarle, in costume turco, seduta"; Secondo Walpole l'opera sarebbe stata acquistata alla vendita Harrington dall'Earl of Selton.

374. IL SIGNOR GRASSOT DI LIONE

p/pr   Triv. 146

Trivas (ms. MAH) cita un frammento di una lettera indirizzata a "Monsieur Estienne Liotard, rue des Chaudronniers à Genève", datata "Lione 17 giugno 1777" nella quale M. Grassot scriveva: "Mi ricordo [...] tutta la cura che avete avuto durante il vostro ultimo soggiorno qui per dare al mio ritratto ogni possibile perfezione. Ma tanto quest'opera era perfetta quando uscì dalle vostre mani, tanto essa andò peggiorando giorno per giorno per la caduta del pastello del fondo, che copre e offusca il viso e l'abbigliamento e per la caduta del pastello delle labbra, che lasciando apparire la pergamena, e quindi un bianco eccessivo, altera il disegno e la somiglianza [...] assicurato che vorrete occuparvi di ciò e riparare questa alterazione [...] rispondermi se posso mandarvi questo quadro". "L'autore aveva conosciuto M. Grassot in casa della nipote, Mlle Lavergne, nel 1746, in occasione del suo soggiorno a Lione.

375. MARIA TERESA D'AUSTRIA, A CAVALLO, IN COSTUME UNGHERESE

p   40 × 29,5   Triv. 42

Presentato alla vendita Liotard alla Christie's di Londra, 15 aprile 1774 (cat. n. 29). "L'Imperatrice Regina a cavallo, vestita da ungherese". Si tratta forse del n. 33 del catalogo della collezione di Liotard (Parigi 1771): "La regina di Ungheria a cavallo, in abiti regali, che tiene una spada sguainata con cui traccia nell'aria una croce: che è il segno della presa di possesso dei re d'Ungheria alla loro incoronazione. Alt. 15½, largh. 11½".

376. LUIGI FILIPPO D'ORLÉANS, DUCA DI CHARTRES

p   (?)

Noto soltanto attraverso l'incisione di Vispré, eseguita alla maniera nera; citata da Tilanus (inc. 26, in nota). Identificabile forse con il pastello (60 × 50) proveniente dalla collezione di Théodore Tronchin, a Ginevra, menzionato da Gielly (1935), esposto a Ginevra nel 1886 (cat. n. 4), e nel 1925 (cat. pag. 103); l'ubicazione attuale del ritratto è ignota. L'autografia è messa in dubbio da Trivas (ms. MAH).

377. JACQUES PERNETTI

p   (?)   Triv. 186

Inciso da Tilliard (foto 377[1]) con una lunga scritta, che indica fra l'altro: "JACQUES PERNETTI [...] Liotard pinx. Tilliard sculp." (Til., inc. 63 e 63[*]). Considerato "scomparso" da Gielly (1935) e Trivas (ms. MAH).

378. CATHERINE STURLER DE SARRAU

p

Appartenne alla collezione della figlia del pittore, Marie Thérèse Liotard, che con testamento del 4 marzo 1793 — omologato a Ginevra il 25 settembre 1793 (AEG) — lo legò all'effigiata: "Delle Catherine Sturler de Sarrau il suo ritratto dipinto da mio padre".

379. VOLTAIRE CHE RACCONTA UNA FAVOLA A DELLE GIOVANI DONNE

ol/tl   35 × 20,3   Triv. 238

Figurò alla vendita Liotard a Londra nel 1773 (cat. n. 221; invenduto). Già nella collezione Claude A.C. Ponsonby a Londra; venduto alla Christie's il 28 marzo 1908 (acquistato da Glen). Molto verosimilmente si tratta del n. 70 del catalogo della collezione di dipinti di Liotard (Parigi 1771): "Un paesaggio, in cui il signore di Voltaire abborda un contadino e delle contadine che mangiano seduti, e dice loro: Figli miei, come siete fortunati! La ragazza ha paura, e un cane abbaia al signor di Voltaire. Copia da Hubert [si tratta del pittore ginevrino Jean Huber (1721-1786), caricaturista di Voltaire]. Di Liotard. Alt. 11, largh. 7¼".

380. DAMA FRANCA SU UN SOFÀ

p   16,5 × 20   c.

Vendita Liotard, Londra 1773 (cat. n. 49; invenduto). È forse identificabile col n. 6 dell'inventario steso dopo la morte del pittore, nel 1790 (collezione privata): "miniatura in pastello raffigurante una donna greca su un sofà, valutato 1 luigi; a Marie-Thérèse Liotard". Si tratta verosimilmente del n. 78 del catalogo della collezione di dipinti di Liotard (Parigi 1771): "Una franca di Costantinopoli seduta sul sofà. Miniatura. Di Liotard, 6½, largh. 7½". Identificabile forse con il presunto ritratto della contessa di Coventry del museo di Ginevra (n. 126).

381. "DUE QUADRI DEL SULTANO E DELLA MOGLIE"

ol   (?)

Già nella collezione di Lord Bessborough; apparsi alla vendita Bessborough a Londra, 7 febbraio 1801 (venduti alla duchessa di D.). Citati come "scomparsi" da Tilanus (1897, pag. 209).

382. SCENA CON PIÙ PERSONAGGI

p   (?)

Già nella collezione di Lord Bessborough; apparso alla vendita Bessborough a Londra, il 6 febbraio 1801 (venduto a Lord Burford). Citato come "scomparso" da Tilanus [1897, pag. 209].

383. GLADIATORE

p   (?)

Già nella collezione di Lord Bessborough; apparso alla vendita Bessborough a Londra, il 6 febbraio 1801 (venduto a Lord Burford). Citato come "scomparso" da Tilanus (1897, pag. 209). Verosimilmente il n. 69 della collezione di Liotard (Parigi 1771): "Il Gladiatore morente dipinto a Roma nel Campidoglio, dall'antico. Di Liotard".

Opere attribuite

Si elencano qui di seguito i dipinti che figurano o hanno figurato, sono pubblicati o esposti sotto il nome di Liotard in collezioni pubbliche, così come quelli che sono menzionati dalla critica. Le copie da opere note del pittore sono invece citate nel catalogo, nelle 'schede' relative ai rispettivi originali.

A1. AUTORITRATTO. Amsterdam, Rijksmuseum

ol/tl incollata su tv   24 × 20

Pubblicato nel catalogo del museo (*All the Paintings of the Rijksmuseum, Amsterdam ...*, Amsterdam 1976; inv. A. 2656)

A2. ELEANOR DIXIE. Nottingham, Castle Museum and Art Gallery

ol/tl   122 × 99

Collezione J. Henry Jacoby. È stato incluso nell'esposizione del Cinquantenario a Nottingham (1928, n. 88). Secondo una comunicazione di David Phillips (1977), conservatore del museo, questo dipinto sarebbe attualmente attribuito a Henry Rickering.

A3. L'ARCIDUCA GIUSEPPE, FUTURO GIUSEPPE II, BAMBINO. Weimar, Staatliche Kunstsammlungen, Schlossmuseum (inv. G 67)

p/pv   72 × 55

Pubblicato da Tilanus (cat. n. 6), Fosca (1928, p. 150) e Gielly (1935, pag. 202).

A4. L'ARCIDUCA GIUSEPPE, FUTURO GIUSEPPE II, BAMBINO. Braunschweig, Anton-Ulrich Museum (inv. 678)

Replica del n. A3. Pubblicato da Tilanus (cat. n. 6), Fosca (1928, pag. 150) e Gielly (1935, pag. 202).

A5. JEAN-PIERRE GLARIS DE FLORIAN. Bulle, Musée Guérien

ol/tl   65 × 54

Reca la scritta sul verso: "Jean-Pierre Glaris Florian. Liotard pinxit 1784". Pubblicato da Henry Naef (*Le fabuliste, le conservateur, le journale et le portrait*, in "La Tribune de Genève", 3 aprile 1953).

A6. MADAME DE GRAFFIGNY. Digione, Musée Magnin

ol/tl   80 × 64

Catalogo della raccolta Magnin (Parigi 1922, n. 202 bis).

A7. MARIA ANTONIETTA, FUTURA REGINA DI FRANCIA. Weimar, Staatliche Kunstsammlungen, Schlossmuseum

p   85 × 52

Pubblicata da Tilanus (cat. n. 9), Fosca (1928, pag. 150), Gielly (1935, pag. 20).

A8. MARIA ANTONIETTA, FUTURA REGINA DI FRANCIA, IN ABITO DA CACCIA. Vienna, Hofburg (inv. 806 f. B.)

p   81 × 66

Pubblicata da Tilanus (cat. n. 10), Fosca (1928, pag. 152). Respinta da Gielly (1935, pag. 269).

A9. RITRATTO DI ATTRICE FRANCESE. Cleveland, Art Museum

p/pr   64 × 46,8

Donato al museo da E.B. Greene. Pubblicato da H.S. Francis ("The Bulletin of the Cleveland Museum of Art", 1, novembre 1947, pag. 213-215, ripr. pag. 236).

A10. RITRATTO DI FANCIULLA NEGRA. Saint Louis, City Art Museum

p/cr   40 × 31,8

Già ad Amsterdam in una collezione privata; acquistato dal museo a un'asta londinese di Christie's (30 gennaio 1948, lotto 54). Pubblicato come autografo da H. Stewart Leonard ("Bulletin of the City Art Museum of St. Louis", XXXV, 1951, pag. 46-48). Forse opera di Maurice-Quentin de La Tour, molto vicina al ritratto di fanciullo negro, conservato al museo di Ginevra.

A11. RITRATTO DI SCONOSCIUTA. Ginevra, Musée d'Art et d'Histoire (inv. 1920-43)

p/pr   54 × 37

Già a Ginevra nella collezione Favas. Catalogato da Tilanus

(n. 84*); riprodotto come autografo di Liotard in "Pages d'art" (1922, ripr. pag. 82). L'attribuzione è già stata contestata da Gielly (1935, pag. 209).

A12. NICOLAS FREDERIC VON STEIGER. Berna, Kunstmuseum

p 68 × 56

Pubblicato da Tilanus (cat. n. 72). Giudicato di attribuzione incerta da Fosca (1928, pag. 158) e rifiutato da Gielly (1935, pag. 209). Ascritto a Sigmund Freudenberger (1745-1801) da Kurt von Steiger ("Jahrbuch des historisches Museum Bern", 1961-62, pag. 149, 194). Il ritratto sembra essere derivato da un'incisione.

A13. IL DOTTOR THEODORE TRONCHIN. Ginevra, Societé des Arts

p/cr 66 × 54

Pubblicato da Tilanus (cat. n. 80), Baud-Bovy (*Peintres genevois*, I, 1903, pag. 27, ripr.), Gielly (1935, pag. 206), Vaillat ("Les Arts", 1911, n. 118), Crosnier (*Nos Anciens et leurs oeuvres*, 1910, pag. 32). Esposto alla mostra di Liotard a Ginevra nel 1886 (cat. n. 5), all'esposizione d'arte svizzera (Ginevra, 1925), all'esposizione "Art ancien genevois" (Ginevra, 1936, n. 8). Si tratta verosimilmente di un'opera di Maurice Quentin de La Tour.

A14. VOLTAIRE. Bayreuth, Neues Schloss

p

Pubblicato come opera di Liotard da Erich Bachmann (*Ein Jugendbildnis Voltaires im Neuen Schloss Bayreuth*, in "Archiv für Geschichte von Oberfranken", 47, 1967, pagg. 277-288, ripr.).

A15. BAMBINI CHE FANNO BOLLE DI SAPONE. Vienna, Schönbrunn (inv. 55014 AC)

p 58 × 72,5

Con i n. A16-A22 e A25 proviene dal castello di Miramare, vicino a Trieste. Assieme ai tre seguenti è descritto come opera di Liotard nell'inventario manoscritto di tale collezione.

A16. GRUPPO DI TRE BAMBINI. Vienna, Schönbrunn (inv. 55016 AC)

p 45,5 × 62,5

Come il n. A15 (si veda).

A17. GRUPPO DI QUATTRO BAMBINI. Vienna, Schönbrunn (inv. 55015 AC)

p 53,5 × 69

Si veda al n. A15 per ogni ragguaglio.

A18. FANCIULLA ADDORMENTATA. Vienna, Schönbrunn (inv. 55019 AC)

p 46 × 38

Si veda al n. A15. Assieme al n. A19 viene definita nell'inventario manoscritto della collezione "della maniera di Liotard".

A19. FANCIULLA CON CAPPELLO GIALLO. Vienna, Schönbrunn (inv. 55008 AC)

p 62 × 48

Come il n. A18 (si veda).

A20. FANCIULLA CON FIORI NEI CAPELLI. Vienna, Schönbrunn (inv. 55018 AC)

p 48,5 × 37

Si veda al n. A15. Assieme al n. 19 esposto come opera di Liotard.

A21. FANCIULLA CON PANIERE DI CAROTE. Vienna, Schönbrunn (inv. 55009 AC)

p 57 × 46

Come il n. A20.

A22. GIOVANE PAESANA. Vienna, Schönbrunn (inv. 55007 AC)

p 50 × 41,5

Si veda al n. A15

A23. L'ORA DELLA MUSICA. Chicago, Art Institute

p 53,4 × 62,5

Donato al museo da Ch. Deering Mc Cormick, Brooks Mc Cormick e Roger Mc Cormick. Pubblicato in "Calendar of the Art Institute of Chicago" (settembre 1965, vol. 59, n. 4).

A24. RAGAZZA ALLO SPECCHIO. Springfield, Museum of Fine Arts

ol/tl 76 × 63,5

Già nella collezione J. Gray. Pubblicato da F. B. Robinson (*The Activities of Liotard "Le Turc"*, "Art in America", 32, 1944, pag. 141-143). L'attribuzione a Liotard era già stata contestata da Michel Benisovich (comunicazione scritta al museo di Ginevra nel 1961) che vi riconobbe, giustamente, un'opera riferibile all'ambito di Rotari.

A25. VECCHIO CHE FUMA LA PIPA. Vienna, Schönbrunn (inv. 55011 AC)

p 72 × 57,5

Si veda per ogni ragguaglio al n. A15.

123

A1

A2

A3

A5

A6

A4

A10

A11

A15

A16

A17

A18

A19

A20

A21

A22

A23

A24

A25

D1 D2 D3 D4 D5

D6 D7 D8 D9 D10 D11

D12 D13 D15 D16

Appendice

DISEGNI

Liotard si conferma come pittore della verità fin dai disegni eseguiti a lapis nero e a sanguigna al tempo del viaggio in Oriente intrapreso nel 1738; disegni che per la libertà della stesura, che rende a meraviglia le vibrazioni della luce e la trasparenza delle ombre, non mancano di richiamare il procedimento impiegato nel disegno dal vero di Watteau. Con la minuzia dei particolari, che però non è mai stancante, Liotard rende il fascino dei costumi delle donne di Pera e di Costantinopoli e descrive in una sorta di puntuale reportage gli usi e i costumi di un Oriente decisamente reale, che non è, come in Boucher, pura fantasia e pretesto all'evasione.

D 1. GIOVANE ROMANA A MEZZA FIGURA, DI PROFILO. Parigi, Louvre

matita nera, sanguigna, pastello rosso e bruno
cr 20,7 x 15,3   1737 c.

D 2. LA CAMERA DI LIOTARD A COSTANTINOPOLI.
Ginevra, Musée d'Art et d'Histoire

sanguigna e matita nera
cr 18,6 x 24,2   1738-39 c.

In basso è una scritta, presumibilmente di mano del figlio dell'artista, a penna e inchiostro nero: "Chambre du peintre Liotard à Constantinople"

D 3. LA SIGNORA ABELGRADE DAVANTI A UN TELAIO. Parigi, Louvre

matita nera e sanguigna
cr   21 x 13   1738

D 4. LA SIGNORINA ABELGRADE, RICAMATRICE. Parigi, Louvre

matita nera e sanguigna
cr 14.5 x 21   1738
A destra, sull'ottomana, è l'annotazione: "Abelgrade brodeuse / a Costantinople Aoust 1738".

D 5. IL NANO IBRAHIM. Parigi, Louvre

matita nera e sanguigna
cr 17,2 x 13,8   1738

D 6. LA SIGNORA MAROUDIA. Parigi, Louvre

matita nera e sanguigna
cr 21 x 14   1738

D 7. IL SIGNOR PELERAN, CONSOLE DI FRANCIA A SMIRNE. Parigi, Louvre

matita nera e sanguigna
cr 21,7 x 17,5   1738

D 8. LA SIGNORA PELERAN. Parigi, Louvre

matita nera e sanguigna
cr 21,4 x 12,8   1738

D 9. MARIA VESTALI. Parigi, Louvre

matita nera e sanguigna
cr 21,4 x 13   maggio 1738

D 10. NEHMET AGA, FRATELLO DI SADIG. Parigi, Louvre

sanguigna e matita nera
cr 21 x 14,5   1738-42

D 11. PRESUNTO RITRATTO DEL FIGLIO DI SADIG AGA. Parigi, Louvre

sanguigna e matita nera
cr vergata 22,2 x 16,3   1738-42

D 12. LEVANTINO CHE FUMA, SEDUTO A TAVOLA. Parigi, Bibliothèque Nationale

sanguigna
cr vergata   19,4 x 15,3
1738-42

D 13. DAMA DI COSTANTINOPOLI SEDUTA SU UN SOFÀ, CON UN PIEDE A TERRA. Parigi, Louvre

matita nera e sanguigna
cr 20,6 x 17

D 14. GIOVANE LEVANTINA SEDUTA SU UN SOFÀ, CHE FA SCORRERE UN FILO FRA LE DITA. Parigi, Louvre

sanguigna e matita nera
cr 22 x 17   1738-42

D 15. QUATTRO MUSICISTI TURCHI, ACCOVACCIATI. Parigi, Louvre

matita nera e sanguigna
cr 11,8 x 18,4   1738-42

D 16. DUE LEVANTINI ACCOVACCIATI CHE SUONANO IL VIOLINO. Berlino, Kupferstichkabinett

matita nera e sanguigna
cr 18,3 x 23,3   1738-42

D 17. LA SPOSA DI COSTANTINO MAUROCORDATO, OSPODARO DI MOLDAVIA. Berlino, Kupferstichkabinett

matita nera e sanguigna
cr 21,7 x 15   1738-42

D 18. RITRATTO DI GENTILUOMO IN TALAR FODERATO DI PELLICCIA (detto il RITRATTO DI UN OSPODARO DI IAŞI). Ginevra, Musée d'Art et d'Histoire

sanguigna e matita nera
cr 22,9 x 16,7   1742-43 c.

D 19. RITRATTO DI UN MAGISTRATO. Ginevra, Musée d'Art et d'Histoire

matita nera e sanguigna, tocchi di bianco
cr azzurra 56,5 x 44,5

D 20. RITRATTO D'UOMO CON MANICOTTO. Ginevra, Musée d'Art et d'Histoire

matita nera, tocchi di bianco
cr azzurra 72 x 48,5

D 21. RITRATTO DI DONNA A UNA FINESTRA. Ginevra, coll. privata

lapis nero, matita nera, sanguigna
cr 21,3 x 16,3

D 22. LA MOGLIE DEL PITTORE CON UN BAMBINO SULLE GINOCCHIA. Ginevra, Musée d'Art et d'Histoire

tre matite
cr crema 24,4 x 19,6

D 23. L'ARCIDUCHESSA MARIANNA. Ginevra, Musée d'Art et d'Histoire

sanguigna, lapis nero, acq
cr 32,5 x 26,5

Fa parte, assieme ai n. D 24-D 33, di un gruppo di undici disegni eseguiti a Vienna nel 1762 per l'imperatrice Maria Teresa. Il 13 novembre 1777 Liotard scriveva alla moglie: "l'imperatrice m'ha detto che tutti i ritratti che ho fatto della sua famiglia li porta con sé in tutti i suoi viaggi. Più di ogni altra cosa ella apprezza i ritratti

D14

D18

D17

D19

D20

D21

D22

D23

D24

D25

D26

D27

D28

D29

D30

D31

D32

D33

dei suoi figli che ho disegnato a due matite".

D 24. L'ARCIDUCHESSA MARIA CRISTINA. Ginevra, Musée d'Art et d'Histoire

sanguigna, lapis nero, acq cr 32,5 × 26,3

D 25. L'ARCIDUCHESSA ELISABETTA. Ginevra, Musée d'Art et d'Histoire

D 26. L'ARCIDUCA CARLO-GIUSEPPE-EMANUELE. Ginevra, Musée d'Art et d'Histoire

sanguigna, lapis nero, acq cr 32 × 26,5

D 27. L'ARCIDUCHESSA MARIA AMELIA. Ginevra, Musée d'Art et d'Histoire

sanguigna, lapis nero, acq cr 32 × 26,5

D 28. L'ARCIDUCA PIETRO LEOPOLDO. Ginevra, Musée d'Art et d'Histoire

sanguigna, lapis nero, acq cr 32,5 × 26,5

D 29. L'ARCIDUCHESSA GIOVANNA GABRIELLA. Ginevra, Musée d'Art et d'Histoire

sanguigna, lapis nero, acq cr 32,4 × 26,4

D 30. L'ARCIDUCHESSA MARIA GIUSEPPINA GABRIELLA. Ginevra, Musée d'Art et d'Histoire

sanguigna, lapis nero, acq cr 33 × 27

D 31. L'ARCIDUCHESSA MARIA CAROLINA. Ginevra, Musée d'Art et d'Histoire

sanguigna, lapis nero, acq cr 32 × 25,5

D 32. L'ARCIDUCA FERDINANDO. Ginevra, Musée d'Art et d'Histoire

sanguigna, lapis nero, acq cr 32,3 × 25

D 33. L'ARCIDUCHESSA MARIA ANTONIETTA. Ginevra, Musée d'Art et d'Histoire

sanguigna, lapis nero, acq cr 32 × 25,5

SMALTI

S 1. DIANA E ENDIMIONE. Ginevra, Musée d'Art et d'Histoire

smalto 7 × 5,2 f d 1722

Firmato e datato: "Jean-Etienne Liotard pinxit 1722".

S 2. IL SIGNOR DE MARIGNY, FRATELLO DI MADAME DE POMPADOUR. Ginevra, coll. G. Salmanowitz

smalto ovale 4,9 × 4 f d 1749

Firmato sul retro: "pt Liotard 1749".

S 3. VECCHIA ADDORMENTATA, CON BIBBIA APERTA SULLE GINOCCHIA. Vienna, Kunsthistorisches Museum

smalto su porcellana 44 × 34 f d 1760

Copia del quadro di Quiringh Gerritz van Brekelenkam (Londra, National Gallery, .inv. 2550) appartenuto alla collezione di Liotard già nel 1756.

MINIATURE

M 1. PRESUNTO RITRATTO DELLA SIGNORA FAVART IN COSTUME TURCO. Leningrado, Ermitage

miniatura 9 × 7,3

M 2. RITRATTO DI DONNA IN ABITO ROSA, SEDUTA, COL BRACCIO DESTRO APPOGGIATO A UN TAVOLO. Ginevra, Musée d'Art et d'Histoire

miniatura 5,8 × 8,7

TRASPARENTI

T 1. MARIA TERESA D'AUSTRIA. Ginevra, coll. G. Salmanowitz

olio su porcellana trasparente 13,5 × 13,5

A proposito di questi trasparenti Liotard scrisse nel *Traité* [règle XIII, pag. 63]: "erano dipinti con colori a smalto inalterabili, cotti e incorporati al vetro dal fuoco".

S1

S2

S3

M1

M2

T1

Repertori

Indice dei titoli e dei temi

I numeri preceduti dalle lettere A, D, S, M, T, rimandano rispettivamente alle sezioni Opere attribuite, Disegni, Smalti, Miniature e Trasparenti

Indice topografico

128

Indice del volume

La chiave delle abbreviazioni poste nell'intestazione di ciascuna "scheda" è data a pag. 82.

Fonti fotografiche

Illustrazioni a colori: Archivio Dott.ssa Loche, Ginevra; Archivio Rizzoli (Mondi, Serantoni), Milano; Bildarchiv Preussischer Kulturbesitz, Berlino; Blauel, Gauting bei München; Borel-Boissonnas, Ginevra; Held, Ecublens; Herzog Anton Ulrich-Museum (B.P. Keiser), Braunschweig; Klima, Detroit; Kunstmuseum, Berna; Meyer, Vienna; Quattrone, Firenze; Reinhold, Leipzig-Mölkau; Rijksmuseum, Amsterdam; Stiftung Oskar Reinhart, Winterthur; Webb, Cheam (Surrey). Illustrazioni in bianco e nero: Archivio Dott.ssa Loche, Ginevra; Archivio Rizzoli, Milano; Gemeentemuseum, L'Aia; Giraudon, Parigi; Graphische Sammlung Albertina, Vienna; Held, Ecublens; Koninklijk Huisarchief, L'Aia; Kunsthistorisches Museum, Vienna; Rijksmuseum, Amsterdam; Stichting Historische Verzamelingen van het Huis Van Oranje-Nassau, L'Aia.

Direttore responsabile: GIANFRANCO MALAFARINA

Registrazione presso il Tribunale di Milano, n. 84 del 28.2.1966
Spedizione in abbonamento postale a tariffa ridotta editoriale: autorizzazione n. 51804 del 30.7.1946 della Direzione PP.TT. di Milano

Editore stampatore: RIZZOLI EDITORE S.P.A.
MILANO, VIA ANGELO RIZZOLI 2 - PRINTED IN ITALY